JULIETTE MICHAUD

Journaliste de cinéma, Juliette Michaud a été pendant dix ans la correspondante de *Studio magazine* à Hollywood.

LES TRIBULATIONS DE JULIETTE À HOLLYWOOD

JULIETTE MICHAUD

LES TRIBULATIONS DE JULIETTE À HOLLYWOOD

SONATINE ÉDITIONS

CET OUVRAGE EST PRÉCÉDEMMENT PARU SOUS LE TITRE :
JUNKET

Le papier de cet ouvrage est composé de fibres naturelles, renouvelables, recyclables et fabriquées à partir de bois provenant de forêts plantées et cultivées durablement pour la fabrication du papier.

ISBN : 978-2-266-18655-1

À ma famille, à Jesse Harper,
et avec des remerciements tout particuliers
à Jean-Pierre Lavoignat

« *Junket* : Festin. Banquet.
Voyage d'agrément aux frais de la princesse. »

Harrap's Shorter

« Eh, la vie, c'est pas la répétition, c'est le show ! »

Cameron Diaz,
philosophe bien connue d'Hollywood

1.

Vous faites un beau métier quand même !

Où suis-je ? je grogne.

Je me réveille entortillée dans un duvet, la bouche écrasée contre l'oreiller, les sens encore à moitié ankylosés. Bien, ce duvet. J'ai cette literie de luxe chez moi ? Chez moi, où ?… Je dois plutôt être dans un hôtel. Et pas un bouge. Oh nooon, je dois sûrement aller faire une interview… Mais n'avais-je pas dit que j'arrêtais d'en faire ? Leo… C'est mon Leo que je dois aller interviewer ! Il va arriver par les cuisines, comme dans une scène des Affranchis. *Sauf que là, il est en promo pour* Les Infiltrés, *le dernier film de Martin Scorsese. Oui, voilà pourquoi j'ai fait le voyage à New York. Va-t-il me reconnaître ?… Manquerait plus qu'il ne me reconnaisse pas ! C'est que je l'ai interviewé plusieurs fois. Et attention, en tête à tête ! Oui, oui, tout me revient maintenant. Pour* Titanic, *ça s'est d'ailleurs passé ici même, dans cet hôtel. C'était un peu avant la sortie du film, avant l'explosion de la Leomania. Mais attendez un peu… Si j'étais dans cet hôtel pour la promotion de* Titanic… *Alors, ça fait… Dix ans ? ! Nom d'un blockbuster, voilà donc à quoi ressemblent dix ans de la vie d'une journaliste de cinéma à Hollywood ? !*

Le dix-huitième étage de l'hôtel Regency est en effervescence, réquisitionné pour la promotion de *Titanic*. En bas, sur Park Avenue, les passants chic ont l'air de sortir tout droit d'un film de Woody Allen.

On est « un peu en retard sur l'emploi du temps », me fait-on savoir sur le coup de dix-sept heures, en me dirigeant pour patienter vers le traditionnel buffet froid et café à toute heure.

Pas de panique, les femmes et les enfants d'abord. Même en arrivant en retard, on arrive encore trop tôt.

Au buffet je constate que d'autres journalistes ont déjà raflé toutes les framboises qui servaient de garniture à un gâteau censé représenter le *Titanic*. J'ai vu le film la veille au soir, je n'ai pas trouvé ça terrible. L'iceberg fait carton-pâte, le bateau fait maquette de bateau, les figurants font figurants. Sans parler des allers-retours temporels peu convaincants… Et puis c'est trop triste, et je suis allergique à Céline Dion. Bon, bien sûr, il y a Leonardo DiCaprio, que j'avais eu la chance de rencontrer quelques mois auparavant. Mais je le trouve noyé dans cette superproduction qui va boire la tasse, c'est sûr.

Ce matin, j'ai fait part de mon verdict au Boss – c'est ainsi que j'appelle mon patron – qui téléphonait de Paris pour me demander :

— Alors, alors ?

Voilà… Maintenant, en France, ils savent que le film est décevant.

— *Titanic* ne fera pas les vagues attendues à sa sortie, j'ai lancé, fière de la formule.

Car, au fond, n'est-ce pas cela le rôle d'un correspondant à l'étranger ? Humer l'air du temps, être en prise avec son époque. Annoncer la tendance, quoi. Je me suis abstenue de dire que j'avais déjà eu du bol de voir le film, ayant raté l'avion pour assister à la grande projection officielle, qui avait eu lieu à New York deux jours plus tôt.

Comme ma mission *Titanic* était organisée depuis un mois, ça l'aurait plutôt foutu mal. Parce que, bon sang, je connaissais la date et l'heure de mon vol par cœur. C'était écrit en gros sur tous les Post-it de la maison. Le tête-à-tête avec Leonardo DiCaprio avait été confirmé par les « publicistes » – les attachées de presse – de la Fox, des rusées qui s'étaient donné un mal de renard pour nous en donner l'exclusivité… Et voilà comment je les remerciais : en intervertissant dans mon cerveau les jours de la semaine. Ce type de dyslexie du quotidien arrive souvent lorsqu'on travaille seule, remarquez, et chez soi qui plus est. On jouit d'une liberté d'emploi du temps qui laisse tout le temps de se livrer à de longues réflexions métaphysiques. Du genre : « Mais pourquoi le lundi devrait-il nécessairement TOUJOURS être le premier jour de la semaine, c'est injuste. Et si mardi… »

Raisonnement utile, par exemple, si l'on écrit un roman de science-fiction. Moins si l'on est la correspondante hollywoodienne d'un grand magazine français de cinéma. Dans ce dernier cas il faut maîtriser la gestion de ce que l'on appelle un agenda, outil peu sexy s'il en est, accordez-moi au moins cela.

Je préfère les notes sur le frigo que je ne lis jamais, les yeux trop écarquillés à essayer de retrouver à l'intérieur les vestiges d'un paquet de gruyère et de jambon en vue d'une ultime orgie de coquillettes.

C'est à l'attachée de presse un peu sourde de la Fox (celle qui s'est mise en tête que je m'appelle Michelle et que je travaille pour le magazine *Première*) que j'ai avoué avoir loupé l'avion pour New York.

Elle m'a fait répéter. La deuxième fois on aurait pu croire qu'elle avait succombé à un infarctus dans son bureau de Century City, non loin du grand immeuble où a été tourné *Piège de cristal*. Mais elle a aussitôt repris la situation en main et, en dépit de son timbre de voix encore un peu fébrile, elle a fait jouer toutes ses connections pour me trouver une autre projection avant les interviews du lendemain, *domestic* cette fois-ci (pour la presse américaine, et non pas internationale, deux castes qui ne se mélangent que dans les situations extrêmes – et c'en était une !).

Durant les cinq heures du vol Los Angeles-New York, je me suis flagellée en absorbant un certain nombre de bloody mary trop salés. Et lorsque je suis arrivée pile pour le début du générique de *Titanic*, mon humeur était tout sauf au beau fixe : j'étais donc incapable, irresponsable, je n'arriverais jamais à rien dans la vie et ailleurs... Pendant ce temps, sur l'écran grandeur télé de la salle privée où l'on m'avait trouvé une place *in extremis*, Kate et Leo faisaient l'avion à la proue du foutu navire.

Bon, alors, ça parle de quoi ce film ? Ce sont ces glaçons ridicules qui auraient coûté la coque au rafiot ? Suis fatiguée, nom d'un moussaillon. Ces allers-retours en zinc auront ma peau. Qu'est-ce que je commande au room service *en rentrant ? Je devrais prendre la salade Caesar ou l'assiette de légumes. En même temps, le saumon grillé-purée a l'air bien. Très bien même. Je ne devrais pas prendre de vin. Quoique. Un verre de merlot avec mon dîner ce n'est quand même pas la mer à boire...*

Dix-huitième étage du Regency.

Un journaliste allemand sort de la suite au fond du couloir, extatique.

— Ça s'est super bien passé ! On a établi le contact, en plus j'habite la même rue que lui à Los Feliz, je lui ai donné des adresses, il est hyper cool, tu vas voir. Le film est écrasant, hein ? Ça m'a mis sur le cul ! Pas toi ? ! Tu plaisantes ? *Titanic*, c'est LE film de la fin du vingtième siècle ! Quand t'as le héros accroché en haut du pont, avec le bateau en train de sombrer, tu vas pas me dire que c'est pas fort, quand même ?

J'ai vu cette scène, moi ? J'ai dû aller aux toilettes à ce moment-là...

La porte de la suite s'ouvre à nouveau : les interviews doivent s'enchaîner sans discontinuer pour ne pas briser le rythme de la journée de promotion. Une attachée de presse coiffée comme Rachel dans *Friends* me fait entrer sans déplacer le moindre souffle d'air.

— Vous avez vingt-cinq minutes, me fixe-t-elle avec de gros yeux, pour s'assurer que je suis bien consciente du privilège qui m'est offert.

— Hey Juliette, tu t'es fait couper les cheveux ?

— Oh... Oui, besoin de changer. Les filles, c'est ça, tu sais...

Nom d'une cornemuse ! Non seulement Leonardo DiCaprio me reconnaît après une interview faite quelques mois plus tôt (pour *Roméo + Juliette* de Baz Luhrmann…), mais en plus il a noté ma nouvelle coupe ! La chance a-t-elle enfin tourné ? Cela me met à l'aise. Trop. Je lui intime l'ordre de se débarrasser de son cigare, incongru dans ses mains de bébé. Qu'est-ce que c'est que ce nouveau genre ? Lors de notre première rencontre, il n'était encore qu'un enfant, pouffant devant le prix exorbitant d'une pizza au Four Seasons. Un ouistiti qui faisait valser ses tennis en plein milieu d'une phrase pour se mettre à l'aise, ce qui avait aussi eu le don de me décontracter. Et voilà que maintenant il croit m'impressionner avec ses ronds de fumée !

Il éteint le havane, ouvre la fenêtre et m'offre un verre de jus d'orange pour se faire pardonner.

— C'est mieux comme ça ?

J'acquiesce en minaudant.

Ouais, mais ne recommence pas. Tu sais qu'il faut être ferme avec eux, tu leur donnes ça…

Une demi-heure en tête à tête avec mon Leo ; la moitié des jeunes filles de la planète qui m'arracheraient les yeux pour être à ma place…

— Plus que cinq minutes, vient miauler l'attachée de presse, dix minutes avant la fin prévue de l'interview.

Au fond, cette interruption m'arrange : non pas que je m'ennuie (Leo comprend presque toutes mes questions et ses réponses sont intéressantes) mais le jeune prodige a l'air un peu blasé et j'aimerais surtout avoir le temps de passer chez Bloomingdale's[1] avant que ça ferme !

— Dernière question, aboie cette fois la tête du cerbère qui vient de réapparaître à la porte d'entrée.

1. Équivalent new-yorkais de nos Galeries Lafayette.

« Hum… Où vous voyez-vous dans dix ans ? », « Croyez-vous au destin ? »… Les pauvres acteurs doivent se demander pourquoi les journalistes leur fourguent toujours une grande question existentielle en fin d'interview. Le nuage sur lequel j'étais assise commence à s'évaporer.

Poignée de main, œil coquin, il me reconduit à la porte.

J'enfile ma veste au ralenti. Je ne veux plus partir. Je réalise que ce moment était bien réel, j'ai envie de le prolonger. J'ai subitement plein de choses à lui demander, à lui raconter. L'attachée de presse tapote le papier peint du couloir. Elle se fend d'un vague « hin hin » en réponse à mes remerciements. Leo fait un petit signe d'au revoir en rallumant son cigare. Gentil, mais l'air de dire qu'on ne va pas non plus passer la soirée à se quitter. J'ai compris. Maintenant que c'est dans la boîte, je n'ai plus qu'à débarrasser le plancher. OK, OK, pas besoin de me le dire deux fois.

— Des basiques, il te faut des basiques, martèle ma sœur quand je me plains de n'avoir rien à me mettre.

Hélas, aucun des deux pantalons noirs arrachés au rayon junior de Bloomingdale's juste avant la fermeture des portes ne me va. La jambe que je croyais fuselée ressemble à un accordéon. L'effet du chemisier, fourgué de force par la vendeuse « pour aller avec », n'est pas mieux. Accablée par la traîtrise du Stretch, incrédule devant un décolleté à la Scarlett O'Hara d'après la guerre, je gis sans force sur le *king size bed* de ma chambre d'hôtel. À la télé, *Comme un torrent*, de Vincente Minnelli, me procure quelques miettes de bonheur, mais je boude, les narines en naseaux. Le problème « Il te faut des basiques » reste entier.

Dénicher une paire de chaussures qui ne me donneraient pas d'ampoules ne serait pas du luxe non plus. Trouver un regain de motivation, au moins pour tenir jusqu'au nouvel an, s'avère vital.

Je n'ai pas eu le courage d'aller admirer l'arbre de Noël géant qui vient d'être installé sur la place du Rockefeller Center. L'idée de retourner me mêler à la foule bardée de volumineux paquets enrubannés m'a terrifiée. Et, puisque dans *Comme un torrent* Frank Sinatra et Dean Martin redemandent une tournée de *drinks*, j'accepte les avances du minibar, puisant dans le pétillant d'un gin tonic la force de rassembler mes affaires pour le lendemain.

— Vous faites un beau métier quand même !

Mon voisin d'avion me décoche un coup de poing sur le côté de la jambe, type même de familiarité que j'adore. Il avait pourtant gagné mon estime au décollage en regardant le paysage à travers le hublot. J'aime bien les passagers qui collent le nez à la vitre pendant le voyage, plutôt que ceux qui prétendent tout du long ne pas avoir remarqué être en plein ciel. Comme si la situation était tout à fait *normale*.

Nous sommes embarqués à toute berzingue à dix mille mètres d'altitude, nom d'un chien, assis dans le vide à nous jeter sauvagement sur tous les paquets de cacahuètes qui nous sont distribués... La situation est TOUT sauf normale !

Manque de bol, mon voisin d'avion s'est maintenant décidé à faire connaissance et digère progressivement mes réponses à son inquisition. Mais qu'est-ce qui m'a pris, aussi, de raconter ma vie à ce bonhomme comme s'il était ma dernière chance de me confier à un autre être humain ? C'est ça, les décollages : les pensées sont agitées, s'envolent avec l'appareil et, pour peu qu'un intrus vous bombarde de paroles, vous crachez le morceau dans un violent besoin de lâcher du lest. J'incline le dossier de mon siège et prends de l'altitude, afin de signifier à mon voisin d'avion qu'entre lui et moi c'est déjà fini.

Mental en pilotage automatique, relais de la mémoire... Je revois en Cinémascope mes tout premiers pas à Hollywood.

... Le Boss m'avait emmenée à la Twentieth Century Fox pour assister à un tournage de Jean-Pierre Jeunet. Parvenu devant un mural grand comme un pan d'azur, éclaboussé d'une peinture gigantesque de Marilyn Monroe dans *Sept ans de réflexion*, le Boss s'était arrêté et le soleil avait fait *cling* sur ses Ray-Ban. Il avait pris un peu de recul, tendu ses bras vers la fresque, et s'était exclamé avec un sourire contagieux :

— Ah, génial ! Là, tu vois, tu y es vraiment !

En arrivant à la Fox, nous avions aperçu Drew Barrymore sortir d'un bureau de production, un scénario sous le bras, ce qui nous avait déjà laissés penser que cette fois, pas de doute, nous étions bien à Hollywood.

— Tiens, des Français, avait fait Jean-Pierre Jeunet en nous voyant débarquer.

Nous avions pris garde de ne pas marcher sur les membranes d'œufs extraterrestres que l'équipe d'*Alien 4* s'évertuait à faire suinter sur le décor avant l'arrivée de Sigourney Weaver.

— Viens, je vais te la présenter, avait proposé le photographe de plateau.

J'avais laissé le Boss discuter avec Jean-Pierre Jeunet pour retourner à l'air libre. Sigourney Weaver émergeait pile de sa caravane.

Le photographe lui avait annoncé, comme si ça pouvait l'intéresser :

— Sigourney, voici Juliette. Elle va s'installer à Los Angeles pour être la nouvelle correspondante d'un magazine de cinéma français.

Sigourney Weaver, lacée dans son costume de cuir, m'avait serré la main et avait désigné sans ciller le soleil au-dessus de nos têtes :

— Vous verrez, c'est très agréable, il fait toujours beau ici. *Welcome to Los Angeles !*

J'avais trouvé son attitude vraiment sympa, même si je m'étais rappelé qu'elle, pas folle, habitait New York.

— Elle est gentille, Sigourney ? m'avait demandé le Boss.

Le Boss, pour résumer, c'est la crème de la crème des patrons.

Un passionné, un altruiste, un humain qui croit aux cœurs qui battent. Dans des circonstances ordinaires, une fille comme moi, sans autre atout que celui d'être une cinéphile invétérée, écorchant l'anglais et plus encore le code de la route, ne se serait jamais vu confier ce poste de correspondante à Los Angeles.

Mais avec le Boss, il n'y avait pas de circonstances ordinaires. Tout était unique, et tout semblait facile.

C'était d'ailleurs pour me faciliter la tâche, et prendre lui-même la température d'Hollywood, qu'il était venu m'aider à m'installer. Il m'avait présentée aux attachées de presse des studios hollywoodiens. Tout un tas de déjeuners bien polis, assaisonnés de propos trop enthousiastes pour être vrais. Et surtout, ensemble, nous avions dégotté mon futur appartement. Il était convenu que je revienne emménager définitivement quinze jours plus tard, cette fois-ci avec ma sœur, qui avait décidé de m'accompagner dans cette aventure.

Pour me mettre au parfum, le Boss m'avait également fait inscrire à mon tout premier *junket*, terme que j'entendais pour la première fois. Une sorte de messe médiatique incontournable du cinéma hollywoodien, si j'en croyais la définition soudain baratineuse du Boss.

J'aurais dû me méfier.

D'après ce que j'avais compris, il s'agissait de plusieurs interviews à mener de front avec tous les participants d'un même film. En l'occurrence, mon premier essai se faisait avec *Le Temps d'aimer*, un navet ingurgité au préalable à Paris, qui réunissait Chris O'Donnell, dans le rôle du jeune Ernest Hemingway, et Sandra Bullock, dans celui de l'infirmière dont il tombe amoureux.

— On ne fera probablement rien de ces interviews, mais ça te fera un bon entraînement, m'avait avoué le Boss.

Le lendemain, il m'avait déposée devant un hôtel de Beverly Hills grouillant de journalistes. J'étais étonnée qu'il faille aussi interviewer les seconds rôles, le producteur et même le scénariste. On m'avait fait asseoir à une table, au côté d'autres confrères.

Je n'y avais pas fait long feu : un journaliste français m'avait fait comprendre qu'il était préférable que je quitte la pièce.

— Deux compatriotes ne s'assoient jamais ensemble, voyons, sinon ils auraient la même interview… Quand on prend place à une table, il faut s'assurer que personne de son *territoire* ne s'y trouve déjà.

J'avais laissé le Français me sermonner – j'étais nouvelle, et ça avait l'air de lui faire plaisir – et étais allée m'incruster à une autre tablée, située dans une pièce voisine. Tous les protagonistes du film avaient défilé devant nous à tour de rôle pour se faire interviewer. J'avais casé deux questions sans importance à Sandra Bullock, impressionnée de la voir de si près.

Ma foi, ces *junkets* avaient l'air plus divertissants que le Boss ne me l'avait laissé entendre. Surréalistes, peut-être, mais dans les entrailles de l'usine à rêves, cela paraissait presque aller de soi.

Après cette séance, j'avais retrouvé mon patron déjà tout bronzé. Il m'enviait de venir habiter au soleil. Nous étions allés dîner dans un restaurant bruyant où il était tombé sur une de ses vieilles connaissances, Alan Parker. Le metteur en scène nous avait glissé deux invitations pour le soir même à la première d'*Evita*, sa dernière réalisation en date. Quelques heures plus tard, engoncés dans nos habits du dimanche, nous évoluions dans le sillage de Madonna et Antonio Banderas.

Le Boss m'avait poussée du coude.

— Bon, il faudra quand même travailler, hein ? Mais voilà : tu as un aperçu de ta nouvelle vie ! Alors, ça te dit toujours de devenir correspondante à Hollywood ?

Je l'avais regardé avec gratitude.

L'homme qui m'offrait la chance de prendre un nouveau départ dans l'existence. En smoking, il ressemblait à une star des années 1940.

J'avais répondu :

— Ça va être le bonheur…

… — Interviewer des stars, aller sur les tournages… Faut pas s'emmerder, surtout. Putain, c'est un sacré beau boulot… Vous allez aussi aux avant-premières, je parie ?

Mon voisin d'avion vient de me remettre un grand coup sur la cuisse, mais plutôt de colère cette fois. Bon sang, je n'avais pas l'intention de le mettre en rogne. J'esquisse un sourire désolé. Mieux vaut ménager ce type. Pas juste parce qu'il en sait trop sur moi, mais parce que je peux avoir besoin de lui si l'avion pique du nez dans le Pacifique. Étant donné les turbulences qui secouent à présent l'appareil, cela n'aurait rien d'étonnant.

« Les secousses que nous rencontrons sont dues aux vents puissants de Santa Ana[1] », rassure un haut-parleur.

Vents puissants… Parfait. Je me prépare à mourir en remettant du rouge à lèvres. Dans le miroir de mon poudrier Estée Lauder offert parce que j'avais acheté une semi-remorque de crèmes antioxydantes, apparaît un cheveu blanc que je ne connaissais pas. Il faut que je fasse une teinture. Vérifier si cela rendra aussi bien sur moi que sur Andie MacDowell dans la pub. Je voudrais la voir chez elle, une vieille serviette sur les épaules, en train de se teindre elle-même les cheveux… Laissez-moi rire ! J'en ai plein, des satanés cheveux blancs : au moins quinze ! Ils sont apparus depuis mon exil à Los Angeles. Le temps y passe plus vite qu'ailleurs, qu'on ne me dise pas le contraire. Sans doute à cause du soleil à longueur d'année, qui assassine les heures sans pitié. Pas étonnant qu'ils soient tous liftés.

1. Vents chauds et secs en provenance du désert, sur la côte californienne.

Atterrissage tremblé, mais *under control*. Applaudissements pour le commandant de bord.

Laissez-moi sortir !

Je m'engouffre dans un taxi juste au moment où le coucher de soleil, attisé par les vents du désert, empourpre une ville qu'il en faut pourtant beaucoup pour faire rougir.

— 970, Palm Avenue, s'il vous plaît. Pas Palm Drive à Beverly Hills, Palm Avenue dans West Hollywood, je jette au conducteur en tâchant de masquer mon accent à la Maurice Chevalier.

Et que ça saute !

— Ah, vous êtes française !

Le chauffeur arménien me fait un clin d'œil en enclenchant une cassette de Charles Aznavour. Je m'aperçois dans son rétro intérieur : maquillage baveux, menton incertain. Gueule de trou d'air.

« Tu t'laisses aller, tu t'laisses aller », chante Aznavour. Des coups à ne pas laisser de pourboire. Au-dessus de la ville, une demi-douzaine d'hélicoptères font du surplace.

Je suis repérée.

Lorsque je pousse la porte moustiquaire de mon appartement en luttant contre une rafale d'air brûlant, le ciel vire carrément au rubis, balayé par les faisceaux bleus des hélicos. De la coursive, on peut voir les tours de *Downtown*[1] se détacher avec netteté. D'habitude, je lui trouve du chien, à ce quartier des affaires squatté par

1. En traduction littérale : « centre-ville », même si le terme s'applique très mal à Los Angeles.

les *homeless* et les artistes. Sûrement ce côté apocalyptique où plane encore, dans les rues qui montent, l'ombre du jeune John Fante. Mais ce soir-là, l'îlot urbain me semble droit sorti de l'enfer.

Je me laisse tomber sur le canapé du salon. Pas même la force d'aller jusqu'à la salle de bain pour voir si j'y suis. J'entame la danse du zap sur mes quatre-vingt-dix-neuf chaînes de télé.

Pas cet épisode de Friends, *Juliette, tu l'as déjà vu trois fois.*

Un clip de Jennifer Lopez m'attaque le tympan comme un essaim d'abeilles démultiplié en THX. Je viens peut-être de commencer ma chute libre, comme Michael Douglas dans le film de Joel Schumacher.

Avant mon départ, mes prédécesseurs au poste de correspondant à Los Angeles m'avaient bien mise en garde contre le syndrome de l'isolement. Ils avaient aussi mentionné le risque d'être aspiré dans le tourbillon des *junkets*, et de devenir un simple matricule. Ils avaient fait claquer le mot *junket* avec leur langue, comme pour me donner un petit coup de fouet préventif. À ce son, j'avais relevé le nez des articles de la presse américaine, que j'essayais tant bien que mal de traduire en guise d'entraînement à ma nouvelle fonction.

— Ah oui, les *junkets*, je vois ce que c'est. J'en ai fait un quand nous étions à L.A. avec le Boss. Un peu impersonnel, mais marrant, non ?

— Ouais, c'est marrant si t'en fais pas souvent, avait répondu l'un. Mais à Hollywood, pour faire des interviews, tu peux difficilement échapper au système. Les interviews comme t'as pu les connaître jusqu'ici, rendez-vous chez l'acteur ou dans un bar, aller seule pendant plusieurs jours sur un tournage… c'est fini, tout ça.

— Quand même, les *junkets* partent d'un bon sentiment, avait voulu me rassurer l'autre journaliste. Le tout, c'est de s'en écarter le plus souvent possible.

Autant en emporte le vent.

Cela fait presque un an que je me suis « fedexée » à Los Angeles.

J'y suis plus seule que Robinson Crusoé sur son île. Littéralement ventousée par le système.

La veste à grand col façon années 1950 du Cow-Boy, accrochée à un dossier de chaise, me rappelle pourtant que j'ai un homme dans ma vie. Sauf que pour l'heure, il joue le rôle d'un garçon battu par sa petite amie, et qui se venge d'avoir été violé par son entraîneur sportif quand il était adolescent en le tabassant à coups de cric de voiture. Le tout dans un film indépendant pour lequel il n'est pas payé… Je ne sais pas où ils tournent ça. Quelque part dans le désert en direction de Las Vegas, ai-je cru comprendre. En tout cas, aucun message de lui en rentrant.

J'attrape la veste rétro du Cow-Boy pour m'y emmitoufler. Ça sent le tabac et l'eucalyptus. J'enfouis mon nez dans la doublure, je ferme les yeux…

… Cela n'avait pas été dur de rencontrer le Cow-Boy : c'était le seul hétéro de mon building.

— Salut ! J'habite au fond de la cour, à gauche, ça se passe bien, l'emménagement ? On devrait aller boire un verre ensemble, un soir.

Il m'avait sauté dessus tel un couguar, le jour même de mon installation. À croire que, le matin où j'avais emménagé à Palm Avenue, je devais constituer une proie appétissante. Les cheveux retenus par un bandeau, un sourire flottant aux lèvres, très Audrey Hepburn. Tout à fait la tasse de thé du Cow-Boy, bien qu'il ne connaisse rien à la porcelaine.

— On m'a dit que tu ne conduisais pas ? Je peux t'emmener faire des courses en voiture quand t'as besoin, t'auras qu'à demander. Je suis acteur. Enfin, en ce moment je suis assez libre. Je viens d'aller me faire couper les cheveux, ça me va bien, non ?

Il ne s'était pas laissé démonter par mon attitude un brin snob. Sa voix était forte et bien placée.

Un acteur au chômage, fallait que ça tombe sur moi.

Je l'avais surnommé le « Cow-Boy » dans ma tête. Pas seulement à cause de ses bottes éculées et de sa veste en cuir râpé, mais aussi parce qu'il avait la démarche de Robert Duvall, et l'air candide d'Alan Ladd dans *L'Homme des vallées perdues*. Il avait pourtant fallu attendre le départ de ma sœur pour qu'on officialise notre rapprochement.

Ma sœur et moi avions franchi l'Océan ensemble. Elle devait m'aider à mettre en place ma nouvelle vie à Los Angeles et avait tenu sa promesse. Elle était mon chauffeur et mon interprète (quiconque lit encore à ce stade peut se demander pourquoi Los Angeles, lorsqu'on ne conduit pas plus qu'on ne parle anglais, et c'est une question légitime), évoluant sur cette terre promise avec une aisance confondante.

Cette drôle de rencontre entre la ville, le désert, la mer et la montagne la ravissait. Il fallait la voir, surfant sur les *freeways*, ces foutus boyaux et entrelacs d'autoroutes à voies décuplées, où l'on peut vous doubler par tous les côtés… Un décor idéal pour les régulières courses-poursuites entre gendarmes et voleurs que la télévision s'entête à retransmettre en direct, fermement décidée à entretenir la culture des flingues et des grosses bagnoles.

Help !

Elle s'était immédiatement adaptée au spectaculaire étalement de L.A., à cette marée infinie de maisons basses censées résister aux tremblements de terre. Dénichant les meilleures adresses des quartiers communautaires, reniflant les meilleures affaires dans les *garage sales*, ces vide-greniers du week-end où les habitants bradent leurs fonds de caves sur leurs pelouses ou leurs trottoirs. Le bureau Art déco aussi lourd et imposant qu'une baleine (il a fallu quatre paires de gros bras pour monter le monstre), le canapé, le lit, la table, les commodes, les fauteuils… Tout mon mobilier *vintage* vient de la passion de mon aînée pour le système D.

Nous nous étions perdues de vue après l'adolescence. Je la retrouvais splendide d'assurance, avide d'aventures. Tout juste la grande sœur dont j'avais besoin. Ensemble, nous avions déniché notre deuxième appartement, par le biais d'une petite annonce du *Los Angeles Times*. Le premier, loué par le Boss, nous faisait trop flipper à cause de tous les petits vieux de l'immeuble qui nous accaparaient en permanence, sans tenir compte de notre désir contenu d'une vie *fun* et rock'n'roll.

Le building à deux étages de Palm Avenue nous avait fait l'effet d'une oasis, avec son entrée encadrée d'arbres à trompettes couleur crème fouettée et merveilleusement odorantes, magiques *copa de oro*.

Et surtout, LA piscine. Quasi olympique, bordée de mosaïques méditerranéennes… Trop de bonheur.

Trop de bonheur ?

Après quelques semaines de ce nirvana, ma sœur, me voyant enfin un peu apaisée, et en ayant assez de faire serveuse dans un troquet italien de la Troisième Rue, s'était décidée à rejoindre un fiancé dans les îles, me laissant, non sans un pincement au cœur, à mon sort californien.

Elle avait épongé mes cuites au Viper Room[1], quand je voulais écumer les boîtes de nuit, avec mon physique de jeune écervelée qui faisait qu'aucun videur ne voulait me laisser entrer sans carte d'identité parce qu'il fallait « avoir vingt et un ans, miss ». (Bénis soient les videurs de Los Angeles.) Elle avait pansé mon petit doigt en sang, quitte à tourner de l'œil, le jour où, stressée à cause de mon rendez-vous avec Jessica Lange, j'avais laissé traîner ma main dans la portière de Whoopi, notre modeste Mazda 323 de 1988 achetée à un escroc sur l'avenue de Fairfax. Elle m'avait écoutée lui repasser en boucle les messages-répondeur des attachées de presse des studios, parce que je ne comprenais pas une piètre syllabe de leur accent américain… Au bout du compte, entre cette routine très éloignée du monde glamour annoncé et la perspective de vivre dans une cahute tenue par un pirate bien intentionné au bord de la mer caribéenne, elle avait fait son choix. Je ne l'en blâmais pas et, sitôt mon chauffeur officiel évacué, le Cow-Boy s'était proposé comme remplaçant.

… Je lève le nez du pardessus et parcours le salon du regard : les murs font dans la couleur vive, témoignant

1. Night-club appartenant à Johnny Depp.

d'une certaine velléité d'optimisme et s'accordant aux tapis mexicains marchandés par ma chère sœur. Sur toutes les étagères, les verres qui brillent me font de l'œil. À chaque virée aux puces, ma sœur revenait avec de nouveaux verres : ronds, carrés, à pied, à eau, à vin, à liqueur… Pas étonnant que j'aie tout le temps soif.

— Le mec me faisait vingt-cinq cents le stock, je ne pouvais pas ne pas les prendre !

Au milieu de ce décor à la Almodovar, mon bureau-baleine détonne et a creusé son sillon dans la moquette qui s'est affaissée sous son poids.

Non, mon cadre de vie est des plus charmants, il n'y a pas à dire. En plus, je le partage avec un garçon. Garçon qui m'a d'ailleurs confié juste avant de partir en tournage, au prix d'un effort évident, qu'il s'était « entiché de moi au premier regard ». Je lui ai rétorqué que si c'était pour dire ça, ce n'était pas la peine de prendre son air Actors Studio et que, pardon, mais des déclarations d'amour, j'en avais connu de plus enflammées. Il a tourné les talons avec un regard triste qui m'a fait regretter d'être comme je suis. Le soir au téléphone, il m'a dit que je n'étais pas seule, qu'il allait bientôt revenir, qu'il mettait sur le compte de la solitude ce ton acide que je prenais souvent, et qu'il comptait les heures en attendant nos retrouvailles.

Alors, je vous l'accorde, il existe des naufragés plus abandonnés que moi. Mais Robinson Crusoé ne se sentait-il pas seul, malgré son Vendredi ?

2.

Journée type de la correspondante à Los Angeles

Je me poste souvent, assise dans la position du lotus (ouch, une crampe), sur le toit de mon immeuble. C'est ma façon d'attendre un miracle. Je ne vois jamais rien venir mais peux contempler tout Los Angeles ou presque, en prenant de grands raccourcis.

Au nord, la population blanche, dont les habitants préféreraient sûrement vivre dans un État de province, à l'écart de cette mégalopole qui leur a offert un travail. Pas le plus excitant, mais on y vit tranquille. Quoique…

Au sud, la communauté afro-américaine. La ségrégation y fait encore des ravages. Le Français exilé à Los Angeles n'est pas un fervent habitué du quartier de South Central, par exemple.

À l'est, section mexicaine. Tatouages et notions d'espagnol recommandés. Bizarrement, on trouve peu de Français à East Los.

À l'ouest, le territoire de Beverly Hills, décliné en vagues de beaux quartiers s'étalant jusqu'au Pacifique.

Los Angeles serait la ville où le fossé entre riches et pauvres est le plus creusé. Les seules âmes qui semblent vivre là où il y a de l'argent sont les nounous mexicaines qui promènent les chérubins blonds de leurs employeurs, à défaut d'avoir le temps de s'occuper de leurs propres enfants. Et les jardiniers, eux aussi mexicains, chargés de faire voler avec leurs bruyantes machines à essence accrochées dans le dos la moindre feuille qui aurait eu l'idée malencontreuse de s'aventurer sur les pelouses manucurées.

Il y a bien longtemps de cela, Los Angeles appartenait aux Indiens, puis aux Mexicains. Aujourd'hui, plus aucune trace d'Indiens. Et tout le monde a l'air de trouver normal que la plupart des tâches « ingrates » de la ville soient réservées à la population mexicaine.

Moi, ni riche, ni pauvre, courageuse mais pas téméraire, j'ai élu domicile à West Hollywood, situé au centre ouest, si vous avez bien suivi ma boussole. Coin plus verdoyant et cosy que le quartier d'Hollywood lui-même, qui est contre toute attente assez délabré. Ou, au contraire, trop javellisé, refait sur le modèle des rues commerçantes de n'importe quelle grande ville américaine. Et où l'on bute à chaque pas, en suivant Hollywood Boulevard, sur les offres de lavage de cerveau faites par les disciples de l'Église de scientologie. Ne me demandez pas pourquoi, mais une bonne partie d'Hollywood Boulevard appartient à la scientologie.

Quand j'étais petite, je pensais qu'Hollywood était une ville à part entière, dressée comme un énorme parc d'attractions multicolore, avec cônes pralinés à gogo offerts aux visiteurs. J'ai compris bien plus tard que Los Angeles était la ville du cinéma et qu'Hollywood en quelque sorte n'en était qu'un arrondissement.

Autrefois, c'était là où s'élevaient de nombreux studios de cinéma. C'était aussi le fief de toutes les grandes premières, qui illuminaient les lanternes exotiques du Mann's Chinese Theater. Les acteurs les plus légendaires s'y retrouvaient en communauté, symboles vivants du glamour et de la magie du cinéma à gros moyens. Tout un folklore ancré à jamais dans l'imaginaire collectif comme le mythe hollywoodien.

Aujourd'hui, Hollywood est un quartier comme les autres. Bien sûr, il y a encore sur ses trottoirs toutes ces étoiles et ces empreintes de stars : le *Walk of Fame*. Sans oublier les neuf lettres blanches qui s'égrènent sur ses collines sauvages… HOLLYWOOD. Pauvre signe d'Hollywood ! Personne, sinon les touristes qui écument les boutiques de souvenirs à l'effigie de Marilyn ou James Dean, n'y prête plus attention, mais moi, je ne me lasse toujours pas de l'apercevoir au détour d'une rue. Avec ma sœur, nous avions essayé de grimper aussi haut que nous le pouvions pour en atteindre les lettres. Nous avions laissé la voiture au bout de Beachwood Drive, ignoré les panneaux nous intimant de faire « attention aux serpents à sonnette » et crapahuté dans les broussailles en nous déchirant les vêtements et les mains. Tout ça pour abandonner à quelques mètres du but, à cause de foutus barbelés. De toute façon, c'est plus impressionnant de loin…

En fait, ce que je préfère, c'est conduire sur Hollywood Boulevard, car ça brille *littéralement* sous les roues : une substance pailletée a été rajoutée dans le goudron…

Ok, assez avec le guide touristique. Mais il faut bien que je situe un peu ma planète, autrement, comment vous intéresser à ma condition de petite correspondante abandonnée ? Ah, c'est vrai, j'avais promis d'arrêter de me plaindre… D'ailleurs, la plupart du temps, mon horizon, du toit de mon immeuble, se limite à une mer de palmiers noyés dans le fantasmagorique brouillard de pollution.

Il est une heure de l'après-midi, je m'étire.

J'ai dépouillé la presse cinéma qui s'empilait sur mon bureau-cachalot : le *Calendar* (les incontournables pages spectacles du *Los Angeles Times*, livré tous les matins sur mon paillasson par une main invisible) ; la référence *Entertainment Weekly* ; les deux bibles quotidiennes de « l'Industrie », *Variety* et le *Hollywood Reporter*. Tout ce qui s'est joué d'important dans les dernières vingt-quatre heures au sein de la bulle du cinéma y est répertorié : quel film a fait un *smash* ou un *splash* au box-office, qui a quitté tel agent, qui a rejoint tel autre, qui va faire tel film, qui s'est fait virer de tel autre, etc. Les informations y sont vitales, écrites dans un langage codé digne d'une grande fraternité d'espions prêts à passer dans le camp ennemi à la première offre plus juteuse.

Quelques exemples de ce codage pour initiés :

— On ne dit pas MGM, mais *lion*.

— On ne dit pas Disney, mais *mouse* (souris).

— On ne dit pas Paramount et Universal, mais « Par » et « U ».

— On ne dit pas Hollywood, mais Tinseltown (la ville clinquante).

— On ne parle jamais du succès d'un film en nombre d'entrées, mais en millions de dollars.

— On distingue toujours le cinéma des studios du reste de la production. Un film réalisé en dehors de la tutelle des sept grands studios d'Hollywood est un « film indépendant », ou *indie*.

— On doit bien sûr connaître les usines du rêve hollywoodien : Sony-Columbia, Disney, Fox, MGM, Paramount, Universal, Warner. Une famille de sept studios historiques, qui s'est agrandie avec l'arrivée des petits derniers : DreamWorks, New Line, etc. Au fur et à mesure, certains de ces studios se font avaler, en dévorent d'autres (il y a toujours un plus gros poisson)... Ces studios sont aussi appelés les Majors, terme utilisé au féminin. Toutes ces énormes machines sont réparties aux quatre coins de Los Angeles, à des dizaines de kilomètres les unes des autres, et appartiennent à des trusts de communication étrangers encore plus énormes, dont les transactions font les beaux jours de *Variety* et du *Hollywood Reporter*. Ce monde n'est pas si compliqué qu'il y paraît, mais mieux vaut en connaître les règles et s'intéresser un tant soit peu au milieu des affaires – ce qui n'est pas mon cas.

Ensuite, qu'est-ce que j'ai fait ? J'ai enchaîné vingt longueurs dans la piscine en me prenant pour Esther Williams avant de manquer de souffle et de me mettre à éternuer sans pouvoir m'arrêter. Je me suis douchée et maquillée – on ne sait jamais –, puis j'ai passé une douzaine de coups de fil pour récupérer les photos des films les plus attendus de l'année prochaine en faisant semblant de comprendre les réponses qui m'étaient données. Mais, c'est fait. En dehors des rendez-vous annulés, une de mes plus grandes satisfactions consiste à barrer compulsivement les trucs à faire, marqués sur mes listes « *To do* », écrites en cinq exemplaires. Les jours où toutes mes obligations sont barrées deviennent des jours de fête que j'indique d'une grande croix sur mon calendrier « Turner ». Joseph Mallord William Turner est mon peintre préféré. En dehors du cinéma, je suis raide dingue du flou sublime de Turner. En dehors du cinéma et de Turner, je ne suis raide dingue de rien. Juste dingue.

Le rideau est tiré sur la phase d'écriture de la journée. Je n'arrive guère à pondre quelque chose d'intelligent l'après-midi. D'ailleurs, je n'ai plus de papier à rendre, le magazine étant bouclé, en pause pendant la semaine de Noël. Il ne me reste plus qu'à anticiper sur les prochaines rubriques mensuelles dont je suis en charge. Les *news* en direct d'Hollywood (dont ma chronique crânement intitulée : « Le journal de Juliette ») et la situation des tournages et autres projets de films du cinéma américain (le cinéma américain se porte bien, merci).

En France, mes interlocuteurs iront bientôt se coucher. Je n'ai plus à redouter de coups de fil de boulot. Le service est terminé !

À ce stade de la journée, il est temps de *luncher*.

Depuis que j'ai changé d'hémisphère, j'ai abandonné l'idée saugrenue de déjeuner avec « des gens », et c'est l'esprit léger que je m'engage à pied (je sais, marcher à Los Angeles… !) dans mon quartier d'adoption, loin de la Normandie où je suis née, de la garrigue où j'ai été élevée, et de Paris où j'ai brûlé la chandelle par les deux bouts pendant une décennie.

Tous les clichés sur L.A. sont vrais : les faux seins, les faux-jetons, les fiers-à-bras, les *fashion victims*, les voitures frénétiquement astiquées pour qu'elles étincellent au soleil, les dents blanchies au point d'en devenir fluorescentes, le *fun* comme devise, la finance comme finalité, les faibles écrasés et les escrocs célébrés. Tout est familier, et l'on pourrait même penser à la Côte d'Azur, sauf que tout est plus grand, plus gros, fait de bric et de broc, et avec, en dessous, la faille de San Andreas[1] qui se fissure... La fiction devenue réalité, quoi. Cependant, il y a du vrai dans tout cet usage du faux, et à votre place, je ne m'arrêterais pas aux apparences. Car dans la ville des anges, ville encore jeune mais qui n'a rien d'angélique, rien n'est jamais comme vous le pensez. Poncifs et lieux communs ne sont là que pour mieux vous rouler dans la farine. Prenez par exemple les *french toasts* servis pour le *breakfast* : des tartines beurrées avec de la confiture maison ? Loupé : du pain perdu. (Épais comme de l'éponge, imbibé de sirop d'érable – un pur délice !) Règle de base : ne pas se fier à tout ce qui est estampillé « français » : la *french manucure* (ongles longs, carrés et repeints en blanc à leur extrémité) ; la *french Dijon* (moutarde jaune vif, liquide, ignoble)... Amusant *french paradox* d'un continent trop vaste pour faire dans le détail, peu soucieux de contrôler ses appellations.

Mais oublions ce genre de comparaisons, pièges de toute tentative d'adaptation en terre étrangère. Et direction le rayon traiteur de Wild Oats, l'une des chaînes locales de l'alimentation saine. Je dépasse des rayons débordant de tisanes affriolantes, de jus coquins, de

1. Grande faille géologique qui passe par San Francisco et Los Angeles et provoque les séismes redoutés en Californie.

vitamines multicolores, de céréales aguicheuses... Les plats ne sont pas en reste, préparés à base de graines, pousses et germes en tout genre. Les supermarchés bio, comme les restaurants cosmopolites de Los Angeles, débordent de créativité. Je ne dis pas qu'il faut se fier à tout, mais tout est appétissant. À mille lieues de la *junk food* des coins reculés de l'Amérique profonde. Encore faut-il supporter les consommateurs clichés, comme ces deux crétins hétéros dans mon dos :

— J'ai fait une découverte géniale, mec : je vais à la gym sans même avoir avalé ne serait-ce qu'un café. Tu peux pas savoir comme les muscles répondent.

— Mec, c'est génial, mec. Tu veux dire que tu te lèves et tu vas directement lever les poids ? Et tu fais cardio aussi, tu brûles la graisse ?

S'il y a bien une chose qu'il ne faut pas attendre de Los Angeles, outre trouver un jambon-beurre, c'est rencontrer des garçons fascinants.

Je serre les dents.

— Ouais, et je te jure que ça apprend la discipline à ton métabolisme. J'ai jamais eu un aussi bon rapport tissu adipeux/endurance.

Ils se décident à acheter deux *caffe latte nonfat* qui font des bulles dans de grands gobelets en plastique transparent. Je touche le tissu adipeux de ma cuisse par l'entrebâillement de mon pantalon de survêtement : hum...

Pour ce qui est des garçons, ils ne sont pas fascinants parce qu'ils ne sont fascinés que par eux-mêmes. Le sandwich baguette, c'est plus compliqué. Sans doute parce que les boulangeries n'existent que dans les décors des studios de cinéma. Quant au jambon tranché du nouveau continent, il n'a qu'un lien de parenté très éloigné avec ce que j'avais pris toutes ces années pour un dû : le jambon blanc.

— Après toi, tu étais là avant moi, lance un beau blond musclé qui interrompt le fil de mes pensées.

— Oh, mais je ne suis pas pressée. Vraiment, allez-y.

J'ai reconnu en mon interlocuteur l'acteur Julian Sands. En le laissant passer, je peux ainsi l'observer un peu plus longtemps. Non pas que je sois en manque de têtes connues. Je ne cesse d'en croiser au quotidien. Dans la rue, les magasins, aux marchés aux puces, au volant de leurs voitures, courant dans les canyons, à la plage, etc. Fringues *baggy* banalisées, casquettes et lunettes noires enfoncées sur le souci de pouvoir continuer à vivre comme tout un chacun. Mais je ne me lasse pas de voir des gens connus. Et ayant regardé plus d'une fois *Chambre avec vue* dans ma prime jeunesse, voir Julian Sands me stimule.

Je l'avais repéré quelques instants plus tôt, sans parvenir à mettre un nom sur sa physionomie. Il était en train de parler avec une blonde devant le rayon *smoothies*. La blonde, sous ses airs d'ado sans maquillage, c'était Jodie Foster. Je l'avais tout de suite reconnue pour l'avoir déjà rencontrée sur un tournage, puis revue cet été. J'aurais pu l'aborder, sauf que, si j'aime épier, je n'aime pas déranger.

Le patron et moi avions interviewé Jodie Foster au mois de juin, pour un numéro entièrement consacré à sa carrière. Une opération de prestige qui s'était déroulée en plusieurs étapes, et avec la participation active de l'intéressée – fait rarissime pour une publication étrangère. Le Boss connaissait un peu Jodie Foster, et elle, en francophile avertie, connaissait bien le magazine. Les barrières habituelles étaient tombées. Il y avait d'abord eu une première rencontre pour discuter de ce que nous voulions faire avec elle, et du type d'apport personnalisé que nous attendions de sa part. Nous l'avions fait attendre une demi-heure en lui donnant rendez-vous dans l'hôtel du Boss, un établissement modeste malgré son nom ronflant : Sunset Plaza. Elle avait juré le connaître, alors qu'elle l'avait confondu avec le Sunset Marquis situé dans le même quartier. Elle ne nous en avait pas tenu rigueur. L'interview officielle, réalisée quelques jours plus tard dans ses bureaux, avait été longue et enrichissante. Le seul moment déconcertant avait été lors de la dernière question :

— Avez-vous une devise ?

Elle nous avait répondu avec son franc-parler :

— Plus de lait, moins de meuh !

Le Cow-Boy, quand je lui avais rapporté cette réponse, était parti dans un grand éclat de rire.

— C'est ça l'actrice la plus intelligente d'Hollywood : plus de lait, moins de meuh ? C'est censé vouloir dire quelque chose ?

— Mais bien sûr ! Ça veut dire qu'il ne faut pas se concentrer sur les difficultés du parcours, mais sur le but à atteindre. Et peut-être que toi aussi, avec moins de beuglements, tu récolterais plus de lait, avais-je rétorqué pour prendre la défense de Jodie.

Je devais la revoir, seule cette fois, lors de la séance de photos qui serviraient notamment à la couverture.

— On te veut telle que tu es aujourd'hui : nature, jean et tee-shirt blanc, pas de fard. La vraie Jodie Foster, en toute simplicité, lui avait répété plusieurs fois le Boss dans son anglais approximatif mais clairement intelligible.

Je hochais la tête, l'air de dire : « C'est comme il dit, mon chef. »

C'est lors de cette première entrevue, dans sa salopette denim, avec ses petites lunettes – et l'air d'avoir quatorze ans –, qu'il aurait fallu la prendre en photo ! Au lieu de cela, la séance avait été placée sous la responsabilité d'un grand nom de la photographie, pourtant peu habitué aux stars de cinéma. Le magazine lui offrait Jodie Foster sur un plateau. En échange, il revoyait sa facture à la baisse. Tout le monde était content. Il ne restait plus qu'à s'assurer que tout le monde était sur la même longueur d'onde.

— Simple, pas de chichis, la vraie Jodie Foster au naturel.

Mon patron avait refait son speech en redoublant de charme et de persuasion, habitué aux caprices des photographes.

— Fantastique, je vois ça d'ici, avait obtempéré le photographe star autour d'une assiette de raviolis fins dans un restaurant italien de Beverly Hills.

Le jour J, le décor de la séance photo avait été planté dans une maison ultramoderne des collines – au-dessus du Strip de Sunset Boulevard – dont la location devait coûter à elle seule une somme à plusieurs zéros.

Dans les dédales en béton de ce bunker de luxe, une armée de petites mains se préparait : les coiffeurs et les maquilleurs affûtaient leurs outils de travail au-dessus d'une tête pleine de rouleaux, tandis que deux habilleuses mettaient sur cintres une garde-robe trop sophistiquée. Une poignée de personnages hautains se trouvaient là aussi, va savoir pourquoi.

À l'extérieur, notre photographe vedette vociférait des ordres à sa nuée d'assistants, parmi lesquels se trouvait son épouse, une blonde en sabots, dont le short en jean mini-mini laissait peu de place à l'imagination.

Euh, t'es en culotte, là...

Les assistants de petite taille du maître m'avaient regardée de très haut lorsque j'avais osé lui taper sur l'épaule (*' souvenez, c'est moi, on a mangé des raviolis ensemble*) pour m'assurer, la voix blanche devant son regard noir, que les recommandations de mon patron n'avaient pas été oubliées dans le feu de l'action.

— Mais oui, mais oui, simple, l'essence de Jodie Foster, fantastique, avait rétorqué le dieu de la photographie.

Je m'étais mordu la lèvre. De toute évidence, j'avais devant moi un photographe qui allait n'en faire qu'à sa tête. Je pouvais déjà m'estimer chanceuse s'il ne posait pas les questions à ma place. Sauf que l'interview était déjà bouclée... Je n'étais venue que pour me sentir minuscule dans toute cette débauche de moyens typique d'une séance de photos de mode destinées à la revente internationale. C'était bien là tout le problème : normalement, ces clichés étaient destinés en priorité à faire le bonheur d'un pauvre petit magazine français de cinéma. Le dieu de la photographie nous avait manipulés comme de simples mortels.

— Jodie est arrivée ? je balbutiais, réalisant simultanément que la tête pleine de rouleaux, c'était elle.

Au même moment, tout le monde avait poussé un « Oh ! » d'admiration, alors que Jodie Foster, l'air contrit, montrait ce qu'ils avaient fait d'elle : cheveux bombés, maquillage appuyé, silhouette alourdie par un ensemble de cuir noir et des escarpins vertigineux.

Elle avait vu le sang quitter mon visage.

— Je suis comment ? Pas terrible, hein ?

— Ensorcelante.

Et c'était vrai. Après tout, peut-être que mon magazine serait ravi de ce revirement de concept. Elle s'était alors tournée vers une dame mal fagotée dont je n'avais pas remarqué la présence jusqu'alors.

— Kat Sullivan, ma publiciste. Kat, tu connais Juliette ?

La dame mal fagotée non seulement ne me connaissait pas mais, pour le souligner, m'avait tourné le dos.

Comme tout le monde à Hollywood, je la connaissais de nom. Kat Sullivan, la Rolls des publicistes, le dragon tout-puissant qui veillait sur Tom Cruise ou sur Al Pacino… Et alors, était-ce une raison suffisante pour que je m'allonge à ses pieds et qu'elle m'aplatisse comme un vieux paillasson ?

Une petite parenthèse sur la profession de publiciste s'impose. Voilà, à Hollywood, il en existe deux sortes :

Les attachées de presse de films, employées par des studios ou des compagnies plus modestes. Elles sont flanquées d'au minimum deux assistant(e)s. Avec cette première catégorie, le contact est facile et la plaisanterie n'est pas exclue. Elles ont besoin des journalistes pour faire parler des films qu'elles défendent. Et les journalistes ont besoin d'elles pour leur organiser des interviews. Donnant donnant.

Et puis, en haut de la hiérarchie, on trouve les attachées de presse personnelles des acteurs et réalisateurs.

Ce sont elles qui gèrent les demandes médias collectées par leurs collègues de la première catégorie. Cette fois, plus question de plaisanter ! Le journaliste est invariablement traité comme le représentant d'une classe inférieure, indigne d'exiger quoi que ce soit. Ces attachées de presse personnelles sont si redoutées – y compris par les attachées de presse de films – que dorénavant, par peur des représailles, je ne les désignerai que par le titre de « publicistes ». Et parmi ces publicistes, il y a Kat Sullivan.

Jodie Foster avait été appelée au même instant et s'était dirigée avec entrain au-dehors, en bosseuse. Impuissante, je l'avais regardée se faire shooter sous tous les angles par le photographe-créateur en pleine lévitation artistique.

Au moment où, peu convaincue par les suggestions du maître, elle s'était allongée au bord de la piscine qui dominait la ville, j'avais pris mes cliques et mes claques en ravalant ma colère. De toute la série de photos, les seules utilisables pour notre sujet furent les moins apprêtées, celles où Jodie était vêtue de cuir noir. Ces clichés firent tout de même deux heureuses : le couple italo-américain de lesbiennes de mon building qui fantasmait sur l'héroïne de *Contact*, le film prétexte à toute cette agitation…

… Mais revenons au temps présent, au rayon traiteur de Wild Oats et à ma quête de l'aliment parfait pour mon *lunch*. Jodie Foster évaporée, me voici en conversation avec Julian Sands :

— Tu es française, laisse-t-il tomber catégorique, avec son accent *british*.

— J'essaie de faire illusion, mais ça ne marche jamais, je réponds tout sourire.

— Tu ne devrais pas tout faire pour perdre ton accent, au contraire, m'assure-t-il, en remerciant le vendeur qui vient de lui servir une généreuse portion de taboulé truffé de pignons luisants et de *cranberries* écarlates.

Il désigne sa barquette étiquetée à deux dollars quatre-vingt-quinze.

— Tu as vu, c'est en réclame… Bonne journée !

Je le regarde s'éloigner dans son grand bermuda, son tapis de yoga roulé sous le bras.

Je demande la même chose que Julian Sands, non sans avoir au préalable goûté à tous les autres plats. Le blé concassé aux champignons shiitake est correct, le sarrasin chaud aux boulettes de dinde est divin, mais le machin au tofu, là, non merci. Hum, je vais peut-être essayer cette marinade de « laitue de la mer » à infiniment peu de calories, selon l'étiquette.

— Je rajoute quelques germes de luzerne ? me demande l'employé de Wild Oats.

Je finis de goûter chaque plat, et lui rends les godets de dégustation léchés jusqu'à la dernière algue.

— Soyons fous ! je réponds.

Il dépose les précieuses pousses dans ma barquette-déjeuner, et me voici tout à mon festin trop bio pour être honnête.

Miam, ch'est bon che couchcouch-taboulé.

Pas *bon* comme une francfort-frites, par exemple. Ou comme un jambon-beurre (avec des cornichons, quelques trous de gruyère, fine la couche de beurre, bien cuite la baguette – *rhaaaa, vivement que je rentre pour commander ça sur-le-champ !)...* Mais il y a un moment, il faut choisir.

Assise au bar en pin naturel du rayon traiteur, je surplombe Santa Monica Boulevard. En dessous bat le pouls d'un club de fitness fréquenté par la clientèle hardcore gay du quartier. Torses nus, muscles gonflés aux stéroïdes, têtes de diplodocus à cheveux ras, mollets rasés...

Je suis moi-même en tenue de jogging, casquette vissée sur le crâne. Le Cow-Boy m'emmène souvent courir dans les belles rues désertes de Beverly Hills, suivant les alignements de palmiers princiers.

— Tu cours ? s'était-il enquis au début de notre relation.

— Seulement en cas de danger, j'avais répondu.

Il m'avait initiée.

Même si je ne cours pas en son absence, j'ai conservé la mauvaise habitude, typique des Angelenos, de traîner la journée en tenue de sport.

Mission *lunch* accomplie. J'attaque la montée raide de Palm Avenue en crispant les fessiers pour ne pas marcher idiot, une impression de vide me donnant au contraire la sensation d'aller en descendant. Sur mon chemin, quelques piétons débraillés me saluent. L'Angeleno est amical. Venant du métro parisien, on apprécie. En phonétique, ça donne quelque chose comme : « Aïe ! » « Aïe ! » « Ha ya dou-ing ? » (M'enfin, on ne se connaît pas.) « *Doing* super bien, merci. » (Toujours répondre super, quelle que soit la question posée. Et ne pas s'éterniser non plus, nul ne peut savoir quel genre de folie furieuse se cache derrière l'apparente amabilité.)

L'air est doux. Les écureuils font des saltos arrière, se perdent dans la végétation subtropicale qui envahit les petits buildings colorés de mon avenue. Senteurs mêlées… Une fleur de camélia tombe à mes pieds… Parfum de vacances. C'est si bon d'être libérée de toute obligation ! Se pourrait-il que je sois… libre ? !

« Ça tombe bien, parce que moi j'adore ça la liberté… »

Oh, ce n'est pas de moi cette petite phrase. Plutôt de Prévert, pour être tout à fait honnête. Et dite par Arletty, dans *Les Enfants du paradis*. Je n'y peux rien, j'ai toujours un dialogue de vieux film dans la tête. C'est comme ça les cinéphiles.

J'atteins le 970, Palm Avenue, adresse que j'avais fait ôter de « l'ours » du magazine afin d'écarter les visites potentielles de tueurs en série de journalistes. Je m'étais également inscrite sur liste rouge, afin d'éviter les appels à trois heures du matin de fans gloussantes de Leonardo DiCaprio qui voulaient savoir « comment il était en vrai ».

La fenêtre de la chambre qui plonge dans une grosse couronne de palmes sertie de dattes, côté rue, est ouverte : quelqu'un se serait-il infiltré en mon absence ? Un large sourire éclaire ma bouille : non, mon Cow-Boy est de retour !

3.

Le retour du Cow-Boy (et comment le faire repartir *illico*)

Je tape le digicode de la porte d'entrée en accéléré, fais un vol plané et atterris avec brio sur les dalles en terre cuite astiquées de l'entrée. Po po po, pas si vite ! Ça ne serait pas la première fois que le Cow-Boy me ramène à la maison sa bande de potes, ses *dudes* comme il les appelle, ou quelques voisins bavards pour un barbecue improvisé autour de la piscine. Des heures doubles à débiter des banalités en prenant l'air plus enthousiaste que si l'on venait de marcher sur la Lune. Je longe avec prudence la baie vitrée de la salle à manger : pas un bruit. Je pousse la porte moustiquaire, le cœur en relief. La seconde porte est ouverte.

— T'es là ? je demande.

L'odeur de tabac et un sac de sport écrasé sur la moquette caftent une présence. Je fais deux pas en avant, quand un bras puissant bloque mon plexus.

— Je t'ai eue !

Le Cow-Boy jaillit de derrière la porte en éclatant de rire.

— Eh, petit pois, pardon, je voulais pas que t'aies une crise cardiaque. Viens là ma citrouille, je t'ai manqué ?

— Oh, espèce de…

Je bourre de moulinets ses biceps tatoués. On sourit comme deux imbéciles. On est heureux. Le côté droit de son visage est tout tuméfié, comme fraîchement tabassé. Je trouve ça normal. On cale nos têtes dans le cou l'un de l'autre.

Nos deux êtres se joignent. Peut-être que le Cow-Boy se livrera un peu plus cette fois… Reste toujours une grande partie de son cerveau qu'il se réserve. En cas de coup dur peut-être. Ce natif de l'Indiana – comme Steve McQueen, James Dean et tant d'autres acteurs du Midwest –, petit par la taille, est grand par l'anxiété. C'est aussi pour ça qu'il me comprend : les démons qui me travaillent, il les connaît, il les appelle par leurs petits noms. Des ennemis communs, ça crée des liens. Alors, je lui pardonne de se protéger autant, même de moi ; et il me pardonne d'être larguée, même en sa compagnie.

Je touche son œil cerné de mauve et de violet.

— Ça te plaît ? J'ai fait la dernière scène, tu sais, où je me fais cogner, et je suis venu direct, sans me démaquiller. La tête des gens qui m'ont croisé valait le coup. Attends… Regarde ça !

Il sort de son sac une photo d'un gros plan de ses yeux délavés, avec le nez qui pisse le sang.

— Le réal me l'a offert en souvenir. Cool, hein ?

— Viens là, je vais te soigner…

… Après le départ de ma sœur, le Cow-Boy avait attendu les vingt-quatre heures réglementaires et, hop !

il avait renouvelé son offre de services : il mettait sa voiture à ma disposition. Le soir même, nous nous étions retrouvés à siroter des verres au Bar Marmont, un lieu *trendy*. L'acteur irlandais Stephen Rea en était l'un des piliers. Ce soir-là, il avait rendez-vous avec son partenaire de *The Crying Game*, Forest Whitaker. Forest m'avait soufflé à l'oreille qu'il « aimait bien mon style ». Le compliment m'avait fait plaisir, venant du héros de *Bird*, film dont j'avais longtemps conservé le poster dans mon studio parisien. Le Cow-Boy, lui, m'avait montré les faux papillons épinglés au plafond du Bar Marmont, en me disant que le plus joli de tous, un blanc avec le bout des ailes jade et la tête noire, lui faisait penser à moi. Il m'avait ensuite parlé des acteurs qui lui avaient donné envie de faire du cinéma : les *stand up comedians*, et aussi Sean Penn ou Tom Cruise. C'était après avoir vu ce dernier dans *Né un quatre juillet* qu'il avait fait son baluchon et pris un aller simple pour la ville du cinéma.

Il éprouvait un véritable amour pour L.A.

— C'est l'Ouest, tu comprends ! Tu peux te réinventer, tu peux peindre ta maison en rouge et orange si ça te dit. Même si tu n'es personne, tu es pris au sérieux parce que tu peux devenir quelqu'un. La diversité... La lumière ! Toi, tu n'es pas amoureuse de la lumière de Los Angeles ?

Nous avions effleuré le sujet de nos blessures sentimentales respectives. Je n'avais pas eu besoin de soulever sa chemise pour voir sur son cœur une cicatrice mal cautérisée ; lui n'avait qu'à me regarder lever le coude pour savoir à quoi s'en tenir.

— On choisit pas son passé, mais on peut choisir son futur, avait-il fait, en recommandant une Samuel Adams (pour lui) et un cocktail (pour moi). Je lui avais dit que j'étais sans attaches, « libre comme un oiseau ».

Pauvre dingue !

Lorsque j'avais pris congé de lui au bord de la piscine, il m'avait rattrapée dans la coursive pour me demander :

— Au fait, est-ce que c'était une *date ?*

Je lui avais fermé la porte au nez. Cette manie américaine de tout faire rentrer dans des cases ! Le terme de *date*, le « rendez-vous pour apprendre à se connaître avec espoir de plus si affinités », irritait tout ce vers quoi mon être tendait : le mystère. À l'image des bandes-annonces de films qui en révèlent tout le contenu, il fallait toujours mettre carte sur table dès le départ.

Tu verras bien ce que c'est !

Une *date*... Je t'en foutrais, moi ! D'ailleurs, je n'avais pas l'intention d'ajouter le Cow-Boy à mon palmarès de blondinets fauchés. Je nous voyais plutôt rester juste « bons amis », comme l'affirment les publicistes des stars pour nier une idylle.

Le jour d'après, il s'était présenté à ma porte sous le prétexte de m'emmener faire des courses. De retour de chez Trader Joe's[1], nous avions déchargé tous les sacs en papier marron de sa voiture et avions descendu une bouteille de cabernet sur le canapé de mon salon. Ensuite...

1. Chaîne de supermarchés alimentaires de bonne qualité, bon marché et à l'ambiance très « cool ».

Mais prenons plutôt les événements dans l'autre sens. Le lendemain matin, je m'étais réveillée avec le Cow-Boy à mes côtés.

— C'était quand même un peu une *date*, non ? il m'avait taquinée.

Après avoir avalé un café épais comme du goudron, il s'était grillé deux American Spirit en compulsant mon dico franco-anglais à la recherche de mots élégants pour me couvrir de compliments en français. Cela faisait bien longtemps que je ne m'étais pas sentie aussi calme et sereine.

… — T'aurais pas touché à ça, des fois ?

Le Cow-Boy m'arrache à mes pensées. Je suis encore lovée dans les draps ; il a juste enfilé un jean et se tient dans l'encadrement de la porte en agitant un objet de carton dur, son journal intime.

Je bats des cils.

— Uh ?

— Tu n'aurais pas lu mon journal, des fois ?

— T'es fou ?

— C'est drôle : cet après-midi, alors que je conduisais, j'ai eu un flash. Je me suis dit : « Elle est en train de lire mon journal. » Le plus drôle, c'est que je mets TOUJOURS mon journal à droite dans mon tiroir à chaussettes. Et ce soir, je le retrouve à gauche. Étrange, non ?

Je lui tourne le dos pour passer un tee-shirt et dissimuler mon embarras.

— J'sais pas de quoi tu parles.

Si le Cow-Boy, est médium maintenant, on va se marrer…

— Tu ne sais pas qu'un journal intime, par définition, c'est privé, genre défense d'entrer ?

Le Cow-Boy agite son journal en l'air. Mes joues prennent la même teinte que le rose foncé des murs de la chambre.

— J'ai peut-être ouvert une page, comme ça, par accident…

— TU AS LU MON JOURNAL ? ? ! !

Aïe aïe aïe aie aïe.

— Je n'aurais pas dû, je m'en excuse. J'ai juste jeté un œil, ce qui est très mal, je sais. Mais y avait rien dedans que je n'aurais dû lire, non ? C'est de ta faute aussi, t'es tellement renfermé, je sais jamais ce que tu penses, j'ai juste voulu trouver quelques indices qui puissent m'aider dans notre relation. Tu me manquais, j'ai eu envie d'être avec toi, de mieux te connaître…

C'était noble.

— Je ne peux pas croire que tu aies lu mon journal. Je ne pourrai plus JAMAIS te faire confiance.

Le Cow-Boy retire sa chemise et ses bottes éculées de sous un fatras de fringues et papiers. Son geste soulève un tourbillon de feuilles volantes qui s'accrochent à l'électricité statique de sa colère. Il pourrait s'amuser de mon bordel et je risque un sourire, mais il tourne les talons et claque la porte.

Pff… Le Cow-Boy, parfois, il se croit vraiment dans un film.

Si je tenais un journal et qu'il l'avait lu, je n'en aurais pas fait tout un plat. J'aurais même été flattée.

Je me dirige vers la cuisine avec en tête l'idée vengeresse de me taper à la cuillère le pot de *crunchy peanut butter* quand je remarque un de mes Post-it accroché à ma jambe. Il a dû s'envoler quand le Cow-Boy a fait tout son cinéma…

J'y jette un coup d'œil :

JUNKET SEXCRIMES AVEC MATT DILLON,
FOUR SEASONS
SAMEDI 10 H + *JUNKET DEEP IMPACT*
L'APRÈS-MIDI.

« Oh noooon ! » Je tombe à genoux, le nez dans la moquette : bon sang de bonsoir, pourquoi je ne regarde jamais mon agenda ? Qu'est-ce que je croyais, qu'ils nous avaient projeté *Sexcrimes* et *Deep Impact* – deux chefs-d'œuvre – la semaine dernière uniquement pour nous faire plaisir ? Libre avant les vacances ? Ben voyons : il me reste encore une tournée d'interviews à assurer…

4.

L'enfer du *junket* (où l'on fait la connaissance de l'Ermite)

C'est un fait entendu pour la plupart des journalistes de cinéma qui ont trouvé refuge à Los Angeles : les *junkets* font partie de la routine. Je devrais donc m'être fait une raison. Mais non : à chaque fois que je fais une pause loin du système et que je m'y replonge, j'ai l'impression de me flétrir. Pour le *junket* de *Sexcrimes*, j'ai bel et bien la conviction que ma fin est proche.

« Les *junkets* partent d'un bon sentiment… »

Ils n'avaient pas tort, mes prédécesseurs au poste de correspondant à Hollywood. Au départ, il y a une logique. Vendre un film au public par voie de presse, avec bandes-annonces et affiches sur les bus, c'est indispensable, mais loin d'être suffisant. Pour attirer le plus grand nombre de spectateurs à sa sortie, un film doit être surexposé. Il faut en parler partout – à la télé, dans les kiosques, sur le plan national et international –, créer l'événement, ne laisser aucune échappatoire possible au futur consommateur. Bref, toute la grande famille des médias doit être mise sur le coup. Pour cela, enfantin : le marketing hollywoodien, contrôlant toutes les demandes d'interviews du marché, commence par réunir les représentants de la presse autour d'un bon buffet et d'un seul sujet autorisé : le film.

Le tout de préférence pendant le week-end ; on court-circuite ainsi toute velléité de penser à autre chose qu'à Hollywood en fin de semaine. Parfois, un *junket* se déroule là où le film a été tourné, comme dans ce petit port de pêche de Gloucester-Massachusetts, théâtre de la tragédie dépeinte dans *En pleine tempête*. Tragédie récente qui n'empêche pas le journaliste de se régaler en compagnie de George Clooney d'un homard arraché à l'Océan.

Mais le plus souvent, un *junket* se tient bien sagement dans un hôtel fonctionnel et luxueux. Comme dans *Coup de foudre à Notting Hill*, mais sans Hugh Grant.

Si l'invitation vous conduit à New York, vous avez des chances d'être logé au même étage que Leonardo DiCaprio, ce qui peut rendre exaltante la balade nocturne dans le couloir de l'hôtel, à la recherche de la machine à glaçons. C'est plus généralement un hôtel de Los Angeles qui accueille le cirque ambulant des *junkets*. Ainsi, l'hôtel Four Seasons, sur Doheny Boulevard, n'a plus de secret pour moi.

Lorsque j'y débarque, ils sont déjà tous là.

— Votre nom ? s'enquiert le comité d'accueil du bureau de la Columbia.

— Sarah Bernhardt.

Deux filles se mettent à chercher sur le listing.

— Vois pas. Publication ?

Un Argentin à la prunelle lubrique s'interpose :

— C'est Juliette, voyons, elle vous charrie…

Il s'étire de tout son long en me détaillant de haut en bas.

— Ah, je suis dans une forme resplendissante ! Toi, en revanche, tu ne t'es pas levée du bon pied, on dirait… Ouais, c'est peut-être parce que tu n'es pas maquillée.

Il me plante là pour se consacrer à un grand Suédois dont j'apprécie toujours l'élégance à l'ancienne. Pas de maquillage ? ! J'y ai accordé autant de soin que Catherine Deneuve avant une séance photo !

Il n'est pas arrivé, le jour où tu me verras sans maquillage…

Le Suédois me lance un clin d'œil de loin.

Une caricature de journaliste italienne – ce qui pourrait être sympathique, sauf que ça ne l'est guère – est en train de comparer une scène de *Sexcrimes* à une séquence de *La Dolce Vita*. Elle se sent obligée de poser une question sur Fellini ou Mastroianni à TOUS les *junkets*.

— Une référence à Fellini ? Tu es sûre ? demande un nouveau venu.

La journaliste italienne s'éclipse sous les regards haineux de mes collègues. Comme moi, chacun espère ne pas l'avoir à sa table, à délirer sur Cinecittà en montant sur ses grands chevaux dès qu'on essaie de l'interrompre.

C'est qu'il faut maintenant organiser ce déploiement de journalistes tous plus sexy les uns que les autres. Presses américaine et internationale ont été séparées à la naissance, et il est rare de croiser des journalistes *domestic* aux *junkets* internationaux. Le cas échéant, chacun se fait enregistrer à une table différente, en se regardant en chien de faïence. Les Japonais font leurs interviews en marge, délais de traduction obligent. La presse télé va d'un côté, la presse écrite, de l'autre. Les représentants de la presse écrite (dont je fais partie) sont ensuite placés par tablées de cinq à dix personnes (plus quand rien ne va plus), sans aucune distinction de genre – ce qui oblige à attendre qu'Antonio Banderas ait fini de répondre à la question sur la recette de la paella avant de pouvoir lui demander s'il a aimé porter la moustache de Zorro ou de Pancho Villa.

Ensuite, on fait tourner les *talents*[1] du film de table en table pour qu'ils assurent le « service après-vente », comme disait Simone Signoret, avec juste assez de battement entre chacun d'eux pour que les intervieweurs aient le temps de se pâmer ou de leur casser du sucre sur le dos.

« *Shoot !* » avait ordonné Oliver Stone aux journalistes apathiques du *junket* d'*Un dimanche en enfer*. Sauf que c'était justement un dimanche, qu'il était huit heures quarante-cinq du matin et que, de toute évidence, personne n'avait rien préparé, chacun comptant sur les autres. Tous étaient restés pétrifiés, à regarder bouche bée un Oliver Stone venu en pyjama, prêt à se faire bombarder de questions.

Mais normalement, le principe fonctionne bien. Une fois les « tables rondes » terminées, on a une chance d'être sélectionné pour la dernière manche : le prestigieux *one-on-one*, le tête-à-tête, qui permet d'approfondir l'interview. (À ne pas confondre avec le *two-on-one* :

1. Terme anglophone désignant toute personne considérée comme importante dans l'industrie du divertissement.

deux journalistes face au *talent.)* Un choix qui se fait en fonction de l'importance de votre journal ou d'une promesse de une pour l'interviewé.

Encore que, bien souvent, votre publication n'a rien réclamé du tout. Mon tête-à-tête avec Leonardo DiCaprio, par exemple, tenait bel et bien du privilège. Car c'est rarement avec la personne que vous avez demandé à rencontrer que vous vous retrouvez les yeux dans les yeux sur un bord de canapé, avec pour seule séparation un simple magnétophone.

Mais qu'importe ! On n'est pas là pour faire dans la logique, mais dans l'efficacité : temps minimum, rendement maximum. Les *junkets* ne constituent d'ailleurs pas une arme récente des services de publicité hollywoodiens – ils existent depuis que Marlène Dietrich s'est fait arracher les dents du fond pour que ses pommettes captent mieux la lumière. Et sans doute depuis bien plus longtemps. Sauf que, en cet âge de *Matrix*, ils sont passés dans une dimension démesurée. C'est du boulot à la chaîne. C'est complètement barge !

Reste calme.

Dans un coin, un petit groupe fait des messes basses.

— T'as aimé le film ? je parviens à glisser à une Australienne à l'air déluré qui me fixe de son regard jaune depuis cinq minutes.

— Bien sûr que non.

Elle hausse les épaules.

— À tout à l'heure, je suis dans ton groupe, je crois.

Ah, merveilleux.

Un cercle s'est formé autour de l'Argentin qui commente les actualités comme s'il était un grand reporter de CNN. Une journaliste d'âge mûr me frôle en chantant, l'haleine chargée de gros rouge. Il lui est déjà arrivé de débarquer en plein milieu d'une interview secouée de hoquets sonores, puis de tomber de sa chaise et de rester bloquée sur le dos comme une tortue sans personne pour l'aider à se relever. Julianne Moore était sidérée et nous autres, ses collègues, nous disions qu'au moins, au sol, elle était hors d'état de nuire. Je la suis des yeux. Il me semble qu'elle laisse comme un avertissement muet dans son sillage : « Arrête de picoler, ou tu finiras comme moi. »

Et à chaque fois ces heures à tourner en rond parce qu'on nous demande toujours d'arriver en avance aux interviews. Ils veulent nous avoir sous la main, pouvoir piocher parmi nous comme parmi des volontaires désignés d'office. À moins que cela ne soit pour nous offrir l'occasion de faire davantage connaissance… Pourquoi alors ai-je à chaque fois encore moins envie de les connaître ?…

Damned, l'air n'arrive plus dans mes poumons. Je redescends en bousculant une Norvégienne menue qui tient un pull sous le bras. Elle en offre un à la plupart des acteurs qu'elle interviewe. Elle doit être journaliste pour une sorte de *Mon tricot* nordique. (Ou pas.) Jeff Goldblum, durant le *junket* du *Monde perdu : Jurassic Park*, avait grimacé en essayant son cadeau norvégien dont les manches lui arrivaient aux coudes. La jolie Norvégienne, sans se laisser démonter, lui avait arrangé le lainage aux épaules, tirant sur le jersey en se dressant sur la pointe des pieds. Puis elle avait tendu un appareil photo pour qu'on les immortalise tous les trois : elle, ce grand dinosaure de Jeff Goldblum, et le jacquard étriqué dans lequel il suffoquait sous la chaleur torride de juillet.

Une consolation au Four Seasons : les bouquets de fleurs majestueux installés chaque jour dans l'entrée de l'hôtel. Voilà un travail enviable, gérer les fleurs de l'entrée du Four Seasons. Je respire une envolée de roses et de pivoines comme une droguée.

Traîner mes jambes flageolantes jusqu'aux *ladies room*... Peut-être qu'une bonne fée m'y attend, pour tout transformer d'un coup de baguette magique ; je n'y trouve qu'une fille en minijupe occupée à se lisser les cheveux au BaByliss et une journaliste frisottée à vous donner le tournis.

— Tu fais aussi *Deep Impact* cet après-midi ? me demande la frisottée, tout émoustillée, comme si la perspective de cet après-midi prêtait à la joie et à la bonne humeur.

— Oui, je confesse dans un souffle.

Elle s'en va satisfaite sur un :

— À tout de suite, je crois que je suis dans ton groupe !

Génial...

Je m'accroche aux lavabos. Pourquoi ai-je toujours l'air si défaite dans leurs glaces ?

Combien de temps puis-je rester planquée là avant qu'ils ne me trouvent ? Et si je m'administrais à moi-même un léger coup du lapin ? Pof, je m'étale, les jambes à l'équerre, et j'ai des chances d'être excusée pour la journée... Arrête, Juliette ! Reprends-toi, nom d'un lièvre !

Plus d'air. Je fixe le plafond.

Pas de trappe.

Je me mets à haleter.

— Prends ça.

Une main fine me tend un sac en papier marron. La fille au BaByliss. Je la reconnais : Bai Ling, une actrice un peu allumée, excentrique des tapis rouges, qui a choisi le Four Seasons comme boudoir.

— C'est juste une crise de panique, c'est rien. Respire là-dedans, tu vas voir, ça marche.

— « Ne dis pas "juste de la panique" comme tu dirais "juste la lèpre[1]" », je murmure.

L'actrice insiste avec son sac en papier. Je prends plusieurs inspirations. Le sachet se gonfle comme un soufflet. Ma poitrine retrouve un rythme normal.

— Je croyais qu'on ne faisait ça que dans les films.

Je remercie Bai Ling. Elle s'enduit maintenant les jambes de lotion hydratante.

— Mais nous *sommes* dans un film !

Elle rassemble ses affaires en riant.

C'est exactement ce qu'il fallait me dire. Je me sens soudain tout à fait capable de reprendre mon rôle, honteuse même de mon accès de faiblesse. Me revoilà donc dans la suite où sont déployés nourriture, rafraîchissements, validations pour le parking, et surtout CADEAUX PROMOTIONNELS.

— Je me demande ce qu'ils vont nous offrir pour ce film ! me lance sans préambule un Américain qui bizarrement appartient à la presse internationale.

Les *goodies* sont emballés dans des cartons ; nous n'y aurons droit qu'à la fin des réjouissances.

Des carottes pour les ânes.

Seul l'Américain, qui semble posséder une carte *gold* dans le club des *junkets*, parvient à soutirer une

1. Richard Burton, dans *La Nuit de l'iguane.*

casquette et un tee-shirt qu'il reçoit en faisant la moue. Il n'y a que du XL.

— Ça me fera un pyjama de plus.

Il s'en va, talonné par une Chinoise qui veut savoir où il a récupéré ses *goodies*.

— Ces salades pleines de mayo sont répugnantes. Rien de ce qui est là ne me fait envie, déplore une créature au look incertain.

Je ne parviens pas à identifier son accent. Je l'imagine adepte de la magie noire.

— Il y a du poulet là, je précise histoire de me mettre bien avec les sorcières.

— Ah, je n'en peux plus de leur poulet de buffet !

La créature se sert quand même une portion pyramidale de salade de pommes de terre à la mayonnaise.

— Alors ? Sympa, le film, hein ? La scène où ils baisent à trois dans la piscine, hein ? Hé, hé. Osé pour des Ricains, me glisse un Français obsédé.

Un Français peut en cacher un autre. J'aperçois aussi ce mercenaire de la pige qui m'avait fait changer de table lors de mon tout premier *junket*. Depuis, j'ai lu ses articles dans la presse française : doué, comme garçon. Capable de prétendre qu'il a passé deux heures en tête à tête avec une star en s'appuyant sur une interview de *junket* conduite à quinze journalistes. Il a raison, après tout, pourquoi se priver ? C'est facile : clic, clac, on coupe, on recolle, on tricote les questions des collègues, on recoud les siennes, on brode au passage et on fait un beau nœud pour conclure… Résultat : une interview exclusive ! Les attachées de presse ne sont pas dupes, mais du moment qu'un film a de la presse dans des supports à gros tirages, tout le monde est satisfait. Les acteurs se sentent bien un peu trahis en lisant leurs propos déformés, mais, au fond, qu'importe. Au bout d'un moment, ils ne lisent plus rien. Et puis tout ça, ne l'oublions pas, c'est du cinéma.

Ce *junket* pullule de journalistes français. C'est toujours agréable de sentir qu'on tient un scoop…

— Bonjour, mademoiselle.

Encore un ! Grand et mince, travaillant entre autres pour un hebdo féminin chic, ce Français-là se tient retranché dans un coin telle une gravure de mode, diverti par tout ce remue-ménage. Il faut dire qu'il sort peu de chez lui. À tel point que je l'ai surnommé l'Ermite.

Je fonds sur lui.

— Un être humain ! Où étais-tu pendant tout ce temps ?

— Comment vas-tu, ma chère Juliette ?

C'est tout simple, « comment vas-tu ? », mais quel réconfort ! Déjà, l'Ermite est le seul à me poser une question sur moi au lieu de se placer immédiatement en tête d'affiche de la conversation. En plus, il ne se comporte pas comme si les *junkets* étaient notre seul univers et que, vivant à présent selon leurs seuls us et coutumes, nous pouvions jeter à la poubelle tout civisme et abandonner tout espoir de parler d'autre chose.

— C'est intime comme petite réunion, tu ne trouves pas ? me dit-il en se terrant un peu plus dans son coin pour laisser passer un groupe de journalistes japonais et leur interprète. Tu crois que nous sommes assez nombreux ? ajoute-t-il en faisant une grimace comique, les yeux arrondis comme des soucoupes.

On glousse. Des noms ont été appelés. Pas les nôtres.

— Nous sommes un peu en retard sur l'emploi du temps, nous rassure de loin une attachée de presse.

L'Ermite en profite pour la remercier d'avoir cuisiné pour nous. La plaisanterie échappe à la brave fille qui nous explique qu'un traiteur a été chargé de la cuisine. Évidemment, nous pouffons.

Depuis que nous avons développé une amitié d'apatrides avec l'Ermite, nous nous accordons assez bien pour écraser des ricanements d'écoliers aux dépens de ceux qui nous entourent. Je nous soupçonne d'en agacer certains. Déjà que les Français ont une fâcheuse tendance à parler leur langue devant des personnes qui n'y comprennent rien, si en plus ils se mettent à ricaner…

Mémo à mon attention : arrêter de glousser, pouffer et ricaner avec l'Ermite pendant les junkets.

Mais revenons à nos moutons, auxquels les pauvres junketistes parqués ensemble ne manquent pas de faire penser.

— Groupe 2, groupe 5, on y va.

L'Ermite et moi faisons mine de ne pas entendre.

— Groupe 2, groupe 5 !

Nous nous décidons à suivre, non sans ralentir la marche, en troupeau têtu que nous sommes. Dans le couloir, chaque porte affiche le numéro d'un groupe. Nous nous séparons dans deux pièces adjacentes, après avoir échangé une dernière plaisanterie.

Me voilà de bonne humeur, contente de rencontrer Matt Dillon. Car jusqu'à preuve du contraire, écumer les *junkets* demeure toujours plus glamour que travailler sur un péage ou dans une usine d'anchois. Bien sûr, vous ne partez pas en vacances avec les stars. Mais tout de même, le temps d'un *junket*, vous êtes assis avec elles. La bonne stratégie étant de s'asseoir *à côté* de la star. Ainsi, Robin Williams vous prend comme accessoire pour raconter une blague, Helen Hunt vous agrippe la main pour mieux vous faire comprendre la palette d'émotions qu'elle a choisie pour son rôle, Nicolas Cage vous fait du pied par mégarde. *Mais y a pas de mal.* Julia Roberts admire votre écharpe, Liz Hurley *veut* votre pull argenté acheté en solde neuf dollars quatre-vingt-dix-neuf chez Banana Republic – elle porte une bricole de chez Versace – et puisqu'elle insiste, vous êtes à deux doigts de lui proposer un échange. Sans oublier Meg Ryan qui vous demande où vous avez acheté vos chaussures – comme si vous alliez le lui dire, non mais !

À ma table, nous sommes douze. De quoi pratiquer dans les règles de l'art l'exercice sous-estimé de l'interview. Lorsque j'entre dans la pièce, magnétophones et micros sont déjà installés devant la chaise réservée à l'interviewé. J'ai du mal à trouver une place libre, jusqu'à ce qu'un journaliste philippin, apparemment nouveau venu, se lève en pensant s'être trompé de salle. Le temps qu'il revienne, je me suis calée à sa place.

Désolée, faut être rapide, vieux.

Nous nous serrons tous d'un cran pour laisser place à un fauteuil supplémentaire et, coude contre coude, cous tendus, nous attendons les *talents* tels des oisillons leur becquée.

Chaque interview doit durer vingt minutes. Je suis assise au côté d'une journaliste italienne amie. C'est déjà ça de gagné : au moins, l'Italienne obsédée par Fellini portera sur les nerfs d'un autre groupe. Sévit en revanche à notre table une fille qui écrit pour une sorte de *Femme pratique* de Taiwan. Elle a déjà posé trois questions à Denise Richards sur son chien, laquelle a eu du mal à lui faire comprendre qu'elle n'en avait pas. Imperturbable, elle a continué en lui demandant si elle aimait cuisiner. L'Australienne délurée croisée au buffet a coupé court à toute réponse en casant une question sur les films classés X. Maintenant, la Taiwanaise boude, et Denise Richards nous toise comme des phénomènes de foire. Prototype de la nouvelle graine hollywoodienne chaperonnée par sa maman, elle irrite rapidement l'assemblée. Si elle cessait de se référer à sa jeune carrière comme à celle d'Irène Papas, nous serions sans doute plus indulgents. Je finis par lui demander son âge (que je n'ai trouvé nulle part dans sa biographie) : ce *junket* se déroulant avant l'avènement d'Internet, l'information peut s'avérer utile pour écrire son profil.

— Ce type de renseignement pouvant influencer les directeurs de casting, je ne divulgue jamais mon âge, répond-elle sans humour.

On rêve…

Je reconnais, l'âge ne se demande pas. N'ayant moi-même toujours pas digéré mes trente bougies soufflées l'automne dernier, je ne peux lui jeter la pierre.

Le jour J, je m'étais fait couper les cheveux à la garçonne, et toute ma joie de vivre s'en était allée sur le sol avec les longues mèches tranchées par le coiffeur. La veille, j'avais rêvé qu'Isabelle Adjani, Stanley Kubrick et les frères Warner avaient accepté mon invitation pour un grand banquet organisé sur une falaise de Malibu. Cela ne se présentait pas trop mal, sauf que j'avais oublié le champagne et les pièces montées : je n'avais que du lait en poudre à servir à mes invités et les mouettes commençaient à attaquer... J'ai su en me réveillant en sueur au milieu de la nuit que je n'étais pas prête à accueillir cette bloody *trentaine, et que ma rancune envers le temps n'était pas prête de s'estomper.*

Pour ne pas rester sur un échec, je pose une question sur le film. Denise Richards se fend d'une courte réponse promotionnelle.

Pff, on va pas se battre non plus...

— Tu ne poseras que des questions de cinéma à Matt ?

L'Australienne délurée me fixe de ses yeux jaunes en insérant une cassette dans son magnétophone, après le départ du pince-sans-rire Bill Murray et avant l'arrivée de Matt Dillon.

Ben... Il est pas cordonnier, que je sache.

Soudain, tout le monde se met à parler en même temps. Ils veulent absolument savoir si Matt Dillon sort toujours avec Cameron Diaz, et si non, avec qui ? Est-il romantique ? Que cherche-t-il chez une femme ? Quel est son rapport à la séduction ? Qu'offre-t-il pour la Saint-Valentin ? Croit-il au mariage ? S'imagine-t-il père de famille ?

Comme toujours dès qu'il s'agit d'un sex-symbol, les questions s'orientent sur le côté *people* et les relations amoureuses pour satisfaire des rédacteurs en chef tous coulés dans le même moule. L'Ermite me montre parfois les commandes d'articles qu'il reçoit de Paris, avec le terme déjà réducteur de *people* maintenant écrit *pipole*. On sourit tristement devant le nivellement de la presse vers le bas...

Je les laisse tous s'exciter et enclenche de nouvelles piles dans mon magnéto comme on recharge un P38. Au même instant, des éclats de voix dans la pièce voisine font tourner les têtes de tous mes camarades. Cinq secondes plus tard, l'Ermite sort de la pièce avec fracas, l'air excédé. Il passe devant moi sans me voir, une belle jeune femme en pantalon gris chiné et chemise amidonnée sur ses talons.

— Mais enfin, ne montez pas sur vos grands chevaux, lui dit-elle.

— Mais pas du tout, chère madame, pas du tout.

L'Ermite avale le couloir à grandes enjambées avant de se mettre à courir pour semer la pauvre femme, la laissant toute déconcertée.

Je le rattrape.

— Hé ! Qu'est-ce qui s'est passé ?

Il semble revenir à la réalité.

— Oh, mais rien du tout, voyons. La publiciste de Denise Richards contrôlait chaque question... Pourquoi ne fait-elle pas l'interview elle-même tant qu'elle y est ? Et il y avait un imbécile qui ne demandait que des trucs bêtes à manger du foin, une autre qui faisait du bruit en rembobinant sa cassette... Qu'est-ce que tu veux faire ? J'ai fini par arracher mon micro en faisant tomber tous les magnétophones et je suis parti. Bon, à très bientôt, ma chère Juliette.

— Mais... Tu avais déjà interviewé Matt Dillon ?

Trop tard : l'Ermite a disparu dans l'escalier de service.

Je reprends ma place en jouant à nouveau des coudes, sans répondre aux regards inquisiteurs. L'Italienne me chuchote quelque chose. « Oui », je réponds, gênée. Elle a un sourire indulgent. Elle semble bien connaître l'Ermite et savoir de quoi il est capable.

— *Ah, mamma mia, mamma mia*, fait-elle, commentaire que je trouve très approprié.

L'attente se prolonge. Il y a plus de tables d'intervieweurs que d'interviewés qui tournent. Les vingt minutes de temps mort paraissent durer le double. Je n'ai qu'une envie, très forte : partir à mon tour. Cela tombe bien, la belle jeune femme en pantalon gris et chemise amidonnée vient me murmurer à l'oreille qu'il faut que je sorte. Je sursaute.

— Mais pourquoi ? Nous n'avons pas encore vu Matt Dillon.

— Sa publiciste ne veut pas qu'il fasse d'interview pour votre magazine. Il ne donne d'interviews que pour les titres dont il fera la couverture.

Mes collègues cessent de respirer. Ils attendent ma réaction. L'humiliation dans la cour de récré. Le souvenir d'avoir été expulsée deux fois de la sorte avant l'arrivée de Brad Pitt pour *Sept ans au Tibet* et *Ennemis rapprochés* est encore marqué au fer rouge dans ma mémoire. Vous subissez les interviews avec une cohorte de producteurs, seconds rôles, enfants, poules, cochons… Et juste avant que Brad Pitt, que vous n'avez encore jamais croisé, fasse son apparition, on vous demande de déguerpir sous l'œil goguenard de vos collègues. Vous qui n'écrirez pas de ragots, contrairement à ceux qui restent dans la salle pour s'approprier Brad. Et non seulement on vous fait sortir, mais on vous dirige vers le couloir opposé à celui par lequel Brad Pitt arrive, pour éviter que vous ne vous jetiez à son cou comme une fan hystérique.

Et voilà que le même cirque recommence ! La moutarde me monte au nez.

— Ah non ! Il n'en est pas question. Cette fois je reste.

Je tape mon petit poing sur la table.

— Pardon ?

La jeune femme n'en revient pas de cette révolution française.

— Ah non ! Je suis sortie deux fois pour Brad Pitt, cette fois je ne partirai pas tant que je n'aurai pas vu Matt Dillon !

— Écoutez, nous n'y sommes pour rien si vous avez connu un précédent avec Brad Pitt…

— Vous êtes la publiciste de Matt Dillon ?

— Non, son assistante, mais…

— Je reste !

Mes collègues n'osent pas intervenir mais à leurs regards je sens qu'ils me soutiennent. Bats-toi, petite Française, montre-leur de quoi tu es capable !

Accompagnée par un léger brouhaha, l'assistante de la publiciste pose devant moi une feuille qui stipule : « Je participe à la table ronde avec Matt Dillon mais je m'engage solennellement à ne pas utiliser cette interview pour ledit magazine, ni pour toute autre publication. Toute infraction pourrait entraîner des poursuites judiciaires, bla-bla-bla… »

De toute évidence, ce n'est pas un gag. Au fond, je ne suis même pas sûre d'écrire quoi que ce soit sur ce film. Après une seconde d'hésitation, je griffonne un autographe en bas de la proposition indécente. La feuille est prestement retirée. Je suis autorisée à rester. À la tablée court un chuchotement approbateur.

Bravo, tu as tenu bon et tu peux avoir ton interview, bravo, petite Française.

Je me garde bien de révéler mon pacte avec le diable.

— Chut, chut, il arrive, il arrive, tout le monde assis, tout le monde assis, s'animent les assistants reliés les uns aux autres par des casques de talkie-walkie presque invisibles. Piles de dossiers top secret sous le bras, air important, le *staff* a déjà adopté l'uniforme du troisième millénaire.

Il est sexy, ce Matt Dillon. J'avance mon Sony sous son nez. Un peu bas du front peut-être, mais vraie présence. Pourtant, il traîne une réputation presque aussi mauvaise que celle de Keanu Reeves. Le double visage d'Hollywood : d'un côté on fabrique et on vénère les *movie stars*, de l'autre on critique sans pitié le manque de profondeur de leur jeu.

Comme à l'accoutumée avec le gros poisson, il faut jouer serré pour prendre la parole. Ma copine italienne parvient à faire une percée avec, contre toute attente, cette question :

— Cela vous fait quoi, que les filles aillent vous voir au cinéma parce qu'elles veulent vous baiser ?

Le héros de *Rusty James* accuse le choc.

— Euh, je ne crois pas que ce soit l'unique raison de mon succès, qu'on veuille me baiser, comme vous dites…

Maintenant, il est sur la défensive, seul contre les médias. Ses publicistes font de grands gestes d'hélice au-dessus de leurs têtes. Traduction : « L'heure tourne, préparez-vous à poser la dernière question. »

Même si j'avais été autorisée à écrire un article, je n'aurais de toute façon pas eu assez de matière.

Tomber de rideau sur cette journée.

Après mon second *junket* de l'après-midi, pour *Deep Impact*, j'ai l'impression d'avoir pris cinq ans. Denise Richards tient sa vengeance. Avoir partagé un ascenseur avec Jeff Bridges qui se trouvait par hasard dans l'hôtel m'a cependant ragaillardie. J'aime bien Jeff Bridges. L'un des acteurs les plus simples et les plus gentils que j'ai eu la chance de rencontrer. Il tourne *The Big Lebowski* dans les parages. Rencontrer des pointures au détour d'un couloir ou d'un ascenseur fait partie des petits plus des grands hôtels.

À la sortie du Four Seasons, les journalistes en rang d'oignons attendent leurs voitures. Une Japonaise insiste pour obtenir ma carte de visite. Je lui dois une fière chandelle : elle m'a discrètement signalé la présence de la réalisatrice de *Deep Impact*, Mimi Leder, que j'étais en train de qualifier haut et fort de « tâcheron ». Malgré tout, je n'aime guère cette manie de distribuer des cartes de visite à tout le monde. J'ouvre mon sac à contrecœur, en oubliant la présence du rouleau de papier toilette piqué dans la salle de bain de la suite où nous faisions les interviews. La Japonaise me regarde à deux reprises, comme si elle ne m'avait pas bien imprimée la première fois. Je m'éloigne en crabe, écarlate.

Le journaliste américain me double dans la file d'attente, brandissant un tee-shirt sous mon nez : « J'ai eu un taille M ! » Dans une limo qui s'ébranle, brille le museau magique d'Elijah Wood. Encore minot, il ne s'en laisse déjà pas compter en interview. La vitre fumée de sa voiture se ferme. Mon humble Mazda est amenée par les *valets*, les voituriers qui courent dans tous les sens pour rendre son véhicule à chaque richard ou à chaque quidam qui, comme moi, vit dans leur sillage. Un ballet de clés de voiture et de billets d'un dollar comme pourboire enveloppe la scène.

J'ai ma casquette et mon tee-shirt *Sexcrimes*, un gadget *Deep Impact* qui annonce la fin des temps, un rouleau de papier toilette qui porte le label doré du Four Seasons, la besace pleine d'interviews dont je ne me servirai jamais… La journée a été bonne. Il ne me reste plus qu'à me jeter au cou du Cow-Boy car j'ai de la chance, oui, beaucoup de chance, d'avoir un homme bienveillant auprès duquel me réfugier après un tel parcours du combattant.

Je me lance dans le trafic, mon bras gauche dépassant par la portière, soulagée de pouvoir jeter ces *junkets* derrière mon épaule comme une pincée de sel un vendredi 13.

Les embouteillages me laissent du temps pour réfléchir à la manière de montrer au Cow-Boy que je ne suis pas une ingrate et que j'apprécie tout ce qu'il fait pour moi. Je vais lui cuisiner un bon petit plat, un gratin peut-être, un gratin de n'importe quoi, du moment que ça fonde et que ça dore. Je vais allumer des bougies, dresser une jolie table, et puis je l'entraînerai dans le jacuzzi bouillant du building, je le couvrirai de baisers de naïade…

5.

Nouveau rodéo avec le Cow-Boy

— Eh ben, dis donc, t'en as mis, du temps ! je siffle quand il se décide enfin à rentrer dans l'appartement.

Rien à faire : qu'il vente ou qu'il neige, qu'il soit en ma compagnie ou non, le Cow-Boy adore jouer au concierge.

Planté devant la porte, il adopte sa position fétiche : jambes écartées enracinées dans le sol, bras croisés sur la poitrine, et poids du corps oscillant vers l'arrière. Il ne lui reste plus qu'à attendre que quelqu'un veuille bien lui donner la réplique, ce qui ne tarde jamais, la communauté hâlée de Palm Avenue maîtrisant à la perfection l'art de parler de la pluie et du beau temps.

— Quoi ? il demande en refermant la porte moustiquaire derrière lui.

Depuis plus d'une demi-heure, les éclats de voix emphatiques de sa conversation avec nos voisins m'ont fait l'effet d'un coup monté contre mon souci d'intimité… Encore un « ÇA VA SUPER BIEN, MEC ! » et je l'étripe.

Le Cow-Boy porte une clope à ses lèvres, m'envoie un baiser, allume la télé.

— Tu faisais de la retape pour ton parti, ou quoi ? j'ajoute dans le simple but de l'énerver.

Il faut dire que le Cow-Boy est engagé politiquement et arbore sa carte du parti démocrate à chaque occasion. Il s'intéresse de près au sort des pauvres et des opprimés, et a toujours considéré Michael Moore comme l'un de ses modèles, bien avant que le cinéaste engagé ne devienne à la mode. Beau trait de personnalité, mais assez kamikaze pour qui veut réussir à Hollywood. Il ferait mieux de commencer par se préoccuper de son propre sort. Bien sûr, si son militantisme peut lui faire fréquenter Susan Sarandon, George Clooney ou Tim Robbins…

Le Cow-Boy baisse le son des publicités matraquées toutes les cinq minutes.

— On a des trucs à manger, *baby ?*

— ON a… C'est comme cette manie quand on fait les courses : ON en a encore à la maison ?… Tu peux pas dire : « Y en a encore ? » J'en sais rien moi de ce qu'ON a : j'ai passé toute la journée à me farcir des *junkets*, je suis pas plus au courant que toi.

Le Cow-Boy lève un sourcil suspicieux.

— Tu es comme un robot ! Tu fais toujours les mêmes choses, tu abordes toujours les mêmes sujets avec les voisins. Je peux anticiper chacun de tes faits et gestes !

— Ah ouais ? Et est-ce que tu peux anticiper… ça !

Il fait mine de me décocher un crochet du droit pour détendre l'atmosphère. Mais je ne suis pas d'humeur à me marrer.

— Pas étonnant que j'aie besoin de lire ton journal intime, je continue, déterminée à provoquer un nouveau rodéo avec le Cow-Boy. Tu ne prends jamais la peine de me parler ! Pour cancaner, super, champion, mais quand il s'agit d'apprendre ma langue, tu es toujours le dernier.

— Qu'est-ce que ça vient faire sur le tapis, petit pois ? T'as bu, ou quoi ? Je m'intéresse à ta culture. J'ai même regardé avec toi jusqu'au bout *La Femme du boulanger* sur PBS, l'autre soir. Je te demande toujours des renseignements sur la France, son histoire, sa politique. Tu n'arrives jamais à me répondre !

— Mais je m'en fous de la politique ! Je te parle de savoir comment on dit « j'ai faim » ou « fesses » en français.

— Alors, c'est ça ? C'est juste les mots qui comptent pour toi ?

— Ce ne sont pas que les mots. C'est ma relation à la langue, à l'amour, à toi, au paysage… C'est comprendre d'où je viens, qui je suis.

— Quelle actrice tu ferais !

— Mais j'ai envie de plus de fantaisie, moi. Je n'en ai peut-être pas l'air, mais je suis une fille excentrique, fantasque. J'ai besoin de stimulations !

— T'as essayé les électrochocs ?

— C'est même pas de toi cette phrase…

— Oh, parce que toi tu ne me balances jamais des répliques de films ? ! Mais j'ai une grande nouvelle pour toi, petit pois : la vie, c'est pas un film en noir et blanc avec Cary Grant et du champagne servi en apéritif. Il va falloir un jour que tu te fasses à la réalité !

Nous sommes interrompus par le générique des *Simpson*, lui aussi coupé par la pub et l'annonce d'un fait divers juteux : « Une superstar en état de choc a été enregistrée en train d'appeler les pompiers. Pour savoir de quelle star il s'agit, et quel terrible danger encourait cette mystérieuse vedette, restez sur notre chaîne... »

Le Cow-Boy en profite pour me prendre de force dans ses bras tatoués. Il me cajole :

— Et si j'allais avec toi en vacances à Paris et qu'on allait voir tes parents ?

— Pour de bon ? !

— Pour de bon... *Pourquoi pas ?* il termine en français.

Il me prend les mains en fouillant mon regard. Assez loin et assez longtemps pour assouvir mon désir d'être comprise et étancher ma soif de romantisme. Je me sens vivre et reprends confiance, quand il me déclare avec un air impressionné :

— C'est fou, dis donc : en restant sans bouger comme ça, je peux me voir dans tes pupilles comme dans un miroir.

Quelques jours plus tard, nous étions dans l'avion. Alors, bien sûr, ce séjour en France nous a fait du bien. Premier retour sur mon sol natal depuis un an : je parlais anglais dans tous les magasins sans m'en rendre compte. Le Cow-Boy, lui, marchant à petits pas comme dans un musée géant, n'en revenait pas de la magnificence de Paris. Nous avons enchaîné quelques dîners parisiens. Quel apaisement de revoir les amis. Quel apaisement de pouvoir manger et boire sans constamment compter les calories. Enfin, n'exagérons rien : des dîners parisiens, il n'y en a pas eu tant que ça. Si je n'ai pas de vie sociale à Los Angeles, je n'ai pas non plus laissé beaucoup de connaissances derrière moi.

— Tu es comme moi, un loup solitaire, m'a confortée le Cow-Boy en écrivant une vingtaine de cartes postales.

Puis direction le Sud, où mes parents ont tout de suite adopté le Cow-Boy. Ma mère s'est mise en tête de lui faire prononcer le verbe « murmurer », imprononçable pour un Anglo-Saxon. Mon père lui a servi son meilleur vin rouge. Le Cow-Boy n'a pas dessoûlé des vacances. Il a ponctué toutes les conversations par de tonitruants : « C'est bon ! » en français. Et sa libido a été décuplée – *vive Paris, vive la France !* – quand il m'a découverte dans mon élément, sous le jour d'une fille entreprenante, pleine d'esprit et de répondant.

Nous sommes rentrés à Los Angeles sur deux vols différents. Pas parce que nous étions fâchés – bien au contraire –, mais parce qu'on avait réussi à économiser quelques dollars de cette façon. Pas vraiment une bonne idée pour deux angoissés des aéroports comme nous : au moment de se retrouver dans notre appartement, nous étions d'humeur exécrable.

À peine arrivée, le Cow-Boy m'a prise par la main pour sauter dans son pick-up et sillonner les collines d'Hollywood à la recherche de décorations de Noël toutes plus extravagantes les unes que les autres.

Quand nous avons dépassé la porte d'entrée de Pavilions[1], j'ai eu un gros coup de blues : les rayons cliniquement remplis de produits alignés au millimètre près me firent regretter le bordel des Leclerc. Les supermarchés traditionnels américains – loin de la fantaisie

1. Chaîne de supermarchés de la grande distribution.

goûteuse des chaînes bio – n'ont pas leur pareil pour aligner l'aseptisé, le gélatineux et l'hormone, avec une bonne conscience qui fait froid dans le dos. J'ai essayé de me rapprocher du Cow-Boy mais il était nerveux, impatient : le charme était rompu.

Notre séjour en France nous avait fait du bien, mais le retour à la réalité hollywoodienne s'annonçait difficile. Très difficile.

6.

L'été des *junkets* (où l'Ermite montre vraiment de quel bois il se chauffe)

L'année avait pourtant bien commencé : peu de films sortent durant le premier trimestre, traditionnellement consacré aux oscars. Qui dit peu de sorties de films, dit peu de *junkets*, et qui dit peu de *junkets*, dit se la couler douce.

Attention, je ne dis pas que je n'ai pas couvert les oscars, l'année de *Titanic*. J'y étais, perdue dans la ruche de l'espace presse, en robe longue et veste de velours, poisseuse d'être restée trois heures sur les gradins avec les fans à regarder les stars se bousculer sur le tapis rouge. Mais pour être honnête, le délai de « bouclage du prochain numéro » me laissait largement le temps d'écrire mon petit compte rendu.

Ah, la *dolce vita* du premier trimestre à Hollywood… Maintenant, fini l'hibernation ! Pourtant, le temps ne change pas : ici (pardon d'enfoncer le clou), il fait beau presque toute l'année. Dans les rues extralarges, les fleurs mauves des jacarandas tombent en tapis d'améthyste sur l'asphalte et les capots des voitures. Je ne rêve que de légèreté et de filer rebelle vers Malibu avec Whoopi qui laisse des traînées de liquide verdâtre sur son passage. Envie de sentir l'air de l'Océan, de rouler le long des résidences secondaires qui bordent l'autoroute du Pacific Coast Highway, d'atteindre la plage escarpée d'El Matador, de me risquer dans les vagues toujours glacées et de regarder voler les pélicans, voir sauter les dauphins et plonger les phoques dodus…

Oublie, Juliette, oublie, tout ça, c'est fini…

À partir de mai, je ne fais plus ce qu'il me plaît. L'été hollywoodien se profile et il s'annonce rigoureux. Date TRÈS importante dans le calendrier des sorties de films : le premier week-end de mai, celui du Memorial Day, la fête de la victoire, qui marque le coup d'envoi officiel de la saison des blockbusters à Hollywood. Un blockbuster, par définition, coûte les yeux de la tête et doit rapporter un sacré paquet de millions de dollars, tandis qu'un film à petit budget, un « indépendant », peut fonctionner sur le bouche à oreille. Le blockbuster doit tout pulvériser sur son passage dès son premier week-end d'exploitation s'il ne veut pas finir en flop – c'est la tyrannie du box-office, et bon sang, on en soupe de leur BO !

Les premières se multiplient et les invitations aux *junkets* vous tombent dessus comme une pluie de sauterelles, accompagnées de messages qui font croire aux journalistes que ce sont eux les stars :

« Chers amis, chers tous et toutes, bien chers correspondants, nous tenons à vous annoncer les premiers que vous avez été nominés pour le *junket* de patati patata, dont la sortie française est fixée au patati. Vous trouverez ci-joint le détail du déroulé patata. Merci de communiquer au plus vite votre intérêt en précisant pour quel support, patati patata... »

Il faut chercher sur l'invitation – et encore, quand il y figure – le nom du réalisateur. À croire que ce sont les studios qui mettent en scène et les producteurs qui réalisent. À moins d'avoir le *final cut*, carte blanche laissée à un très petit groupe de réalisateurs *bankable*, un metteur en scène est bien peu de chose ici.

À partir de maintenant, il va falloir sauter d'un hit potentiel à un autre en guettant la bonne surprise. Hélas, pour un *Mary à tout prix* d'où vous sortez en vous tenant les côtes ou pour un *Il faut sauver le soldat Ryan* qui vous remue les tripes, il faut enchaîner les dizaines de films tiroirs-caisses qui vous laissent à bout de souffle et vous donnent envie d'une rétrospective du néoréalisme italien dans un cinéma d'art et essai du Quartier latin.

« On les envoie à Hollywood et au bout d'un an ils n'aiment plus le cinéma hollywoodien », se plaint le patron. Il n'a pas tort : immergé à Hollywood, le correspondant sature vite de la grosse artillerie. Je rêve de plus de fraîcheur, de mélange des genres, de moins de sexisme et de violence gratuite... Et ça existe ! D'ailleurs, un bon film américain reste ma grande source d'évasion. J'ai beau avoir la nostalgie de la gouaille et de la poésie du cinéma de mon pays, difficile de trouver un pendant français à Meryl Streep, Brad Pitt ou Johnny Depp. Et même si je la joue pimbêche avec le Cow-Boy en lui reprochant de ne connaître aucune de nos vedettes à part Jean Reno et *Depardiou*, ce sont bien souvent les acteurs et actrices anglo-saxons qui me transportent le plus loin. Alors, j'essaie de ne pas trop décevoir le Boss. Je parcours l'asphalte dans ma *junket*-mobile qui fait un bruit de casserole, vrombit de grand hôtel en salle de projection, d'un studio à un autre… Bah, au moins, pendant ce temps-là, je ne me ronge pas les sangs.

C'est qu'on ne s'ennuie jamais avec les *junkets* de l'été !

Il y a le *junket* à pois, à rayures, à carreaux, le *junket*-avec-des stars-qui-ne-pipent-pas-mot, le *junket*-avec-des-historiens-intarissables-dénichés-pour-l'occasion. Il y a le *junket*-avec-des-enfants, qui expliquent, sous l'œil de leurs parents-managers, en quoi leur rôle a été un challenge émotionnel, et même le *junket*-assistante-sociale : un film jetable, des acteurs qui ne font pas « vendre du papier », des interviews qui ne seront jamais publiées. Du vent, pour que les studios puissent dire qu'ils ont « *junketé* » le film.

Il y a aussi le *junket*-bouche-trou : un journaliste s'est désisté, on vous convie au dernier moment. Vous me direz, se retrouver en face d'Harrison Ford dans une chambre d'hôtel new-yorkais, même prévenue une demi-heure avant, demeure assez classe. Une autre spécialité du *junket* estival : l'interview avec deux acteurs du film. Généralement, pas un bon signe…

… Lors de mon tête-à-tête avec le tandem Sandra Bullock-Jason Patric, je n'ai trouvé que Jason Patric qui me toisait de son beau regard vert – du même vert que la demi-douzaine de bouteilles de Heineken qu'il s'était fait monter dans un seau à l'effigie du Ritz Carlton de Marina Del Rey.

Assis dans un fauteuil surplombant la marina, il grommela en décapsulant deux Heineken :

— On ne va pas parler du film, ça craint trop.

Il me demanda comment je m'adaptais à la vie californienne. Je tâtai le terrain :

— Je couche avec un autochtone. Ça aide un peu.

Petit sourire de Jason Patric.

— Tu l'as rencontré comment, ton Américain ? poursuivit-il sur une note monocorde.

Réponse sur le même ton :

— C'était le seul hétéro de mon building.

Cette fois, on s'est mis à rire franchement en vidant les mousses dans nos gosiers.

Mon genre d'interview...

J'en étais à regretter d'avoir fait mention d'un petit ami lorsque Sandra Bullock fit son apparition en s'excusant de son retard. Elle avait été retenue par une interview téléphonique. Flûte, avec la « normalité » de Jason et l'absence soudaine d'attachées de presse, j'avais oublié que j'étais là pour rencontrer les deux têtes d'affiche de *Speed 2*. J'ai planqué ma bière derrière mon fauteuil et me suis levée d'un bond pour rendre à cette grande brune fascinante de vitalité sa poignée de main énergique.

— Sandra. Ravie de faire votre connaissance !

Elle avait ouvert le feu.

— Juliette. Quel plaisir de vous rencontrer, Sandra !

J'essayai d'être à la hauteur.

Sandra Bullock a jaugé la situation : l'œil vitreux de son partenaire, mon air goguenard, le magnétophone pas enclenché. Elle mit le seau de Heineken hors de portée de Jason Patric et attaqua un monologue digne des plus pros :

— Eh bien, merde ! (Ça, pour prouver qu'elle n'est pas une rabat-joie.) Ça fait vraiment plaisir de faire la promo ensemble après la merveilleuse collaboration que nous avons connue sur le tournage, hein, Jason ? Le magnétophone tourne, Juliette ?

Gloups. J'enclenchai.

— La réussite de cette suite dépendait beaucoup du choix du partenaire masculin qui succédait à Keanu. Nous avons eu beaucoup de chance. Jason est un acteur tellement généreux. Et quel *fun* de pouvoir faire partie d'une telle aventure ! Nous nous sommes tellement amusés ! Tout le monde s'est tellement bien entendu sur ce tournage, n'est-ce pas, Jason ?

Avec le temps j'ai appris à aimer le dynamisme sans prétention de Sandra Bullock, mais je ne me suis jamais servie de cette interview croisée…

Dans le large éventail des *junkets* balisés, on trouve aussi la récréation en plein air : le *junket*-visite-de-plateau. Le *set-visit*. En été, on sort beaucoup de films, mais on tourne aussi beaucoup. À Los Angeles, dans les États alentour et, de plus en plus, au Canada ou en Roumanie, où cela coûte moins cher. Dans le monde entier, ça tourne, ça tourne. C'est qu'il faut bien les mettre en boîte, les blockbusters de l'année suivante.

Et un futur blockbuster, ça se fête : déploiements des bloc-notes et des magnétos, entrée en scène de bataillons de journalistes affrétés par cargaisons spéciales, ruées sur la nourriture déjà entamée par les techniciens – c'est bien connu : lorsqu'on a mangé sur un tournage, la moitié du travail est faite.

Piétinements, bâillements, énervements : le *junket*-visite-de-plateau n'a pas son pareil pour vous faire perdre votre temps. Pourtant, certains valent encore le coup, comme je l'ai récemment fait remarquer à l'Ermite en repensant à celui de *Zorro* au Mexique, avec ce sympathique bougon d'Anthony Hopkins qui nous apprenait à manier le fouet la journée et cette crème d'homme d'Antonio Banderas qui nous servait l'apéro dans son hôtel hacienda le soir.

— Voui..., m'a répondu l'Ermite. Et combien étiez-vous sur *Zorro ?*

— On était en meute, mais on a pu voir des scènes, enfin, pas avec Antonio Banderas, mais on a tout visité, on a même eu un petit aperçu de Mexico...

— Voui... Et tu as eu les photos ? a ironisé l'Ermite.

Non, bien sûr. Ce n'est pas le tout d'aller sur les tournages, encore faut-il obtenir de quoi illustrer son article. Dans 99,9 % des cas, sur les gros tournages hollywoodiens, il s'avère impossible d'emmener son propre photographe. Or, le temps que les acteurs aient validé les photos, le film est déjà sur le point de sortir, rendant caduque la diffusion d'un papier sur le tournage.

Le *set-visit* de *Zorro* avait eu lieu neuf mois plus tôt, et j'attendais toujours que les photos soient « approuvées ».

Si je repense à tout cela, c'est qu'en ce moment je me trouve sur un tournage, en Californie du Nord : une expédition qui s'annonce juteuse. L'Ermite en est aussi, béni soit-il.

— On se regroupe, tout le monde, scandent depuis le matin les deux dragons femelles de la Warner.

Nous devons être vingt-cinq ou trente journalistes. La plupart des étrangers basés à Los Angeles, et d'autres venus spécialement de leurs lointains pays pour voir travailler Dustin Hoffman, Sharon Stone et Samuel L. Jackson devant la caméra de Barry Levinson, le réalisateur de *Rain Man*. Ils tournent un film de science-fiction : *Sphère*. Voilà une visite de plateau qui ne va pas passer inaperçue.

L'action – du moins celle du *junket*, puisque nous n'avons pas pu pénétrer dans les décors, trop étroits pour permettre l'invasion d'un troupeau de journalistes – se déroule à Valleja, une base militaire dont les hangars ont été transformés en studios, dans la baie de San Francisco.

L'équipe tourne une scène « intimiste » et on nous précise que « le tournage touche à sa fin ». Autrement dit : mieux vaut ne pas déranger les acteurs, et toutes les scènes d'action « spectaculaires et extraordinaires à observer » ont déjà été filmées. L'Ermite se penche à mon oreille.

— Euh… Et pourquoi ils ne nous ont pas fait venir pour une scène d'action « spectaculaire et extraordinaire » à observer ?

— Nous pouvons entrer, déclare l'une des deux dragonnes après une longue attente à l'extérieur de la base.

Une fois à l'intérieur, nous n'avons plus qu'à faire marcher notre imagination : il y a bien quelques storyboards, mais les journalistes y jettent à peine un œil, vexés de n'être venus que pour cela, frustrés par les : « Action » et les : « Coupez », dont l'écho vient nous narguer.

— On ne peut pas les regarder travailler, même par petits groupes, trois par trois, ou quelque chose comme ça ? suggère une Belge, le rouge au front.

— Non, non, non, crachent les dragonnes qui nous escortent.

Bonne nouvelle, les interviews auront quand même lieu pendant la pause déjeuner. Nous nous installons en cercle autour de deux tables, et attendons le ballet habituel des acteurs peu désireux de faire la promo d'un film en cours de tournage.

— Je suis venue du Chili pour ça et je ne peux même pas voir l'équipe au travail, attaque bille en tête une brune que j'imagine capable de bassesses pour obtenir un scoop.

Elle se tourne vers Samuel L. Jackson.

— Donnez-moi au moins quelques bonnes citations à mettre dans mon journal. Potins, conditions de travail, méthode du réalisateur, caprices de Sharon et Dustin… Allez : je veux tout savoir !

Pas besoin d'être devin pour comprendre que ce type de méthode s'accorde mal à Samuel L. Jackson.

— Moi aussi, je veux tout savoir, mais une vie d'homme n'y suffit pas.

Le reste de la troupe doit ensuite y aller à pas de loup pour remettre en confiance cet ancien alcoolique devenu roi de « l'autorité cool » à l'écran comme à la ville.

— Tu vas voir, Sharon Stone me demande toujours des nouvelles de mes enfants, me prévient l'Ermite avant l'entrée en scène de la belle.

Je le regarde sans comprendre.

— Elle s'est mis en tête que j'étais père de famille, je ne peux pas la décevoir.

— Vraiment ? C'est drôle.

La petite voiture électrique de tournage de Sharon s'arrête pile devant nous. Elle s'extirpe de son véhicule avec une grâce féline, pour tomber nez à nez avec l'Ermite.

— Tiens, quelle bonne surprise ! Comment ça va ? demande-t-elle, chaleureuse sous la glace de sa blondeur hitchcockienne. Et comment vont vos enfants ? s'empresse-t-elle d'ajouter, toujours prompte – je m'en apercevrais au fil des ans en la revoyant dans de nombreuses conférences de presse – à distribuer quelques attentions personnalisées.

— Bien, très bien, merci, répond l'Ermite, rose de confusion.

Je me retiens de rire.

Si Sharon Stone hypnotise les journalistes, je réalise après coup qu'elle n'a pas dit grand-chose de concret. Après son interview et celle de Sam Jackson, je n'en sais pas plus sur le film. De son côté, Barry Levinson s'est embarqué dans une interminable anecdote sur *Rain Man*, et ce n'est pas son complice Dustin Hoffman qui va m'aiguiller davantage. Ne bénéficiant que de ce laps de temps-là pour déjeuner, ce marmonneur de nature répond en plus aux questions en ingurgitant le contenu d'une énorme assiette. Sur la cassette écoutée une demi-heure plus tard, l'interview donne quelque chose comme : « Hum, rom rom, scronch scronch, oui, hum, heu… Goulougoulou, gloups… Oui, mon personnage est comme qui dirait scronch scronch, miam, hum, slurp, et vous les gars, vous avez déjà déjeuné ? Hum, le gratin est fameux, il faudra le goûter… Vous disiez ? Un film ? Qu'on tourne en ce moment ? Ah… oui… Je peux avoir des cookies s'il en traîne par là ? Comment je travaille avec mes partenaires ? Mais pourquoi vous ne regardez pas les scènes qu'on tourne cet après-midi ? »

Peu importe, puisque ma casquette de journaliste s'envole dès que Dustin Hoffman s'assoit à côté de moi. Me renvoyant au rang de spectatrice, devant l'un des meilleurs acteurs de l'univers en train de jouer, en gros plan, la scène la plus naturelle qui soit : un type qui déjeune après une longue matinée de travail. Lui passer la carafe est comme entrer en interaction avec tout un pan de l'histoire du cinéma américain, et je tremble un peu lorsque je lui tends l'assiette de gâteaux.

— Prends-en un, m'encourage-t-il en mordant dans un brownie. Pas mauvais, hein ?

Il sourit, ravi car l'interview touche à sa fin.

— Pas mauvais du tout, je lui rends son sourire en oubliant tout le reste, y compris que je n'aime pas les brownies.

Tant pis si je ne peux pas le voir en action sur le plateau. À cet instant, je consomme une scène avec le héros du *Lauréat* et de *Macadam Cowboy*, des *Hommes du président* et de *Kramer contre Kramer*... Et la première prise est la bonne.

Évidemment, tout cela ne fait pas un « papier tournage ». Pour nous faire oublier le pétard mouillé de *Sphère*, la Warner nous emmène dîner à Saint Helena, dans Napa Valley, la région des vins. Du vin, il va en falloir pour faire passer la sauce. Ne vous méprenez pas : je ne me plains pas d'être nourrie par les Majors. Simplement, il suffit qu'on m'oblige à voyager avec trente personnes dans un bus et à passer mon temps à attendre les autres qui tirent aussi le masque pour les mêmes raisons pour que me viennent des envies de tour du monde en solitaire ou de chemin de Compostelle à pied en plein hiver, sans même la compagnie d'un mulet.

Bah ! Jolis vignobles, petit restaurant hispanisant très sympathique… Conversations, certes, tournant désespérément autour des *junkets* et de la rupture de Gwyneth Paltrow et Brad Pitt, ragot du moment.

Voyant mon air agacé, un journaliste autrichien sur le retour me prend à partie :

— Ça ne t'intéresse pas, Brad et Gwyneth ?

— Je m'en fous.

Il agite son doigt sous mon nez.

— Tu es pourtant journaliste, non ?

— Pas si ça consiste à passer tout un repas à parler de la vie privée de gens que je ne connais pas personnellement.

Après, forcément, plus personne ne m'adresse la parole. Pas même l'Ermite en bout de table, qui s'est mis en mode *off*. Le teint tuméfié par les crus de Saint Helena, il roule de la mie de pain sur la nappe, tournant le dos à tout le monde, levant les yeux au ciel. Pendant ce temps, un Espagnol plutôt beau gosse, qui avait commencé par se plaindre des méthodes de travail de la Warner, se retrouve sur les genoux de l'une des deux dragonnes, laquelle s'avère, il est vrai, bien plus sympathique qu'elle n'en avait l'air.

Tout cela se termine en petite fête improvisée dans une chambre glauque du Ramada Inn où nous sommes hébergés, et l'herbe locale finit par m'envoyer dans les bras de Morphée avec dans un coin du cerveau cette question lancinante : *Qu'est-ce que je fais là ?*

Pourtant, l'aventure ne fait que commencer. Le lendemain, alors qu'une grosse partie du troupeau retourne à ses pâturages, une poignée de *happy few* s'envole d'Oakland à Seattle, prend un coucou pour Spokane à l'orée du Canada, puis traverse en minibus une forêt digne de *Twin Peaks*.

Direction : le tournage du nouveau film de Kevin Costner, *The Postman*.

Pauvre Kevin Costner ! À voir l'immense barricade de poteaux qui enserre un faux village apocalyptique, son projet a dû lui coûter cher. Or, il a déjà explosé son budget, et dépassé le temps imparti pour le tournage. Et là-dessus, on lui annonce la venue d'un orage et d'un troupeau de journalistes déjà passablement refroidis…

Sitôt débarqués sous la pluie, nous nous réfugions sous la tente de la cantine, où nous dévorons tout ce qu'il y a à portée de main, tels les moutons de Tex Avery.

L'Ermite prend une photo de moi compromettante, où j'engloutis un hamburger géant comme si le suicide était ma prochaine étape.

Du tournage de *The Postman*, nous n'avons rien vu. La scène se déroulant dans des bois sombres et trempés, nous n'avons pas pu nous en approcher. On nous a donc montré des rushes qui ne m'ont pas semblé très crédibles. En fin de journée, Kevin a tenu une petite conférence. Toujours aussi séduisant et opiniâtre, son chien à ses pieds, il espérait que nous pourrions rester jusqu'au lendemain pour observer au moins une scène. Évidemment, nous ne le pouvions pas.

Ensuite, je ne garde que le souvenir des hurlements de l'Ermite dans un petit aéroport où les employés ressemblaient étrangement aux villageois consanguins de *Délivrance*.

Les billets ayant été mal réservés par la Warner, nous avions dû suivre un itinéraire très particulier pour rentrer à Los Angeles, avec beaucoup d'attente, et tout cela sans aucun effort de la part des employés de l'aéroport. Devant cette organisation foireuse et les bouches grandes ouvertes des créatures locales, l'Ermite jusque-là si zen a semblé se rebrancher sur un courant à haute tension. Il a pété les plombs sans crier gare, gesticulant et hurlant avec son accent français à couper au couteau, dans un accès de violence que personne n'aurait pu soupçonner. J'ai à peine eu le courage de le regarder, terrifiée par sa transformation.

Dans le dernier avion qui nous a ramenés à l'aéroport de Burbank, non loin de la Warner, l'Ermite a passé son temps à rédiger des lettres d'insultes adressées à la compagnie d'aviation, au studio, à tout le monde. Je me suis dit, en faisant discrètement sauter la languette d'une canette de Ginger Ale – osant à peine respirer au côté de mon compagnon de voyage –, que ce métier n'était non seulement pas toujours épanouissant, mais qu'en plus il pouvait rendre fou.

7.

Mission Coppola

Et toujours, à l'issue d'un *junket*, ce besoin urgent de m'affaler sur mon canapé où je reste prostrée pendant une période variable – d'une heure à une semaine – en redoutant de nouvelles réjouissances. L'esprit vide, l'œil hagard, laissant dériver mon imagination au gré de la programmation de TCM, mon antidépresseur de prédilection.

« La nuit dernière, j'ai rêvé que je retournais à Manderley… »

Oh ! quelle chance : *Rebecca !* La voix de Joan Fontaine s'élève, majestueuse, m'administrant une dose de pur bonheur.

Cette nuit-là, je rêve que quelqu'un essaye de *me* faxer. J'ignore quel abruti s'amuse à me passer la tête la première dans un fax géant, mais je reste coincée dans la machine en hurlant qu'il n'y a plus de papier. À la fin de mon rêve, mon cri se transforme en une sonnerie inhumaine qui me réveille en sursaut. Je tâte l'autre moitié du lit. Vide. Le Cow-Boy est à Kansas City, sur le tournage d'une vidéo où il aide à installer le décor. Ça l'a d'abord mis de mauvais poil de ne pas être de l'autre côté de la caméra, mais je le soupçonne d'être content de ce petit boulot bien payé. Car je le connais, le Cow-Boy : il adore planter des clous, faire chanter une perceuse, évaluer le « niveau »... C'est drôle l'habitude, j'étais persuadée qu'il dormait à mes côtés. Sans doute l'un de mes fantômes s'était-il glissé à sa place. Dans la pièce à côté, mon fax n'a plus de papier et siffle à tue-tête comme un chef de gare beurré. Sur la moitié de page déjà imprimée, on peut lire : « Appeler urgent bureau Paramount à Paris. Possibilité d'interviewer Francis. »

Le reste est illisible : Francis qui ? Perrin ? Cabrel ?

Je me rendors, une légère anxiété me nouant le ventre... Ce n'est que le lendemain à midi, quand je consulte enfin mon répondeur, que le message d'une attachée de presse de la Paramount locale me sort de ma torpeur : « Merci de nous confirmer que vous êtes bien disponible pour dîner chez Francis Ford Coppola, jeudi soir. Vous devrez louer un véhicule afin de vous rendre de l'aéroport de San Francisco à son domaine viticole de Napa Valley, situé à environ deux heures de route. »

Jeudi soir ? Mais, c'est après-demain soir ! Louer un véhicule à l'aéroport de San Francisco ? Je n'ai pas dû bien expliquer la situation :

1. J'ai passé mon permis il y a six mois à Santa Monica en ayant appris les résultats du test par cœur, et après avoir manqué emboutir un bus. Pour info, j'avais déjà raté cinq fois mon permis en France.
2. Je suis incapable de prendre l'autoroute : quand il faut me rendre dans la San Fernando Valley, pour aller chez Universal ou à la Warner, je dois partir une heure plus tôt de chez moi pour emprunter la route à rallonge de Mulholland Drive.

3. Je ne sais pas lire un plan. Pas la peine de commencer à dire : « Mais si, c'est enfantin, regarde... » Si je lis un plan pour me diriger vers l'est, je suis sûre de me retrouver à l'ouest.

Depuis le temps que je suis installée à Los Angeles, je n'ai pas encore eu ce genre de problème de locomotion. Jusque-là le travail a été mâché, prédigéré, et j'ai beau le déplorer sans cesse, c'est bien pratique. Je m'en suis toujours sortie avec un minimum de débrouillardise, ou en étant prise en charge par-ci, prise en charge par-là. C'était trop beau pour durer. Attendre de moi que je me conduise comme une adulte responsable devait somme toute finir par arriver. Même à Hollywood...

Pas de panique. Plan de secours. Vite !

Après avoir avalé deux comprimés antibrûlures d'estomac, ravalé des larmes d'impuissance, passé un maillot de bain en faisant tap tap tap sur ma cellulite, je descends à la piscine afin d'échafauder quels mensonges je vais bien pouvoir servir à la fille de la Paramount pour me sortir de cette impasse.

Sur le chemin, j'évite deux couples en survêt' – deux filles et deux garçons assortis à leurs roquets respectifs – qui papotent en mâchouillant leur substitut de repas. Comme je n'ai envie de parler ni toutous ni calories, j'exécute un savant slalom : je pousse une porte située à droite, dégringole les deux étages du building jusqu'au parking, le traverse sur la gauche, m'assure que ma vaillante monture Whoopi perd toujours de l'huile (le contraire m'aurait beaucoup déçue) et remonte l'escalier à gauche toute. Je pousse une dernière porte et arrive à la piscine. Un rapide coup d'œil circulaire m'informe que la voie est libre.

Dehors, le soleil tape dur. Je traîne une chaise longue jusqu'au bosquet d'hibiscus orange qui offre une petite zone d'ombre. Tout est calme. Seuls trois colibris irisés battent des ailes autour des fleurs. Je m'enduis d'écran total, déplie une serviette sur mes jambes, baisse ma casquette, ajuste mes lunettes de soleil…

La pensée que je suis encore en train de voler quelques heures de quiétude à mon agenda me fait agiter les doigts de pied.

Pfououfff… Penser à respirer.

La sonnerie de mon téléphone sans fil, réglée par erreur sur le volume maximal, me fait bondir de la chaise longue : c'est le Cow-Boy, qui répond à mon appel à l'aide : « Cherche chauffeur désespérément. » Dans un film, l'écran se partagerait en deux : d'un côté, moi, la peau trop blanche pour la Californie, rendue encore plus blafarde par la tournure des événements ; de l'autre, le Cow-Boy, dans un nuage de sciure, une ceinture pleine d'outils pendue à la taille. Je le supplie :

— Tu ne peux vraiment pas être là demain pour m'accompagner ? C'est très joli, tu sais, Napa Valley.

— Non, petit pois, impossible, on doit ramener les accessoires.

— Alors je suis foutue.

— Mais non, t'as fait pire. Tu vas trouver une solution, t'inquiète pas.

L'écran ne comporte plus qu'une seule image. Le ciel n'est plus si bleu, le soleil s'est caché. Un roulement de tonnerre se fait entendre au loin. « Trouver une solution. » C'est bien les Américains, tiens. Ah, qu'il reste donc au Kansas, lui et ses tours d'écrous !

Je me laisse glisser au bord de la piscine. Le sol me mord l'épiderme. Après quelques minutes de réflexion, mon stress a mentalement pris la forme d'une lettre de démission.

« Cher directeur du journal qui m'emploie si généreusement, pourrait-on envisager un poste à La Rochelle plutôt qu'à Los Angeles ? Dans le cas contraire, j'ai bien peur qu'il ne me faille, bla-bla-bla. »

Un sentiment presque jouissif de fatalité s'abat sur moi lorsque je m'allonge à même le carreau, la main caressant la surface de l'eau.

Au fond, c'est très simple : il suffit d'admettre que ce boulot n'est pas pour moi. Je rentre à Paris, reprends un studio, le métro, du Lexo...

Je pousse un râle lorsque la sonnerie de mon téléphone retentit à nouveau. Ouf, c'est un appel ami, cette journaliste italienne que j'ai toujours plaisir à croiser, sur la route de briques jaunes qui mène au petit monde merveilleux des correspondants en poste à Hollywood. Si je suis au bord de la panique, elle frôle l'hystérie :

— Giulietta, *cara mia*, Alberto *della* Paramount m'a dit que tu allais aussi *domani* chez Coppola ? *Si ? Realemente ? Ah bene, miraculo ! Grazie, grazie.* Je peux t'accompagner quand tu loues la voiture ? *Ragazza*, je ne sais pas conduire dans les grands endroits que je ne connais pas. *Ma*, aussi, pourquoi ils ne nous envoient pas un bus ? *Madre Mia !* Je suis fatiguée de *tutti* ces interviews.

Mamma mia ! Naïve, j'étais : moi qui me croyais hôte d'honneur du Parrain, grâce à la bonne renommée de mon magazine.

« *Une exclusivité, juste pour vous, parce que Francis aime tant la France, et parce que vous êtes la* MEILLEURE *!* »

J'apprends par l'Italienne que nous sommes en fait six journalistes à interviewer le cinéaste, et à dîner ensuite avec lui. Francis Coppola n'est pas né de la dernière pluie. Son dernier film, *L'Idéaliste*, repose sur une intrigue de procès conçue pour le box-office, et le coquin a trouvé un bon moyen pour vendre sa soupe : le *junket* déguisé. Depuis une semaine, il fait venir des groupes de journalistes chaque soir dans son domaine, à raison de cinq ou six personnes par soir. Après l'interview collective, il les nourrit de bons plats siciliens et leur sert une foule d'anecdotes de cinéphile, avant de les renvoyer à leurs claviers, repus des meilleures intentions à l'égard du film. Sans oublier de laisser seuls dans sa boutique ces dignes représentants de la presse pour qu'ils remplissent leurs sacs de souvenirs culinaires frappés du sceau Coppola. Le fabricant de films s'est transformé en marchand de vin, et le marchand de vin a besoin d'un succès commercial pour faire tourner le pressoir.

Show BUSINESS.

Je finis par révéler à mon amie italienne consternée que je l'égale en matière de débrouillardise et nous nous mettons en quête d'un autre membre de notre groupe qui pourrait nous prêter main forte. Hélas, deux d'entre eux se trouvent déjà à Napa Valley, comme nous le révèle le bureau de la Paramount. Ils ont dû profiter de l'occasion pour se faire payer un petit séjour à l'œil au pays des vins californiens. Un autre viendra directement de Londres. Il ne nous reste plus qu'un espoir : ce journaliste américain travaillant pour la presse internationale, qui est de tous les coups. Il se trouve déjà à San Francisco, et peut nous y donner rendez-vous pour que nous fassions la route ensemble. Nous l'aimons très fort.

Napa Valley ressemble à un agréable clone de la Provence, avec les mêmes vignobles à perte de vue… Je connais bien le coin : outre y avoir dîné lors du *set-visit* de *Sphère*, j'y ai accompagné un collègue il y a quelques mois pour aller interviewer George Lucas dans son gigantesque sanctuaire. Il serait d'ailleurs bienvenu de caser l'anecdote : dans la voiture règne un silence de mort. Évidemment, si nous avions été au bon lieu de rendez-vous à la bonne heure, l'Américain ne nous aurait pas fait la gueule. Devant son air glacial, l'Italienne s'est réfugiée sur la banquette arrière. J'en suis pour faire le copilote. Nous passons sous le panneau de direction Skywalker Ranch.

— Je connais très bien l'endroit, je suis venue interviewer George Lucas il y a quelques mois ! je fanfaronne.

Notre chauffeur tourne la tête. Je crois que je l'ai impressionné. L'état de grâce est de courte durée. Le plan étant posé à l'envers sur mes genoux, je lui indique un mauvais embranchement. Il finit par m'arracher le *Thomas Guide* des mains et, à partir de là, nous n'entendons plus que le souffle du vent qui s'infiltre à travers les fenêtres entrouvertes. Le soleil est doux, l'air frisquet. Bah, qu'il tire la gueule ! Je suis en route pour « Coppola Land » : autant dire que j'ai fait face à la situation, sauvé la mise comme une pro.

Je SUIS une pro.

Ce n'est donc pas un Yankee de mauvais poil, et de surcroît à la solde d'une publication européenne, qui va entamer ma confiance. Les dieux ont d'ailleurs reconnu en moi une fille méritante, et c'est pour cela qu'ils ont levé les obstacles qui me barraient la route qui mène à Francis Ford Coppola.

— C'est là ! s'écrie tout à coup l'Italienne.

Elle indique un large chemin de terre battue qui part dans les vignes, surplombé en gros du nom de l'endroit : Niebaum Coppola.

— Évidemment que c'est là, lâche notre chauffeur qui se décide enfin à esquisser un sourire.

Nous sommes pile à l'heure. Bon boulot, chauffeur ! L'attachée de presse de Coppola nous accueille avec la chaleur robotique propre à sa profession. Elle porte jeans, boots et veste de fripes, tout comme moi. Ça nous rapproche, d'autant qu'elle A-D-O-RE la culture française, surtout les films d'avant-guerre – « *Lez Enfante deu paradiiiss* ». Elle s'enquiert de ce que nous aimerions boire avant de faire le tour de la propriété.

— Oh rien : un marc…, je réponds en français.

— Un… *What ?* fait-elle.

Ah voilà, on adore, mais on ne connaît pas ses classiques…

— Arletty, *Hôtel du Nord*, j'explique.

L'Américain me regarde comme si j'étais un dangereux tueur en cavale, et je sens bien que l'attachée de presse est un peu refroidie.

— Pardon, je plaisantais. Je prendrais bien de l'eau, merci.

Elle nous amène six bouteilles d'eau. Pendant ce temps, nous avons été rejoints par les trois autres journalistes invités : un Néo-Zélandais expatrié à Manhattan, pure caricature du snob new-yorkais que j'ai d'instinct envie d'écraser sous mon talon, et deux Anglais que je n'arrive pas à cerner – ce qui n'est pas forcément bon signe.

Il faut visiter les caves, s'intéresser un peu aux types de cépages produits par la propriété avant d'avoir le droit de voir Francis. Son domaine est vaste et magnifique, acquis grâce aux bénéfices du *Parrain*.

C'est beau, le cinéma.

Cette vision d'une propriété paisible me rappelle mes parents qui vivent là-bas, dans le sud de la France. L'émotion m'étrangle. Quoique, à cette heure-ci, ils soient probablement en train de s'engueuler. Ce que j'aime, c'est quand ils se chamaillent de bon matin, avec leur air mal réveillé.

— Tu ressembles à une statue de l'île de Pâques, envoie mon père.

Puis, farfouillant dans le placard :

— T'as pas racheté de petits Lu ?

— Ah, je peux pas penser à tout ! Le Leclerc était fermé hier soir, j'ai rien acheté. Les chiens non plus n'ont rien à manger.

— Nous raconte pas ta vie. Qu'est-ce qu'il y a alors pour le p'tit déj ?

— Pti daij… T'as besoin d'être si parigot ? Toi, tu ressembles à un *œuf* de Pâques ! riposte finalement ma mère.

Ensuite, ils se marrent. Quand on se fait toujours marrer après un bon paquet d'années passées ensemble, c'est pas mal.

— Vous avez des questions pour nos maîtres vignerons ?

L'attachée de presse interrompt le cours de mes pensées. Elle présume sans doute que je n'ai rien à demander, mais elle se trompe. Me voilà en train de demander des précisions sur le merlot et le pinot de notre hôte, et ça lui en bouche un coin.

J'ai mérité de rencontrer le maître des lieux. Il nous attend sous le porche de sa maison victorienne en bois gris et blanc. Nous allons faire l'interview dans la véranda, assis dans de grands fauteuils en rotin.

Ma copine italienne déballe d'un vieux sac en plastique un petit pot de sauce au pistou qu'elle a mijotée pour Francis Coppola. Il la remercie, un peu incrédule, s'essuyant discrètement les mains sur son pantalon. L'interview n'est pas faramineuse, les questions partant dans tous les sens, mais Francis Coppola captiverait n'importe qui en lui récitant le Bottin.

Et peu importe, car nous voilà maintenant dans sa cuisine qu'il nous fait visiter fièrement : une pièce rustique chargée en vécu, avec des photos de Nic Cage, le neveu, sur le frigo. Notre homme est on ne peut plus convivial, ce qui a le don de me mettre à l'aise.

— Bon, vous avez faim ? lance-t-il en faisant claquer ses bretelles.

— Oui !

J'ai répondu comme une enfant, ce qui me vaut des regards noirs de mes collègues mais fait sourire Coppola. *Na !*

— Il faudrait d'abord leur faire visiter le musée, rappelle l'attachée de presse, qui s'avère plus agréable que je ne pouvais le penser.

La collection est impressionnante : *memorabilia* de *Conversation secrète* et du *Parrain*, cape de *Dracula*, voiture de *Tucker*, cinq statuettes d'oscars... Soudain, la puissance de la scène frappe le haricot sauteur qui me sert de cerveau : *holly macaroni*, je passe *vraiment* ma soirée avec Coppola !

Cette visite a beau n'être qu'un *junket* déguisé en repas intime destiné à lâcher un peu de lest aux journalistes et à leur montrer qu'ils ont droit à des traitements de faveur, l'expérience n'en est pas moins bien réelle et unique. Je sais qu'un tel moment de grâce ne se reproduira sûrement plus : les monuments vivants passionnés comme Francis Coppola, capables de servir aux journalistes une tranche de cinéma aussi généreuse, sont en voie d'extinction. Ce sentiment de vivre la fin d'un âge d'or dans la fraîcheur de Napa Valley fait monter ma température d'un coup. Si bien que dès que nous passons à table, dans l'une des caves du domaine, je me colle à côté de notre hôte. Il est déjà en train de verser le vin, éclairé par les flammèches des chandelles.

— Oh pas trop, pensez donc, juste un doigt, hu hu hu.

Nous nous sommes débarrassés de notre chauffeur qui devait rentrer *illico* à Los Angeles. Nous n'avons donc plus personne pour nous ramener, mais la cuvée signée Coppola est si enivrante que la question de notre moyen de locomotion nous paraît désormais tout à fait secondaire.

Madame Coppola, de son prénom Eleanor, a pris place avec nous. La brune filiforme aperçue dans *Au cœur des ténèbres* est devenue ronde et blonde, les joucs vermeilles. Si cela fait huit jours qu'ils reçoivent à ce rythme, il faut de l'entraînement. Avec la journaliste italienne, nous avions imaginé, depuis le matin, le sieur Coppola aux fourneaux en train d'assaisonner des lasagnes. La cuisine est en fait pourvue par un traiteur local. Au gratin d'asperges et jambon de parme succède un colossal morceau de bœuf au poivre. Le vin rouge, le Rubicon, est corsé comme un cru argentin. Le blanc, le Diamant, révèle un charmant petit goût de noisette.

Faut-il préciser que je me fais resservir sans faire de manières ?

Notre amphitryon aime que l'on boive. Cela tombe bien : les deux Anglais – l'un cynique, l'autre au contraire très premier degré, tous deux sinistres comme des portes de prison – s'avèrent deux alcoolos finis. Le Néo-Zélandais, lui, boit du bout des lèvres, en engageant Eleanor Coppola sur le terrain de la nouvelle saison théâtrale de Broadway.

— Comment peut-on vivre à Los Angeles quand New York offre tant de merveilles culturelles ? Enfin, je n'ai rien contre la Californie bien sûr, mais la côte est, tout de mêêême…

Madame Coppola le regarde avec indulgence. C'est elle qui a filmé le tournage *d'Apocalypse Now*, il lui en faut plus pour la faire sourciller. Vin blanc, vin rouge, vin blanc… J'ai un peu de mal à suivre le fil des conversations.

L'Italienne est en train de passer un savon à Coppola :

— Ah, monsieur Coppola, *ma*, ne me dites pas que les jeunes réalisateurs d'aujourd'hui sont aussi talentueux que l'étaient ceux de votre génération. Je ne veux pas entendre ça. *Ma no !* Vous dites ça pour vous donner le beau rôle. *Ma !* Coppola, Scorsese, De Palma… Ça, c'était le cinéma, on a plus ça aujourd'hui. *Ma no*, voyons, *ma no !*

Francis Coppola vante la beauté de Jane Fonda dans *Barbarella*.

— Les femmes arrivent au sommet de leur beauté à vingt-sept ans. Ensuite, c'est la chute.

La perle n'a pas l'air de faire réagir son épouse ; je ne moufte pas non plus.

— Les vieux films, c'est mon fort, je crie.

Notre hôte me regarde avec intérêt.

— Vous aimez les comédies musicales ? me demande-t-il.

— Je suis fan de comédies musicales ! je glapis.

— C'est un genre qui reviendra à la mode. D'ici quatre ou cinq ans, plusieurs films du genre vont faire un tabac à Hollywood, laisse-t-il tomber sur un ton prophétique. Avant d'ajouter :

— Vous connaissez *Brigadoon ?*

— Si je connais *Briga...*

Je brandis mon verre en m'écriant :

— « Brigadoon, Brigadoooon. »

Me voilà en train d'entonner la chanson titre, avec ma voix de fausset. Que j'aie un coup dans le nez, pas de doute, mais cela plaît à mon nouveau copain que l'on ne soit pas timoré. Il enchaîne avec moi d'une voix de ténor. Notre duo, lui en Gene Kelly et moi en Cyd Charisse, cueillant de la bruyère blanche sur les collines de Brigadoon, dure bien cinq minutes. Après quoi nous passons à *Chantons sous la pluie*.

Les autres nous regardent un peu atterrés. Sauf son épouse qui bat la mesure avec sa fourchette. Les blagues de l'Anglais cynique lui passent au-dessus de la tête. L'autre Anglais a le nez tout rouge et ne parle plus. Quant au Néo-Zélandais et à l'Italienne, ils se perdent dans les brumes de Brigadoon.

— On va chercher un cigare ! ordonne Francis Coppola en levant sa forte carcasse.

Son ventre est tellement tendu sous les bretelles que j'ai peur qu'elles craquent.

La cave à cigares de Coppola ferait pleurer de jalousie tout amateur du genre. J'entre dans ce coffre-fort où

Francis me choisit un gros montecristo. Nous retournons à table.

— Pas mal, me complimente-t-il en m'apprenant à manier le barreau de chaise.

Juste ce qu'il ne fallait pas faire : m'encourager. Je fais tomber le cigare pile sous le siège de mon hôte, brûlant son pantalon au passage. Je me précipite pour récupérer l'objet du délit en pensant que je suis en train de tâtonner entre les jambes du Parrain, et tapote son genou maculé de cendres.

— Ah, les Françaises ! soupire-t-il avec un large sourire.

Il m'empoigne par l'épaule et on repart sur la chanson *Brigadoon*. (Le café a été arrosé de cognac…)

Ensuite, tout se confond. Je revois Francis et Eleanor Coppola main dans la main prendre congé de nous et s'éloigner d'un pas enfantin, comme deux silhouettes à la fin d'un film de Charlot… La limousine nous déposant à un hôtel Hilton proche de l'aéroport de San Francisco, parce que nous avons raté le dernier vol pour Los Angeles…

Je me souviens aussi que Francis m'a donné rendez-vous à Paris pour les prochaines vacances de Noël. Nous avons tous les deux prévu d'être dans la capitale où il possède un appartement, boulevard Saint-Michel.

— Rendez-vous le 22 décembre, quinze heures, à La Rhumerie, a-t-il marqué dans son petit calepin.

Depuis ce dîner, de l'eau a passé sous les ponts, et je ne suis pas allée au rendez-vous. Si ça se trouve, Francis Ford Coppola m'y attendait…

8.

Où la correspondante en vient à se doper gentiment

Mel Gibson ne m'aime pas !

Je balance mon magnétophone sur la table de la cuisine.

J'entends l'eau couler dans la salle de bains du Cow-Boy. Nous avons chacun la nôtre. Un luxe, clé de la réussite d'une vie de couple selon Paul Newman, qui fait partie des mœurs de cette ville où la colocation est une véritable institution.

— Je sais que t'es là ! je crie.

Le gros rire du Cow-Boy traverse la porte. Il sort en enfilant un blazer moche orné d'un blason sur la poitrine.

— Qu'est-ce que tu dis, *Frenchie ?*

— Mel Gibson ne m'aime pas, je répète plus bas, réalisant un peu tard que c'est au Cow-Boy que je m'adresse.

Il fallait que ça sorte. Ce n'est pas qu'il ne soit pas sympa, sauf quand il fait trop son Mel, mais il ne m'aime pas, c'est tout, c'est comme ça. Ce sont toujours ceux pour qui j'en pince qui me snobent. Même Woody Allen, qui par hasard s'assoit toujours à côté de moi lorsqu'il se plie, l'air malheureux, à l'exercice pénible des *junkets*, n'a pas l'air de m'apprécier à ma juste valeur…

Entre mon timide accent américain et sa voix à peine moins chuchotée que celle de Charlotte Gainsbourg, le courant a du mal à passer. Peut-être que de me retrouver face à un tel mythe vivant me fait perdre tous mes moyens et me fait basculer dans l'un de ses films, reléguée pour les besoins du scénario au rôle de la journaliste caricaturale et pédante.

Et si Woody était le seul à me faire cet effet ! Lorsque j'ai vu Tim Burton arriver pour promouvoir *La Planète des singes*, j'ai été prise d'une irrésistible envie de serrer les mains du réalisateur *d'Ed Wood* et d'*Edward aux mains d'argent*. J'aurais voulu crier : « Merci pour vos films – enfin, pas pour le dernier – mais pour tous les autres, merci ! » Au lieu de ce cri du cœur, je n'ai rien trouvé de mieux que de lui demander comment il se remettait des dernières semaines de post-production, la sortie du film ayant été repoussée plusieurs fois… Que n'avais-je pas dit là ! Ses yeux ont lancé des éclairs derrière ses lunettes rock, sa chevelure folle m'a fait volte-face et il s'est exclamé, ses mains volant dans tous les sens, qu'il en avait assez qu'on lui parle de ses déboires avec la Twentieth Century Fox :

— Vous croyez que c'est le studio qui a remanié mon film, et que j'en ai profité pour me tourner les pouces ? C'est faux, archifaux !

Pardon, je voulais juste vous dire que je vous aime…

Ne parlons pas de Hugh Grant ! Monsieur fait le rigolo avec tout le monde et, lorsque vient mon tour, il joue au blasé qui admire ses lacets. (Ma mère a une théorie là-dessus. Elle affirme qu'il prend son air détaché parce que je lui plais, et qu'il ne sait pas comment réagir.) À l'issue du *junket* d'*Escrocs mais pas trop*, alors que Woody Allen et Hugh Grant venaient de s'asseoir près de moi à tour de rôle, j'ai réalisé qu'avec les idoles il vaut parfois mieux se contenter du privilège d'être là, avec eux. Et d'en prendre de la graine.

N'empêche : l'éternelle indifférence de Mel Gibson à mon égard ! Bon, que Julia Roberts accapare son attention en le câlinant sur le tournage de *Complots*, passe encore, je m'incline. Mais que Mel s'intéresse à tous mes collègues et qu'il ne daigne même pas poser le bleu de ses yeux sur moi, ou qu'il se balade main dans la main avec une stagiaire sur le tournage de *Payback* en lui « tirlipotant » la queue-de-cheval au lieu de répondre à mes questions, quelle vexation !

Je reviens tout juste du *junket* de *l'Arme fatale 4*, et même la médiocrité de ce quatrième volet ne peut m'abattre davantage que la froideur de Mel Gibson à mon encontre. (Toujours selon la théorie maternelle, je lui ai tapé dans l'œil et il préfère m'éviter plutôt que de tomber fou amoureux de moi…)

Le Cow-Boy fait de nouveau semblant de ne pas m'entendre. Lui m'aime beaucoup. Mais est-ce que je le prends assez en compte ?… Il a fini d'enfiler son uniforme pour aller travailler. À force de s'entendre dire « trop jeune », « trop vieux », « trop petit » ou « trop grand » à toutes les auditions où vingt blondinets comme lui attendent leur tour en répétant leurs dialogues, il a accepté un boulot de chauffeur de limousine. Pour sa première journée au volant de la Lincoln noire – plus proche d'un gros scarabée rutilant que de la limousine-mille-pattes habituelle –, le Cow-Boy ne sourit pas.

Il vient d'apprendre que la série télé *Les Sept Mercenaires*, dans laquelle il avait décroché un rôle de charlatan borgne, a été annulée sans préambule. Quant au personnage du « septième ami de *Friends* » pour lequel il avait auditionné avec succès – « Tu vas être une star ! » s'était écriée la directrice de casting –, il va devoir faire une croix dessus. La chaîne NBC a finalement abandonné le concept. Il a bien tourné une pub pour des jeans avec Ewan McGregor, mais il n'a touché « que » mille dollars pour sa journée de travail alors qu'Ewan empochait un million rien que pour la matinée. Et pour achever le Cow-Boy, son agent, une caricature roulant en décapotable et appartenant à la toute-puissante agence CAA (et non CIA comme j'avais compris lorsqu'il m'avait été présenté), lui a dit : « Reviens quand tu auras un CV plus conséquent. » Et ils étaient censés être amis…

— En voiture ! se force à plaisanter le Cow-Boy.

Ce matin, il a conduit Michael J. Fox et emmené une Famke Janssen odieuse – *dixit* le Cow-Boy qui a tout de même eu l'air secoué par sa beauté – à un rendez-vous d'affaires dans la Vallée. Maintenant, il a quartier libre de trois heures pour m'accompagner chez le psy.

Ce n'est pas moi qui ai eu l'idée de fréquenter le divan. Le Cow-Boy, un jour où il en avait assez d'entendre mon cerveau battre comme un tambour de machine à laver, s'est mis à feuilleter le Bottin. Dès le lendemain, j'avais rendez-vous chez une laveuse d'âme professionnelle de Sherman Oaks.

Je me verse une rasade de tequila, en envoyant bouler d'une pichenette l'ange bienveillant apparu sur mon épaule.

— Je t'attends, dis-je en déglutissant l'eau de feu.

Le Cow-Boy craque une allumette, allume sa blonde, jette à mon verre un regard réprobateur.

— Dès midi ?

Il rejette la fumée sans ajouter un mot. Enfant, il a vu son père entrer aux Alcooliques anonymes ; je commence à lui rappeler de mauvais souvenirs.

— « Seulement quand j'ai un rhume[1] », je fais.

Je meurs d'envie d'un remontant depuis que je me suis levée de mauvais poil à l'idée de retrouver mes compagnons de bagne au Four Seasons, et surtout depuis que je me suis aspergé le visage de déodorant en croyant que c'était le brumisateur. Ensuite, j'ai oublié mes clés sur le contact et, bien sûr, je ne m'en suis aperçue qu'une fois le véhicule fermé, pour la troisième fois ce mois-ci. Il a encore fallu que j'appelle AAA, non pas les Alcooliques anonymes analphabètes, mais Triple A, la compagnie d'assurance qui accourt en moins de temps qu'il ne faut, où que vous vous trouviez dans le pays. AAA, la cavalerie de l'Amérique contemporaine.

— Encore tête en l'air ? a demandé mon sauveur.

Toujours le même, un hindou à l'air désapprobateur qui me recommande à chaque fois de « rester cool et concentrée » et de « vivre l'instant présent ».

Les déboussolés emportés en limousine chez leur psychiatre doivent se compter par centaines chaque

1. Barbara Stanwyck, dans *Le démon s'éveille la nuit.*

jour à Los Angeles. La banalité d'une situation qui, n'importe où ailleurs, aurait au moins le mérite de sortir de l'ordinaire me déprime encore davantage.

Un éclair veine l'immensité du ciel, immédiatement suivi par une pluie diluvienne.

— Démesurée, comme tout le reste en Californie, constate le Cow-Boy en aspirant à la paille un Jamba Juice géant acheté sur la route.

Je relève le menton à la Norma Desmond[1].

— Vous avez des références, Max[2], j'apprécie.

La limo ruisselante glisse sur Sunset Boulevard. Pour éviter les embouteillages, le Cow-Boy emprunte une route transversale toute cabossée et déjà inondée. Nous sommes pourtant dans un quartier chic, mais les poteaux électriques en bois dignes d'une BD de Lucky Luke et les vieilles américaines parquées sous des auvents délabrés me rappellent que je ne suis pas chez moi, mais dans un monde si nouveau qu'il rechigne à se défaire de l'ancien. À la radio, Roy Orbison ne se lasse pas de chanter *Pretty Woman*. L'odeur de naphtaline qui imprègne toute la ville, accentuée çà et là de relents de cannelle, s'infiltre dans mes narines, âcre et rassurante.

La Californie comme un musée d'elle-même, jonchée d'antiques reliques. Le luxe dans un emballage *vintage* et *funky*. Partout, le culte du *fun*, et moi, sur le cuir de la banquette arrière, qui m'apprête à donner cent dollars à une psychiatre qui ressemble à Domi-

1. Nom du personnage de Gloria Swanson dans *Sunset Boulevard*.

2. Nom de son chauffeur joué par Eric von Stroheim.

nique Lavanant pour qu'elle me resserre les boulons. Déglingue généralisée, tandis que la course vers le progrès s'accélère, et que la fin de ce qui m'est familier se profile déjà à l'horizon.

Le Cow-Boy rattrape Sunset Boulevard au niveau du stuc rose du Beverly Hills Hotel, longe la communauté protégée de Bel Air et bifurque, direction Sherman Oaks.

— T'as jamais été aussi belle. T'es mieux que Famke Janssen, il me baratine en me déposant devant la jolie maison style ranch de la psy.

Mon chauffeur compte bien rester là à m'attendre, afin de s'assurer que je ne vais pas sortir par la porte de derrière pour revenir au bout d'une heure en en rajoutant sur les bienfaits de la thérapie.

Je lui coule un regard désespéré.

— Marilyn non plus n'avait jamais été aussi belle, les semaines précédant sa mort.

— Oh, pardon, et moi qui t'accuse d'être mélodramatique ! Je suis vraiment trop injuste, éclate de rire le Cow-Boy.

J'appuie sur la sonnette sans cesser de bouder. Le cabinet surplombe des montagnes sauvages, immenses, noyées sous cette pluie de mousson, sans doute grouillantes de coyotes et de bestioles rampantes. On baigne vraiment en plein Far West.

— À votre avis, pourquoi n'arrivez-vous plus à avancer ? s'enquiert le clone de Dominique Lavanant.

Elle pousse vers moi l'incontournable boîte de Kleenex, après que je lui ai résumé mon parcours. J'éternue – un rhume chronique dû à l'abus d'air conditionné omniprésent – et me mouche.

Elle a l'air de trouver que c'est un bon début.

— Diriez-vous que vous avez peur du succès ?

Je jurerais que la boîte de mouchoirs en papier se déplace toute seule vers moi.

Peur du succès ? Quelle idée !

1. À mon patron sceptique, je viens d'annoncer que je compte bientôt quitter mon poste. Je ne vais quand même pas garder un boulot en or comme celui-là, avec emploi du temps libre et frais remboursés ! Je suis prête à vivre dans un studio à l'est de Los Angeles, travailler à la poste le jour et écrire la nuit. Voilà le futur que je me choisis, et personne ne pourra m'en dissuader.
2. Dans un élan miraculeux, j'ai pondu l'an dernier un scénario. Cette comédie, sans raison d'être depuis l'apparition de *Sex and the City*, s'est retrouvée en finale de plusieurs prestigieux concours de scénarios hollywoodiens, m'encourageant à retravailler le script et à l'envoyer à diverses agences. Je me suis empressée d'emmailloter le bébé dans un tiroir et n'y ai plus jamais touché.
3. À mon arrivée à Los Angeles, j'ai appelé à contre-cœur tous les contacts que l'on m'avait communiqués. Ma sœur et moi avons rencontré un tas de Français chaleureux et patients avec les nouveaux arrivants. Ensuite, surtout ne plus répondre à aucune de leurs invitations. « À bas les colons ! »
4. Quand j'ai l'occasion d'aller faire du roller sur la plage de Venice avec l'équipe *d'Alien 4*, je m'empresse de débrancher le téléphone.
5. Lorsqu'on me présente, dans des raouts officiels, aux grands patrons des studios que toute la ville essaie

d'approcher, je tourne prestement les talons pour discuter petits-fours avec les serveurs.

Peur du succès, mô-a ?

Elle agite la branche de ses lunettes vers la pointe de mon menton.

— Que feriez-vous si vous appreniez que vous n'avez plus que quelques jours à vivre ? Vous feriez en sorte que ça compte, n'est-ce pas ? Alors, pourquoi ne pas faire en sorte que ça compte dès maintenant ? Pourquoi ne pas cesser d'anticiper le futur et d'en finir avec le passé ? Enfin, pourquoi ne pas accepter de vivre l'instant présent ?

Ah, ça ne va pas recommencer ! Vexée d'avoir terminé la séance en sanglotant, tel un spectateur floué par un drame pompier qui lui a malhonnêtement tiré des larmes, je retourne penaude à mon Cow-Boy.

Finalement, tout n'est pas si noir.

— Bruce Willis est un enfoiré ! je lance le lendemain soir en poussant la porte de l'appartement.

Je viens de me taper le *junket* d'*Armageddon* et je confirme : la fin du monde est pour bientôt.

— Et toi, John Cusack ? Il était cool à conduire ? T'es rentré ?

Silence. Je me débarrasse de mon sac à dos *Armageddon*. Le vague grognement qui parvient à mon oreille viendrait-il d'un autre objet de promotion fourré dans l'une de mes poches ?

— Rrrr, grrrrr, ouarf, ouarf !

Deux pattes s'abattent sur moi, manquant me renverser. Une gueule pleine de dents brillantes se referme à deux centimètres de mon nez. Ma dernière heure est arrivée. Si je m'en sors, c'est juré, je ferai en sorte que ça compte, je vivrai à fond le moment présent, je n'oublierai plus mes clés dans ma voiture ! Acculée contre le mur, dans une cacophonie de cris et d'aboiements. Le Cow-Boy surgit soudain derrière la créature au museau retroussé qui me débarbouille de vigoureux coups de langue.

— Eddie, Eddie ! Oh, pardon, petit pois, pardon, on ne voulait pas te filer une crise cardiaque… On voulait juste te faire la surprise. Viens là, que je vous présente.

Le Cow-Boy est rentré de sa journée de travail. Pas seul. Il est rentré avec Eddie, un pit-bull.

Les pauvres et les opprimés, les losers et les éclopés, tous les spécimens de la société qui doivent lutter plus dur que les autres, voilà l'entourage du Cow-Boy. Alors, pourquoi en effet ne pas y ajouter un pauvre chien recueilli par la mère du Cow-Boy dans sa forêt de Lake Arrowhead[1], et apparemment traumatisé par d'anciens propriétaires à la sensibilité contestable ?

Je grogne autant qu'Eddie :

— Un chien, et puis quoi encore ? Tu ne te rends pas compte du boulot que ça représente. Qui va le sortir deux fois par jour, qui va le nourrir, hein ? Qui ?

— Nous sommes son seul espoir, me convainc le Cow-Boy.

Eddie a duré un mois. La psy, pas beaucoup plus. Et dans la foulée, sans crier gare, mon histoire avec le Cow-Boy est retournée à la case départ. Eddie m'a

1. Petite ville montagnarde à environ deux heures en voiture de Los Angeles.

montré deux fois les dents. La psy m'a tendu un Kleenex de trop. Quant au Cow-Boy…

Comme j'aimais, pourtant, crâner en voiture avec Eddie assis à la place du mort, qui me gratifiait d'un coup de langue à chaque feu rouge. Dans la rue, avec mon fauve en laisse, tout le monde se courbait devant moi : « Qu'il est mignon, qu'il a l'air intelligent, le bon chien-chien, le bon chien-chien. » Comme je me sentais vivante ! D'autant que les séances à Sherman Oaks commençaient à porter leurs fruits : je ne buvais plus, je tenais un journal, j'économisais, j'étais douce avec le Cow-Boy, tolérante avec mon prochain. Et voilà : un coup de dents de trop, et on redevient un loup solitaire…

Emmener Eddie à la SPA après avoir passé en vain maintes petites annonces (« Chien-chien mignon et intelligent cherche nouveau propriétaire avide de sensations fortes, sans enfants et ne tenant pas plus que cela à ses extrémités »), ça nous a crevé le cœur. Après, le Cow-Boy a appelé le chenil chaque jour pour s'assurer qu'Eddie serait adopté par des gentils et non par des gros bras organisateurs de combats canins, et puis nous n'avons plus eu de nouvelles. Et puis nous avons eu besoin de nouveauté.

— Passez-moi le directeur ! Quoi ? Il dort à cette heure-ci ? Appelez-le chez lui et dites-lui que c'est une affaire extrêmement importante. Une urgence ! Vous préférez traiter avec mes avocats ? !

Vingt-trois heures. Le Cow-Boy brandit le combiné d'une main et, de l'autre, un gros pot d'Häagen-Dazs acheté au 7/11 du coin de la rue et sur lequel il vient de découvrir une large entaille. Défaut de fabrication qui selon lui ne peut avoir qu'une origine : un grand coup de couteau volontaire, un complot en règle pour l'empoisonner.

Atteint depuis l'adolescence de trouble obsessionnel compulsif comme Jack Nicholson dans *Pour le pire et pour le meilleur*, le Cow-Boy a arrêté depuis quinze jours ses médicaments. Son docteur, sosie de Gong Li qui exerce dans un dispensaire de la Vallée, juste en face des studios Disney, lui a donné le feu vert pour en finir avec un truc appelé Paxil, antidépresseur lobotomisant qu'elle lui faisait prendre jusqu'alors. Elle l'a certes informé d'un léger risque de paranoïa dans les premiers temps, mais l'a jugé prêt à vivre sans béquille. Il est vrai que le Cow-Boy ne tique plus à la vue de cintres mal alignés dans sa penderie et n'a jamais vérifié en ma présence douze fois si la porte d'entrée était bien fermée. En revanche, depuis quinze jours, le sommeil du Cow-Boy est agité. La nuit, il repose comme un vampire, les bras en croix serrés contre ses pectoraux, les traits tordus, grinçant des dents à s'en dégommer l'émail.

Voilà bien les Angelenos. Dans la journée, ça va du feu de Dieu et les autres ont intérêt à suivre. Et la nuit, tout juste s'il ne faut pas leur mettre le mors aux dents pour les empêcher de hurler.

Je me suis faite à l'idée de dormir au côté de Bela Lugosi, mais en l'entendant dire à l'employé de chez Häagen-Dazs ce qu'il pense de son « petit manège », un doute me taraude : le Cow-Boy est-il vraiment guéri ?

Le lendemain, son vieil Isuzu démarre en trombe sur l'Interstate 15, direction Las Vegas. Un séjour dans le désert s'impose. Les quatre heures et demie de route sans rien voir d'autre que du sable et des cailloux nous feront le plus grand bien.

C'est le week-end, plein mois d'août. Tous les hôtels affichent complet. Nous trouvons finalement refuge à l'écart des lumières de la ville, dans un motel à la moquette pleine de puces.

— Des puces, quelles puces ? bâille le Cow-Boy.

Je me réjouis de le voir revenu à la normale.

Au milieu de la nuit, il me réveille pour me faire part de son inquiétude :

— Tu ne trouves pas ça bizarre que nous soyons les seuls clients alors que la capitale du jeu déborde de touristes ?

Il revient du bureau de réception désert. Le veilleur de nuit Hells Angels est parti. Nous sommes seuls dans ce trou lynchien. Une seule explication possible : les tenanciers du bouge ont été assassinés, nous sommes les principaux suspects.

— Tu veux vraiment te retrouver en taule à Barstow avec tous les malades mentaux du désert ? !

Le Cow-Boy tremble de colère devant mon : « Meu non » endormi.

Barstow : bled du désert Mojave à mi-chemin entre Los Angeles et Las Vegas, gouleyant uniquement si vous êtes un iguane ou un cactus.

Désert : quand il était gouverneur de Californie, Ronald Reagan avait coupé les fonds des asiles psychiatriques. Soigner les fous revenait trop cher, avait-il expliqué. La petite histoire veut que tous les barjots se soient réfugiés dans le désert de Californie et du Nevada et y vivent au-dessus des lois, ou plutôt très en dessous.

L'idée de me retrouver derrière les barreaux avec les dingues du désert me fait réfléchir. À trois heures du matin, sous une lune enceinte, nous prenons la poudre d'escampette pour atterrir dans l'Égypte revisitée de l'hôtel casino Luxor. Un triste éventail de désaxés somnole en actionnant les bras des machines à sous. Dans la seule cafétéria ouverte, une famille d'obèses s'empiffre d'omelettes mexicaines géantes, dont le fromage fondu fait des fils orange vif. La mère commande, la bouche pleine, une portion supplémentaire de frites et une autre tournée de Pepsi. La peur de manquer.

Six heures plus tard, le Cow-Boy, l'œil injecté de sang, une cigarette dans chaque main et le rythme cardiaque double espresso, m'intime l'ordre de lui remettre nos derniers dollars.

— Tu m'as fait jurer de t'empêcher de dépasser notre limite. Faut arrêter là, je le raisonne, imbibée de cocktails gratuits servis aux joueurs nuit et jour par des *bunnies* fatiguées.

Le Cow-Boy ouvre grand la bouche puis la referme, incapable d'assimiler mon refus. À sa table, trois éleveurs de bétail échappés d'une convention texane, le front bas à moitié dissimulé par leur immense chapeau orné d'une paire de cornes, me jettent un regard bovin.

Je griffe le feutre de la table de black-jack.

— Tu as encore des jetons là, on va les encaisser, ça paiera l'essence pour le retour.

— Touche pas à ça !

Mon cow-boy à moi se jette sur ma main, hors de contrôle, les paupières battant plus vite que celles de Francis Blanche dans la scène de la cuisine des *Tontons flingueurs*.

D'autres vont à Vegas pour se marier...

Le lendemain, sur la route du retour, je me mets à jacasser. Ça me prend parfois, les jours de pleine lune.

— On peut pas discuter cinq minutes d'autre chose que de tes *junkets ?* soupire le Cow-Boy.

Bon sang, ça fait une demi-heure que je parle boulot sans même m'en rendre compte : et blablabla et blablabla, et quels acteurs m'ont déçue dans la réalité – aucun, d'ailleurs, à part les arrogants Bruce Willis et Val Kilmer –, et quelles actrices sont encore plus belles dans la vie – toutes, les maquilleurs d'Hollywood font du sale boulot –, et pourquoi tous ces comiques hilarants à la ville comme Billy Crystal, Robin Williams ou Chris Rock enchaînent les comédies lourdingues, et que ça me barbe d'aller faire le *junket* de *Mille et une pattes* à San Francisco parce que je ne comprends jamais rien au jargon de ces grands enfants de l'animation en chemises hawaïennes, et blablabla, et blablabla.

À mes côtés, le Cow-Boy, sans agent, a du mal à décrocher une audition et, sans audition, ne parvient plus à trouver un agent. Et comme si cela ne suffisait pas, il doit à nouveau, en rentrant, conduire John Cusack qui lui a déjà porté sur les nerfs en donnant à l'arrière de la limo « une interview d'enfant gâté d'Hollywood » à une allumeuse cireuse de pompes de *GQ magazine*. Et moi qui ai eu la mauvaise idée de dire que j'aimais bien John Cusack...

L'idée se referme sur nous en même temps que la grille du parking de Palm Avenue : « Et si on prenait chacun un appartement, histoire de se concentrer sur nos carrières ? »

Quinze jours plus tard, le Cow-Boy déniche pour une bouchée de pain un bungalow à Los Feliz, repaire alternatif de tatoués branchés, dans l'odeur forte dégagée par les putois à la nuit tombée. Vexée qu'il ait accepté de vivre sans moi – *ce n'était qu'une suggestion !* –, je repère les panneaux « À louer » plantés un peu partout sur les pelouses, et me décide pour un studio en rez-de-chaussée loué par un vieux couple radin. Niché dans un coin mignon à croquer de West Hollywood : une oasis de fleurs, de jardinets touffus et de maisonnettes toutes différentes les unes des autres. Stuc, colombages, cottages en bois, toits d'ardoise ou de chaume… Il faut juste se méfier, lorsque l'on marche sur les trottoirs, des pamplemousses comme des soleils trop mûrs, qui s'y écrasent dans des *splash* de jaune.

Le déménagement est pris en charge en deux temps trois mouvements par un repris de justice qui siffle tout du long *It's Getting Better* des Beatles. J'y vois un bon signe. Je fais don de mon bureau-baleine à l'Armée du Salut, et des verres à mes ex-voisins. Les engueulades à propos des cartons – « Tu ne peux pas t'organiser ! ? » « M'organiser ? Attends, je regarde dans le dictionnaire » – confirment le bien-fondé de la séparation temporaire.

Au bout de huit jours, nous nous trouvons si bien chacun chez soi que cette séparation géographique se mue en séparation tout court. Nous sommes encore jeunes, pleins de rêves et d'avenir dans une métropole conçue pour le travail et tournée vers le nouveau millénaire. Il faut songer en priorité à percer.

Je parle de reprendre l'écriture de scénarios. Le Cow-Boy, lui, se forge un mental de champion. Depuis qu'il a arrêté les antidépresseurs, il court, court à perdre haleine comme dans *Marathon Man*, gravit les collines de Griffith Park plus vite qu'un coyote, dévale les chemins de traverse de Runyan Canyon à la vitesse d'un *road runner*. Le « docteur Gong Li » l'a averti que la course à pied seyait mal à sa morphologie, tassant un peu plus sa colonne vertébrale à chaque foulée. Depuis, il se donne corps et âme au jogging et se prépare pour les marathons locaux, bravant tous les toubibs que sa nature hypocondriaque a placés sur son chemin. Mais il est dans le camp des toubibs : me voyant de plus en plus proche de l'état de larve malgré mes bonnes résolutions, et constatant mon inclination à faire de ma vie un remake du film *Alexandre le bienheureux*, il me pousse à récupérer sa prescription de Paxil.

— C'est comme le Prozac, rien à craindre, cela ne peut que vous aider à retrouver un second souffle, approuve sa belle doctoresse.

Comme si cela ne suffisait pas, le Cow-Boy me déniche un nouveau psychanalyste, un grand maigre avec une casquette à l'effigie des Lakers et une cigarette derrière l'oreille. Méthode de ce sac d'os exerçant dans un cabinet *new age* sur l'avenue de Melrose : chatouiller la petite enfance pendant une demi-heure, puis se livrer à de vigoureux massages censés extirper du client des cris libérateurs. John Lennon suivit une thérapie similaire pour exorciser le traumatisme de l'absence de ses parents.

Résultat, le Plastic Ono Band. Dans mon cas, aucun résultat, si ce n'est une extinction de voix et la certitude que les massages s'étaient aventurés un rien trop bas au niveau de mes reins.

Après deux séances, j'ai planté là le psy à la casquette sportive.

Je me rappelle, enfant, avoir giflé un dentiste. J'aime pas qu'on appuie là où ça fait mal.

Du coup le Cow-Boy court, et moi je me dope. Nous sommes prêts à prendre la ville d'assaut, sans états d'âme. Être devenus des personnes aussi déterminées, réfléchies, des adultes tellement adultes, nous émeut beaucoup. Nous formulons en termes pompeux notre respect mutuel, cause même de notre séparation. Et, sur le moment, tout cela nous apparaît d'une logique implacable.

9.

« Je n'appartiendrai jamais à un club qui m'accepterait pour membre »

Woody Allen, citant Groucho Marx
dans *Annie Hall*

C'est alors que l'Ermite a sa grande idée : me faire entrer dans le groupe de presse ultraselect auquel il appartient. Tellement select que j'ai l'habitude d'en parler en disant « le Club ». Car c'est ainsi que je l'ai d'emblée perçu. Un cercle très exclusif, à la fois un peu démodé et totalement dans le coup. J'ai toujours aimé, d'ailleurs, ce côté gentleman anglais de l'Ermite. Son appartenance à un club privé cadre bien avec ses bonnes manières à l'ancienne.

— Mais devenir membre de quoi que ce soit... Merci, mais non merci, ce n'est pas pour moi, je tente de lui expliquer.

Ce cercle est une institution prestigieuse et caritative d'Hollywood fondée il y a plusieurs décennies par des correspondants étrangers basés à Los Angeles. Leur activité phare est d'organiser tous les ans la grande cérémonie de gala des Golden Globes, lors de laquelle on récompense « le meilleur du cinéma américain ». Or, je n'ai jamais été particulièrement fan de cette compétition. Et s'il y a bien un type de journalistes qui m'angoisse, ce sont les journalistes en poste à Hollywood.

Mais l'Ermite insiste : le reste de l'année, ces valeureux correspondants continuent simplement de faire leur métier, notamment en participant à des conférences de presse organisées spécialement pour eux par le système hollywoodien. L'Ermite est persuadé que j'ai tout à y gagner : un accès facilité à la crème de la crème d'Hollywood, des films montrés en amont des projections officielles. Et la possibilité, si cela m'amuse, de me faire photographier avec les stars !

Les collègues à qui je confie mon éventuelle entrée au Club éclatent de rire : « Ma pauvre, c'est LE bastion imprenable d'Hollywood. Ils y sont moins d'une centaine. Les Français qui en font partie ne te laisseront jamais rentrer. Tu sais à quoi t'attendre au moins ? »

Non, je ne sais pas à quoi m'attendre. Je n'ai jamais su à quoi m'attendre. J'ai toujours cru que les choses iraient de mieux en mieux, mais récemment j'ai réalisé que non, ça irait de mal en pis, et la légitimation de mon pessimisme a déferlé en moi comme une grande vague de soulagement…

— Regarde, voilà les journalistes avec qui tu vas te retrouver ! se gaussent-ils avant une projection de presse. Ils désignent un couple d'octogénaires qui prend place devant nous.

L'Ermite, assis à mes côtés, s'empresse de prendre la défense du Club :

— On y trouve une moitié de gens âgés, c'est vrai, dont les membres fondateurs. Mais l'autre moitié est composée de journalistes actifs, qui sont justement avides de recruter du sang neuf.

Un début de migraine roule sous mes tempes. Quel film sommes-nous censés voir ? *La Momie ? Le Retour de la momie ?* Je me concentre sur le décor rococo de la grande salle pagode du Mann's Chinese Theater où se déroule la projection. Un peu plus loin, sur le trottoir d'en face, El Capitan brille toujours de toutes ses lumières. Ces vieux cinémas flamboyants sont les trésors d'Hollywood Boulevard.

Comme dans tout cercle qui se respecte, ma candidature nécessite un parrainage. L'Ermite s'y colle, avec un autre collègue.

Mes parrains me présentent aux « membres », un par un, avant une projection du Club. Courbettes, ronds de jambe ; j'arbore mon sourire aimable de petite fille modèle. Tout en civisme et en politesse, l'air concerné, la favorite des vieilles dames et des institutrices.

— Vous avez mon vote, me souffle une ancienne actrice coquette, autrefois sous contrat avec la MGM.

Mais oui, je l'ai vue dans de nombreux films. Elle a une belle carrière de petits rôles derrière elle, et porte avec une vaillance inouïe ses quatre-vingt-dix ans ! Je pense à ma grand-mère et j'ai envie de pleurer. À ses côtés, une dame asiatique sans âge, perdue dans une veste ornée d'un large dragon, se révèle aussi être une comédienne recyclée. Je me souviens d'elle dans *Le Dernier Empereur*.

— Je vais étudier son dossier, dit-elle en plissant aimablement ses yeux de bouddha pour mettre un terme à l'entretien.

Je suis à Las Vegas avec le Cow-Boy devant une machine à sous en liesse, quand j'apprends la nouvelle de mon admission au sein du Club. Le vacarme du jackpot de pièces d'un dollar couvre le son de mon téléphone portable. Oui, oui, je suis *encore* avec le Cow-Boy… Un léger dérapage. Mais quoi, il fallait bien consommer la rupture.

— Tu sais que je veux passer ma vie avec toi. Mais si cela ne doit pas se faire, cela ne doit pas se faire, il m'a affirmé de sa voix de ténor. Je te préfère heureuse sans moi que malheureuse avec moi.

Ces acteurs ! Pour célébrer nos deux victoires simultanées (le Cow-Boy à la machine à sous, moi dans mon ascension hollywoodienne), nous claquons quelques billets à la roulette. Mauvais tirage : cette fois, tournons la page.

L'Ermite a omis de me préciser un détail. Pour mériter son adhésion, outre la participation obligatoire à un certain nombre de conférences de presse, il faut assister aux réunions administratives du Club. Le mot « administratif » me refroidit un tantinet…

Les réunions se déroulent au dernier étage d'un grand hôtel. Pour mon initiation, j'y retrouve quelques visages familiers dont j'ignorais l'appartenance au Club. Parmi eux, les deux compagnons de voyage avec lesquels je m'étais rendue chez Francis Coppola : ma copine italienne, et cet Américain toujours si sûr de lui (tout s'explique !). Une autre fille sympa aussi, et plus jeune que moi. Moi qui avais peur d'être le bébé de la troupe… Car les détenteurs de la carte vermeille sont en force, et en grande forme. Dans une ville pleine de mépris pour la vieillesse, cette rencontre avec le troisième âge triomphant tient du surnaturel.

Avec le temps, l'Ermite se révélera un valeureux compagnon de réunions. N'ayant jamais peur de lancer une réplique cinglante ou de couper court aux débats interminables, et pouvant aussi tourner le dos lorsqu'on vient l'entreprendre de trop près sur un sujet scabreux, ce qui ne manque jamais de me divertir. Pas de chance, ma première entrée dans l'arène se fait seule, sans mon mentor qui a déjà engrangé son quota de réunions annuelles, et je me sens comme qui dirait vulnérable. Tout le monde parle en même temps, tout le monde s'emporte, s'enflamme…

— Ça suffit ! Ça suffit ! Laissez-les parler ! Ils ont raison ! ordonne dans le vide un pittoresque personnage d'Europe de l'Est.

— Dracula, me glisse un collègue compatissant en se penchant vers moi.

Un bras s'agite au-dessus de ma tête.

— Il faut y mettre un veto. Que ceux qui sont pour le veto lèvent la main !

— Que penses-tu de la débâcle de Napoléon en Russie ? en profite pour demander à ma gauche un Slave à l'air investi.

— Euh…, lui dis-je la voix étrangement haut perchée.

— Chut, voyons ! on nous réprimande.

Sur l'estrade, le président du Club maltraite son pupitre avec un petit marteau de juge.

— Silence tout le monde, silence !

Le raffut reprend de plus belle. Bon sang, c'est l'ONU sous crack ! Le vote (mais un vote pour quoi ?) a enfin lieu. Les résultats sont célébrés au champagne, ce qui me rassure un peu. On applaudit soudain les « nouveaux membres » dont je fais partie. Ça me fait quelque chose.

Tout le monde se dirige alors vers le restaurant de l'hôtel, où le gratin d'Hollywood dînait à l'époque de l'âge d'or des studios, avant d'aller swinguer au Coconut Grove. C'est un buffet, et les buffets, ça me connaît. Au premier voyage, je me compose une assiette avec poisson, volaille et gibier. Au deuxième, je rafle homard, crevettes et saumon fumé. Pour le dessert, tarte au citron et crème caramel. Ça y est, je suis digne de leur club.

Prends des forces, ma grande, prends des forces...

Grâce à mon nouveau *membership*, je découvre une autre façade du marketing hollywoodien : les conférences de presse pour correspondants VIP. Ma foi, j'avoue ne pas être mécontente de m'écarter du marathon infernal des tables rondes des *junkets*. Pour mon baptême du feu, au milieu d'une cinquantaine d'autres membres du Club, je suis face à John Travolta. Le modérateur a eu la mauvaise idée d'inscrire mon nom en haut de la liste. C'est donc totalement prise au dépourvu – cœur qui bat la chamade et voix blanche – que je passe en premier.

— Euh, beuh... Bravo pour votre prestation. Et, euh... Pensez-vous que le cinéma peut rendre la société meilleure ?

— Mais certainement, certainement, les films ont un rôle positif sur notre monde, me flatte John Travolta, assurant le service après-vente d'une grosse daube militaire bourrée de violence.

Au bout de trois quarts d'heure, plusieurs « membresses » au premier rang entreprennent de se remettre du rouge à lèvres, appliquées devant leur miroir compact. La conférence de presse touche à sa fin. Tous se précipitent en chahutant dans les jardins du Four Seasons.

Désormais, je ne me repais plus avec les moutons des *junkets*, mais avec un troupeau de biques qui n'en font qu'à leurs têtes : les photographes du Club mitraillent les interviewés, même si ceux-ci leur demandent poliment d'arrêter les flashes ; des membres s'engueulent en pleine conférence sous les yeux ébahis des stars. Comportement et ambiance parfois surréalistes qui surprennent les nouveaux acteurs mais qui divertissent ouvertement les anciens, les « vieux amis » qui rendent visite au Club comme on rend visite, de temps en temps, à un parent excentrique. Dehors, s'est formée une longue file d'attente remuante. Je comprends. C'est la queue pour la photo avec la star. Tout excitée, je tente ma chance. L'Ermite m'adresse un petit signe encourageant de loin. Lui ne s'abaisse jamais à cet acte de fan. Les acteurs, en revanche, se plient tous au rituel : pour les membres du Club, on joue le jeu jusqu'au bout ! Je parviens au niveau de John Travolta, me remémorant le bon vieux temps de *Grease*, alors que l'adolescence baignait de sens mon existence, et que nous en pincions toutes pour lui. Il fait danser la fossette sexy de son menton, je fais friser celles de mes joues. Il me prend par la taille, je lui glisse une banalité. Pendant une seconde, nous sommes unis comme les doigts de la main. Il faut voir ensuite la tête des badauds alors que nous attendons tous deux notre voiture à la sortie du Four Seasons, et qu'il vient me serrer la main de lui-même en m'assurant de tout le plaisir qu'il a eu à me rencontrer !

Mais laissez-moi vous présenter mes chats.

Ce sont ceux du Cow-Boy, que sa mère lui a dégottés à Lake Arrowhead malgré mes protestations :

— Ça va finir comme avec Eddie : c'est moi qui vais écoper de tes chats, pas question !

Le premier, rouquin sauvage recueilli tout pelé au sommet d'un pin, était censé combler la solitude du Cow-Boy. En fait, c'est lui qui a eu besoin de compagnie. Entrée en scène d'un chaton femelle, pas plus gros qu'un oursin, arraché à une SPA locale. Mais la croissance de la petite aidant, les deux amours se sont transformés en une boule de furie à huit pattes, toupie envoyant tout valser dans le bungalow du Cow-Boy.

— Ils me rendent fou, m'a-t-il avoué en les amenant chez moi.

— Ah, voilà bien les Américains ! Agir d'abord, la grande fierté de prendre des décisions tranchées, on réfléchira plus tard aux conséquences. La casquette érigée de l'avant, toujours tout droit, et qu'importe ce qui se trouve sur les côtés. On trouvera toujours une solution. Seulement, je le savais : la solution, c'est moi !

J'ai passé un savon au Cow-Boy. Il s'est confondu en remerciements et m'a laissée avec mes deux nouveaux protégés. Une fois seule, j'ai pu me laisser aller à ma joie :

— Mes petits, mes enfants, mes chats chéris, mes poutipoutipouti, mes gros-gros gras-gras, monsieur chat-chat, madame ma grosse sœur poilue, mais venez donc avec votre maman… Maman est là !

La nuit, le gros roux dort sur mes pieds en ronflant comme un homme. La petiote se cale sur mon épaule, ses fines moustaches ondulant tandis que je savoure un cycle George Cukor sur TCM.

Comme ces deux créatures rendent mes nuits douces, avant de retourner affronter dès le matin l'enfer doré d'Hollywood !

Le jour, je participe à toutes les conférences de presse du Club. Tel mon chat-tigre, je me fais les griffes sur Patricia Arquette, Nicolas Cage, Jim Carrey, Russell Crowe, Sally Field, Peter Fonda, Al Pacino, Michelle Pfeiffer, Julia Roberts, Ben Stiller, Christopher Walken, Denzel Washington… Je ne vais pas vous réciter le Bottin d'Hollywood de A à Z : ils y sont simplement tous ! À défendre des films, mais aussi des feuilletons et téléfilms, puisque le Club récompense également chaque année « le meilleur de la production télé ». J'y vais de ma petite question pour chacun, prenant chaque jour un peu plus d'assurance. Ensuite je fais la queue avec les autres membres pour aller me faire prendre en photo. Je ronronne sur l'épaule de Kevin Costner, d'où il faut qu'on m'arrache… Sur celle des « Monsieurs » : Sean Connery ou Paul Newman. Les autres, les Tom, Nicole, Ewan… je les appelle par leur prénom, naturellement. Lorsque, quelques jours plus tard, je reçois mes photos avec les stars, je gribouille au dos des remarques comme : « Un ami », « Beau couple, non ? », « Que pensez-vous de celui-ci comme gendre ? » J'envoie ensuite les photos à mes parents. Ils en redemandent : je dois fournir.

À chaque pose en compagnie d'une pointure, je bafouille un : « Merci pour cette photo, quel privilège. » Les stars observent avec résignation la file restant encore à photographier. Au départ, je m'effaçais par respect devant les membres les plus âgés de la confrérie, mais si vous êtes trop tendre, vous vous faites piétiner sans plus de ménagement.

Eh oh, j'étais là avant. À la queue, comme tout le monde !

Parfois, quand le photographe recharge son appareil entre deux clichés, je fais brièvement connaissance avec les *talents*.

— D'où venez-vous en France ? m'a demandé Steven Spielberg, toujours charmant.

— De Provence.

— Pourquoi avoir quitté la Provence pour Los Angeles ? m'a-t-il dévisagée comme si je faisais partie du troisième type.

Avec le temps et l'habitude, je perds mes mauvais réflexes, deviens moins timide. Lors de mes premières interviews, les acteurs me faisaient sans cesse répéter mes questions, tendant l'oreille pour entendre ma voix trop fluette. Depuis j'ai appris à hausser le ton, accentuer la prononciation, exagérer l'enthousiasme et faire preuve de conviction. À l'américaine, quoi ! Récemment, j'ai réécouté un *phoner* (interview conduite par téléphone) avec Sigourney Weaver, où je ponctue chaque phrase d'un : « Hin hin, hin hin » lénifiant. À sa place j'aurais raccroché. Quand je m'entretiens avec Sigourney Weaver, c'est simple : je dois *devenir* Sigourney Weaver.

C'est Hollywood, bon sang, il faut forcer le respect !

Forcer la dose. Foncer. Assurer comme une bête féroce. Être cette femme battante qu'on interviewe pour la rubrique « Une journée avec » à la fin du magazine *Elle :*

Les années bissextiles, je me lève à cinq heures trente-cinq, avale un thé vert du Laos, me consacre à une heure trente de méditation. Puis je me remets au lit pour grignoter deux toasts de blé noir sur lesquels j'étale une fine pellicule de miel d'edelweiss. Après avoir dépouillé la presse du monde entier, je cours sous la douche et y reste une poignée de minutes. Je n'arrive pas à m'y éterniser, tellement j'ai envie de profiter de cette journée qui commence. Je ne mets rien sur mon visage : un soupçon de crème fraîche pour l'hydratation, un truc donné par ma grande tante, de la famille de Victor Hugo, et une goutte de citron dans l'œil pour le faire briller. Jamais de mascara, mes cils sont naturellement lustrés et interminables. D'ailleurs, je déteste me maquiller et je n'aime pas mettre de vernis sur mes ongles de pied.

En revanche, j'adore m'asperger de Joy de Patou. Le soir, je m'offre un bain brûlant au lait d'ânesse – recommandé pour gommer la peau rêche des coudes –, passe un tee-shirt Gap et un jean Dolce Gabbana, et me voilà prête à recevoir mes amis qui débarquent toujours au débotté après leur représentation théâtrale. J'ai cuisiné un haricot de mouton, une spécialité de Grives-les-Olivettes, le village de mon enfance. Je perdrai les calories à la campagne, en parcourant en tracteur la trentaine d'hectares de vignes que je possède (excellent pour les fessiers). Vers minuit, exténuée mais heureuse, je m'endors dans les bras de l'homme de ma vie. Mon secret de beauté, c'est lui…

10.

Elle pose, elle cause, elle flirte avec un acteur connu, elle s'acclimate un peu trop bien… La saison des prix bat son plein

Décidée à prendre du bon temps, je me pomponne tous les jours, varie les accessoires et les teintes de rouge à lèvres. La sensation d'avoir passé un cap, de ne plus seulement *écrire* sur Hollywood, mais *d'appartenir* à Hollywood, me donne des ailes. On est si bien, serrée contre l'épaule d'une star… Et ce n'est pas parce que je n'ai rien à dire que je vais la boucler !

— Il y a une telle vulnérabilité, une telle poésie dans votre jeu. C'est tellement subtil…

Le jeune acteur essaie de m'arrêter. Je poursuis, imperturbable :

— Et à la fois… tellement spectaculaire. Bravo, je le pense du fond du cœur, bravo !

Le jeune acteur bredouille des remerciements Il m'a couvée du regard pendant toute sa conférence de presse. Il l'a donc bien cherché.

— On a gardé le meilleur pour la fin ! s'est-il écrié lorsque j'ai enfin posé ma question, la dernière de la liste.

J'ai gloussé.

— Quel sourire ! il a ajouté.

Là, je me suis transformée en tomate cerise. Ma question ne l'intéressait pas du tout. Moi, si. Mais ce n'est pas seulement pour ça que je lui ai retourné une pluie de compliments au moment de la photo. Il y a des prestations qui vous emballent tant au cinéma que vous aimeriez pouvoir féliciter les acteurs en sortant du film. Et là, vous avez cette chance. Comment y résister ?

Le jeune acteur me prend dans ses bras, me serre contre lui. Je me dégage un peu, plus rouge encore, consciente des regards braqués sur la scène. Il demande à nouveau une accolade. Il est beau sans l'être vraiment, le regard un peu torve. Oui, je sais, je n'ai pas dévoilé son état civil : mais pour des raisons que je développerai ultérieurement, cet acteur, au demeurant connu, doit rester incognito. Je l'appellerai donc « l'Acteur connu ».

Sauf que, pour le moment, ce n'est plus un acteur que j'ai devant moi, mais un de ces animaux tout doux avec lequel je me verrais bien faire des petits bonds de cabri. Nous sommes-nous rencontrés à la fourrière dans une vie antérieure ? Dans l'accolade, j'ai droit à un baiser humide dans le cou. Ma main se retrouve dans la sienne. J'éclate de rire, mais son regard rivé dans le mien s'est assombri. Il ne rit plus, refusant de lâcher ma main. La sienne tremble un peu.

— Ah ! là, là, si tu me touches, je ne réponds plus de rien… Je voudrais te dire…

Je me suis rappelée après coup ne pas l'avoir laissé finir sa phrase.

« Je voudrais te dire... » Quoi ? Quoi ?

La masse des publicistes, des photographes, des confrères, se resserre autour de nous. Est-ce l'impression que l'on a lorsqu'on tourne une scène d'amour à plateau ouvert ?

— Allons, allons, tu en as vu d'autres... D'ailleurs, il faut bien se quitter, non ? je rigole encore, en lui coulant un regard aguicheur par en dessous.

Sûre de mon effet (je l'ai bien connu dans la fourrière d'une vie antérieure), je me retire en lui effleurant le bras. Il fait mine de rugir, de sortir ses griffes. Rires à la ronde. Le voici accaparé ailleurs. Je m'éclipse comme si je venais de voir un très bon film.

« Dis donc, il a flashé sur toi », « Donne-lui ton téléphone », « Hey, pas mal, ton nouveau copain ! » j'entends en quittant la salle.

Ils ont beau se moquer, la journaliste croqueuse d'acteurs est une espèce bien particulière. Je n'en fais pas partie. D'ailleurs, mon Acteur connu a la réputation d'aimer un peu trop les filles. Je ne vais pas me laisser émouvoir par de tels enfantillages.

Mais il y a eu connexion.

Très digne, mais aussi rapide que mes talons compensés me le permettent, je saute au volant de Whoopi, grille deux feux rouges – c'est mal – et rentre, haletante, me faire cuire cinq cents grammes de pâtes au thon. J'ingurgite jusqu'au dernier débris de semoule de blé dur et, couchée sur le flanc, échouée comme un éléphant de mer, j'imagine mon histoire d'amour avec l'Acteur connu. Plusieurs scénarios sont échafaudés :

1. Il a demandé mon numéro de téléphone à sa publiciste. Il m'appelle, nous allons dîner dans une taverne romantique. Il m'avoue son coup de foudre. Le pauvre, il ne peut plus se passer de moi. Je le fais mourir un peu en lui disant que je vais y réfléchir, que je ne suis pas sûre de vouloir m'engager avec une célébrité. Je tiens à mon anonymat, moi. « Aucune fille ne m'a jamais dit ça. » Il n'en revient pas.
2. Je le rencontre par hasard devant une vitrine de bijoux. Il me demande lequel je veux, choisit un collier qu'il attache à mon cou, et m'enlève sur sa moto. J'ai peur mais je serre très fort mes bras autour de lui. Nous prenons les canaux de Venice, puis nous allons manger une glace devant les manèges du Pier de Santa Monica. Sur la route, dans le coucher de soleil bleu de Malibu, mon collier est emporté par le vent et ça le fait rire. « Je l'aurais arraché, de toutes les façons », dit-il, sur une plage où nous enlevons nos vêtements à la hâte. Nous ne supportons plus le moindre obstacle entre nous. Le reste appartient à la grande roue du sel, du sable et de l'océan.
3. Il me fait porter une enveloppe. À l'intérieur, un bon pour une robe de soirée chez un grand couturier. Il doit se rendre à un grand gala de charité et déteste ce type d'obligation professionnelle. Si je pouvais l'accompagner… Notre couple fera un tabac. La robe de couturier finira en lambeaux, arrachée par son désir brûlant, mais il y aura beaucoup d'autres robes…

Quand je me surprends à sourire dans la journée, c'est que je suis en train d'agrémenter de détails croustillants l'un de mes petits songes éveillés (j'ai un faible pour la grande soirée de charité). Il va sans dire que dans mes scénarios notre différence d'âge (euh, quoi... huit ou neuf ans ?) n'entre en ligne de compte que pour le meilleur. Il a toujours espéré rencontrer une vraie femme, pas une de ces petites jeunettes qui le lassent et ne lui apportent rien. *Rien du tout*.

C'est dans cet état d'esprit, flottant dans ma vie rêvée, que je renifle un changement survenu depuis mon entrée au Club. Un vent d'excitation s'est levé. La saison des blockbusters – paix à leurs âmes – a fait place à celle des Awards. Six mois avant les oscars, Hollywood entre en campagne, et l'effervescence est digne d'une élection présidentielle. Ayant rarement à les couvrir et n'étant pas invitée aux cérémonies, je n'avais pas, jusque-là, saisi la portée des prix à Hollywood. Mais cette fois, je suis au cœur de l'action, en pleine ruée vers l'or ! (De l'or, il n'y en a pas que sur les statuettes : la mention d'un prix sur une affiche de film attire bel et bien de très nombreux spectateurs. Qui dit prix, dit meilleur box-office : l'or pur, il est là.)

Prix décernés par les critiques, par le public, par les acteurs, les réalisateurs, les scénaristes, les monteurs, les producteurs... Même le cinéma indépendant, dernier territoire rebelle d'Hollywood, se dépêche de s'inventer une cérémonie, les Spirit Awards. Dans le reste de l'Amérique et du monde, ce sont surtout les oscars qui possèdent un prestige historique. Les autres remises de prix, vu de loin, font un peu office de répétition générale. Mais qu'importe ; ici, dans la bulle du cinéma, la débauche de moyens mis au service de ces cérémonies surmédiatisées prouve bien qu'elles sont incontournables. Et parmi les prix les plus importants, avant les oscars, il y a ceux décernés par mon Club.

Voilà comment je m'introduis dans la matrice, voilà en quoi faire partie du Club vous distingue vraiment des autres journalistes : pour la première fois, je « vote » ! Aux yeux d'Hollywood, cela m'anoblit. Je fais désormais partie d'une famille royale et, en tant que membre de la couronne, me voilà traitée avec les égards dus à mon rang. Les publicistes qui ne répondaient jamais à mes coups de fil m'appellent avant même que j'aie à composer leurs numéros. Les réalisateurs, poussés par les baïonnettes des soldats du marketing, viennent présenter eux-mêmes leurs films avant les projections organisées : « Ce film, que vous êtes les tout premiers à voir au monde (*allons, allons*), est un travail porté par l'amour. Un travail encouragé, soutenu par le studio dont nous n'avons jamais (*tu parles*) subi la pression. Nous sommes tous exceptionnellement fiers du film, mais nous vous laissons seuls juges… »

Les acteurs deviennent subitement amicaux. Parfois, ils appellent même les journalistes à domicile. « Ils sont collants, à la fin ! » se plaint l'Ermite, contraint de filtrer ses appels plus encore qu'à l'accoutumée pour ne pas tomber sur James Woods. Le héros de *Il était une fois en Amérique* contacte tous les membres de la couronne pour vendre un téléfilm auquel il croit dur comme fer. Lorsque je décroche et entends son : « Juliette ? C'est James Woods », je me retiens d'éclater de rire. Il s'excuse de me déranger à grand renfort de : « *You know*, Juliette » et insiste sur un point précis : il n'appelle pas pour promouvoir sa propre prestation, mais pour attirer l'attention sur ce film conçu dans l'amour, accouché dans la douleur. Je raccroche en me demandant où j'ai bien pu fourrer la cassette de ce bidule dont James Woods m'a fait l'article.

Désormais, je reçois les cassettes, puis les DVD, de tous les films de l'année. Dix longs-métrages sortant en moyenne chaque semaine sur le sol américain, il est difficile de les découvrir tous sur grand écran, et bien pratique de pouvoir s'offrir des séances de rattrapage à domicile.

L'Ermite est aux anges. Il abhorre les projections, à moins qu'elles ne se déroulent dans des salles feutrées, devant une audience discrète disséminée dans des fauteuils confortables : conditions rarement réunies. La presse cinéma ne fait, par nature, pas dans la discrétion. Les journalistes internationaux, avec leurs airs de lapins malheureux, vous crispent dès qu'ils déboulent, fébriles, vous râpant le nez au passage avec leurs cartables. La presse américaine, bardée de tee-shirts et de casquettes à l'effigie des films, aussi raffinée qu'un troupeau de bisons dans un magasin de porcelaine, charge la salle d'ondes de choc qui vous obligent, pour rentrer dans le film, à une concentration digne d'un maître de kung-fu. Sans parler des membres du Club qui vous abordent de but en blanc, sans peur de déranger et sans dire bonjour, comme si nous, les membres de la couronne, formions une seule et même famille royale n'ayant pas à se soucier du protocole. Mais rien n'irrite plus l'Ermite que les projections populaires organisées dans un multiplexe, avec un vrai public qui applaudit quand le héros tue un méchant à l'écran.

Les fous, on est chez les fous.

Symptomatique de cette bonne vieille ville ségrégationniste de Los Angeles, les spectateurs sont ciblés suivant le type du film ou la nationalité de la star. Ainsi, vous vous retrouvez au milieu d'un public asiatique lorsqu'il s'agit d'un film avec Jet Li, d'un public gangsta rap pour un polar avec LL Cool J, ou d'une horde d'adolescentes glousseuses pour une guimauve avec Kate Hudson. Le tout englué dans l'odeur du pop-corn et les inévitables tornades d'air conditionné…

C'est loin de ce marasme, dans sa claire maison des collines d'Hollywood, peut-être un petit apéritif à la main, que l'Ermite est le roi. Entouré de films qu'il accumule scrupuleusement, il garde une préférence pour les curiosités étrangères. Même endommagé par la pollution des *junkets*, son intérêt pour le septième art vibre toujours.

Pour son plus grand plaisir, les studios encouragent plutôt à visionner les films à domicile.

Toc, toc.

— Qui c'est ?

— C'est le coursier.

— Oh ! C'est pour moi ?

L'avalanche d'offrandes commence la veille de Thanksgiving, avec la rituelle corbeille florale de la Paramount, superbe composition automnale semée de petits fruits vermeils et de feuilles de vigne vierge.

Ah ! Thanksgiving, avec ses pauvres dindes si énormes qu'elles ne ressemblent plus à des dindes et sa tarte au potiron pour laquelle on se prend vite d'affection… Thanksgiving, fête de famille aussi incontournable que Noël, marque le début de l'hiver. Et c'est seulement une semaine après que chaque *executive*, publiciste, agent, manager, assistant, acteur star et moins star, réalisateur ou scénariste est rentré de quelques jours passés dans sa famille du New Jersey, du Nebraska, du Missouri ou de l'Ohio, que démarre vraiment le rentre-dedans de l'Industrie. Je n'aime pas ce terme que j'emploie pourtant dans mes articles, par paresse ou par facilité, mais il n'en est pas moins souvent approprié. Car c'est dans un même élan que toutes les machines à fabriquer du rêve, petites ou grandes, corporatives ou indépendantes, font trimer sans relâche chacun de leurs maillons afin de séduire une poignée de journalistes considérés comme des têtes couronnées.

Après les fleurs, viennent par fournées des lots de petites friandises livrés en express avec un timing parfait : *cup cakes* luisants de glaçage multicolore pour *Nurse Betty* au petit déjeuner, tarte aux pommes toute chaude à l'heure du goûter pour *American Pie* ou bouteille de tequila pour *Y Tu Mamá También* pile à la tombée de la nuit…

La clé, durant cette période, c'est de ne pas s'absenter. Partir, même deux jours, signifie trouver en rentrant, devant le portail, un curieux édifice de paquets étincelants convoités par les corbeaux du quartier que je tente régulièrement de chasser pour ne pas finir comme dans *Les Oiseaux* : tout un arrivage de blousons, coupe-vent, garde-robes en polaire, stylos-plumes, peluches sacs à dos, chaises de plage, services à cocktail, à thé et même à saké (je n'ai jamais touché au joli service envoyé par Sofia pour *Lost in Translation*, c'est une relique), sans oublier les posters de films signés par toute la distribution.

L'autre soir, au moment de passer à table, j'ai reçu un bocal d'anchois et d'olives fourrées envoyé par le grand Javier Bardem. Cela m'a fait bien plaisir, mais aussi un petit pincement au cœur : l'Acteur connu, lui, ne m'a jamais rien fait porter. Pas une rose, pas un ruban, *nada*. Mais qu'est-ce que je me suis imaginé ? Que des relations entre hommes et femmes pouvaient se développer dans cette ville ? Bien sûr, les dieux fricotent entre eux. Mais laisse-t-on pénétrer un mortel dans le cercle ? Rarement. De toute façon, le souvenir du regard sauvage de l'Acteur connu s'estompe de plus en plus, fond comme le sucre des pâtisseries de mon monticule d'offrandes. Et finalement, je relègue aux archives les petits films où il figure. Ils ont fait leur temps.

Toc, toc.

Le coursier dépose devant ma porte un nouvel arrivage de paquets : un téléphone, une horloge, un pashmina, une couverture, du vin, du pain, des épices. Très bien, très bien, je déballe tout en vitesse. Oh ! Une magnifique montre choisie par Sharon Stone elle-même.

Je m'empresse d'offrir pour Noël le bijou à ma sœur qui, subitement, se sent à la fois femme d'affaires, de tête et de cœur. L'effet Sharon Stone au poignet. Il ne dure pas longtemps. La nouvelle administration du Club, ne supportant plus de lire dans la presse que ses membres sont un peu trop bichonnés par les studios, décide justement cette année-là que les cadeaux doivent rester « promotionnels » et anecdotiques. Dans le cas contraire, les aumônes doivent retourner à l'expéditeur. Ma sœur doit rendre la montre ; Sharon Stone doit s'excuser. Elle n'avait pas réalisé la valeur du bijou. Le téléphone et le pashmina, ça va. On peut les garder.

Les producteurs trop pressants se voient également rappelés à l'ordre : plus question d'inviter les membres de la couronne à dîner dans leurs villas de Beverly Hills sous prétexte d'entretenir l'amitié. Repris en mains par d'actifs journalistes à cheval sur l'éthique, le Club compte bien profiter de son pouvoir croissant : depuis plusieurs années, son palmarès, décerné quelques semaines plus tôt, coïncide avec celui des oscars, à tel point qu'il est à présent reconnu par la profession comme le baromètre officiel de cette mythique remise de prix. Pas peu fière, ma petite bande doit maintenant étouffer les grincements de dents qui accompagnent son influence grandissante.

Je débarque au moment où ces grands travaux de réhabilitation se mettent en branle, et assiste aux coups de badine de la nouvelle présidente qui met tout le monde à la même enseigne, y compris les interviewés.

— Qui êtes-vous ? crie-t-elle à un inconnu assis au fond de la salle lors d'une conférence de presse donnée par Mick Jagger (excusez du peu).

— Samuel Goldwin Jr., répond, penaud, le fils du grand producteur du même nom.

— Ah… Eh bien, présentez-vous, la prochaine fois !

Mick Jagger agite la main, l'air de dire : « Pas commode, la maîtresse d'école. »

Bien sûr, toutes ces mesures anticorruption n'empêchent pas une explosion de cocktails chic et de petites fêtes très privées organisés par les studios avant ou après les projections et les conférences de presse. Car après tout, on est à « Hollivoud », comme dirait ma grand-mère. Et « Hollivoud » ne serait pas « Hollivoud » sans son esprit festif.

— Juliette, il faut que je te présente Jude Law, il rêve de te rencontrer ! me lance une attachée de presse péremptoire en me tirant par la manche.

Ce petit bout de femme à l'énergie impressionnante gère avec son bureau de marketing les trois quarts des films « nominables », poussant les favoris dans la course au détriment d'autres films abandonnés à leur sort. C'est amusant, toutes ces attachées de presse qui veulent tout à coup nous faire rencontrer *personnellement* les acteurs…

— Juliette, Willem Dafoe tient à faire ta connaissance avant de s'en aller…

Où *est-il ? Willem !*

— Juliette, Melanie Griffith est là, elle espère bien te serrer la main.

— Juliette, Spike Lee, euh pardon, Spike Jonze aimerait bien te saluer.

— Ah, enfin ! Cela fait si longtemps que Nicole veut te remercier de ton soutien. Nicole, Juliette, Juliette, Nicole…

Nicole Kidman réalise que nous avons toutes deux un sac dans une main, un verre dans l'autre.

— Je suis si gourde à ces présentations, rit-elle.

Pas autant que moi.

— Tu es là ! Tu dois absolument rencontrer Mimi Leder ! s'écrie la même attachée-de-presse-bourrée-d'énergie en direction de l'Ermite après la projection de *Un monde meilleur* avec Kevin Spacey et Helen Hunt.

L'Ermite tend la main à cette réalisatrice dont nous venons de déplorer une fois de plus la mise en scène « gros sabots ». Il s'exclame avec un charme exquis :

— Tout le monde vous adore, en France !

J'aime bien l'Ermite dans ces petites sauteries. Tout crispé, les bras repliés contre sa poitrine ou, au contraire, se frottant les mains, plein d'espoir dès que je lui adresse la parole.

— On s'en va ? !

Moi, cruelle, je le regarde souffrir en m'exerçant à l'art difficile, dans les soirées, de rester sobre mais pas trop. J'admire l'adresse des membres de la couronne, experts en mondanités, à *schmoozer* comme personne, s'enroulant comme des lianes, étendant leurs tentacules. Je pousse l'Ermite du coude.

— Toi aussi, tu sais bien faire des mondanités, hein ?

Il fait tourner l'eau de son verre, telle Grâce Kelly son cognac dans *Fenêtre sur cour*.

— J'adore. J'ai une maîtrise en mondanités.

— Pas de problème si je te laisse seul, alors ? Je vais y aller.

— Ah non ! s'écrie-t-il, soudain terrorisé.

Pauvre Ermite. Et moi qui suis sociable. Très sociable. Beaucoup trop sociable ! Le Paxil, après trois semaines peu probantes, commence enfin à faire effet. Moi, déprimée ? Jamais ! Les angoisses ? Terminées. La boulimie ? Bien finie. La libido ? Quézaco ?

J'ai lu la liste d'effets secondaires potentiels sur la notice du médicament : bouche sèche, diminution de l'appétit, de l'activité sexuelle, malaises passagers, maux de tête, nausées, tremblements, constipation, palpitations, fatigue inhabituelle, somnolence, excitation, sudation décuplée… Je les ai tous.

— Mais le moral va bien, n'est-ce pas ? a tempéré la jolie doctoresse du Cow-Boy, devenue mienne par défaut, une expression contrite pour montrer qu'elle s'intéressait à mon malheur.

Ah ça ! Au beau fixe, le moral ! Je rigole avec les attachées de presse et me risque à saluer les publicistes des stars. Sous l'emprise de la drogue, ce ne sont pas des gens si désagréables. Je fraternise avec les membres de ma nouvelle famille. J'en découvre de nouveaux chaque semaine. Aucun ne laisse indifférent. Je croyais avoir vu les personnages les plus colorés de la presse autour des râteliers des *junkets*, mais non, le vrai show, il est là !

Je suis émue par un frère et une sœur inséparables, approchant les quatre-vingt-dix ans, et formant un tandem réellement attendrissant. La sœur, avec sa canne et sa bonté, me rappelle l'une de mes grands-tantes. Le frère est coquin. L'autre jour, il a baissé sa culotte au moment de prendre sa photo avec les frères Farrelly. Matt Damon n'en est pas revenu. Frère et sœur assistent à toutes les projections, toutes les conférences de presse, trois cent soixante-cinq jours sur trois cent soixante-cinq. Ils ne manquent aucun événement, qu'il s'agisse d'une virée sur un porte-avions américain basé à Honolulu pour les interviews de *Pearl Harbor*, où les marins hissent la sœur et sa canne sur le pont, ou d'une soirée hip-hop endiablée.

Je suis également fascinée par une nouvelle venue au look clinquant, une célébrité dans son pays, dit-on. Veste à épaulettes frangée de fourrure et ornée d'une broche grosse comme un artichaut, jupe courte, mules aiguisées, perruque jais : waouh ! On dirait le Sergent Pepper !

— Vous êtes une femme extraordinaire ! s'exclame David Lynch alors qu'elle se lève pour lui poser une question lors d'une conférence de presse.

« *Extraordinaire !* » *répète l'écho.*

Le Sergent Pepper ne se laisse pas démonter, pas plus que devant le : « Ça, c'est de la broche ! » que Kevin Costner n'a pu retenir en voyant l'artichaut.

— Chacun sa personnalité, murmure-t-elle du bout de ses lèvres vermillon, avant de se rasseoir avec beaucoup de dignité.

Une autre couvre de son sonotone siffleur le timbre voilé de Clint Eastwood en conférence. Et ce petit être frêle épris de jazz, quel homme était-il dans sa jeunesse ? Quelles sont leurs histoires ? Tous se montrent bien disposés. Alors, je souris, je fais des concessions. Le cinéma, ils ne parlent que de ça. Beaucoup d'entre eux me désarment par leur cinéphilie pointue, leurs débats passionnés sur les films. Et puis ils ont connu Marilyn, Orson Welles, John Wayne, Bette Davis... Ah, comme j'aurais aimé rencontrer Ava Gardner, Audrey Hepburn, Vivien Leigh... Eux ont eu droit à cette faveur du destin ! Je veux des anecdotes ! Alors, me voilà, papillon oubliant la mort annoncée en fin de journée, réclamant des nouvelles, attisant les conversations, piaffant pour prendre la parole.

Je m'aperçois un soir dans une glace accrochée en hauteur dans un hôtel de Bel Air, entourée de ma petite famille occupée à siroter des *drinks* glacés autour d'un Tom Cruise totalement accessible et arborant son légendaire sourire atomique. Mon magnolia bonsaï offert par New Line sous le bras, je reste plusieurs secondes accrochée à cette image, grisée par ma propre progression dans le monde, happée par le miroir aux alouettes ; madame Bovary apercevant soudain son reflet encadré d'admirateurs, reine du bal de sa vie.

Et tandis que leur maîtresse gravit sans reprendre son souffle les échelons du système, mes chats, les oreilles dressées, voient défiler un cortège de messagers déposant à sa porte du vin, de la myrrhe, de l'encens...

11.

Tapis rouge

En cette fin d'année, mon emploi du temps est donc devenu tout à fait glamour, et la grande préoccupation autour de moi porte sur les votes et les récompenses à venir.

Le Boss, sous prétexte que Régis Wargnier et Patrice Leconte ont été nominés par le Club dans la catégorie « meilleur film étranger », se propose même de m'accompagner à la cérémonie de remise des prix. Quel honneur, quelle consécration : Rhett Butler et Scarlett O'Hara sur le tapis rouge. Il va falloir me montrer à la hauteur…

À force de lire tous les magazines locaux qui donnent aux actrices des conseils pour être la plus belle lors des soirées chic, je décide de prendre rendez-vous chez Jessica, une ruche où des dizaines d'employées roumaines s'activent autour des rides, des ongles et des poils des rombières de Beverly Hills.

Je me contente d'un European Facial. Une certaine Sofia (pas Coppola) m'enduit les mains de crème avant de les glisser dans des moufles chauffantes. Elle branche sa machine à vapeur pour démarrer les « extractions » sans attendre les bienfaits de la condensation de l'eau. Sofia s'excuse de me faire souffrir en psalmodiant des paroles de consolation, sur l'air d'une chanson de Julio Iglesias qui passe en boucle dans les haut-parleurs. Les yeux larmoyants, je distingue une pub pour un produit amincissant qu'elle a encadrée dans sa cabine : « J'augmente le volume de mes seins en affinant mes fesses ! »

Méditant sur cette possibilité, je ne vois pas que Sofia est en train de m'enduire l'épiderme d'une espèce de plâtre-chantilly. Avant d'avoir pu signifier que j'ai besoin de me gratter le bout du nez, je suis couverte de serviettes brûlantes.

— Je reviens dans dix minutes et je m'occupe de l'épilation ! dit-elle.

Seigneur, j'ai demandé une épilation à la cire à cette maniaque. Je veux crier au secours mais, avec mes bandages dignes du soldat mutilé de *Johnny s'en va-t-en guerre*, je ne vois pas qui pourrait m'entendre… Quelques minutes plus tard, Sofia est de retour, brandissant une spatule trempée dans un bain de cire chaude. J'ai beau hurler, la faune tropézienne de Sunset Plaza, au-dehors, n'en a rien à faire, de mes souffrances.

Le difficile métier d'être une femme…

Je ressors plus imberbe qu'un chat du Pérou et aussi congestionnée qu'un pilier de bar breton. Encore sonnée par cette séance de torture, je tombe sur d'énormes verres fumés, un chapeau, des kilos de bijoux, des jambes interminables : Cyd Charisse ! Cela fait plus d'un mois que j'essaie de faire une interview-carrière avec elle. Cyd Charisse : l'héroïne mythique de *Brigadoon*, *Tous en scène*, *Chantons sous la pluie*… Pour toute réponse à ma demande, son agent m'a demandé combien le magazine pouvait la payer. Elle répond à mon bonjour de très loin, le regard dans le vague, un sourire crispé aux lèvres.

Mon projet d'interviewer toutes les légendes encore vivantes de l'âge d'or hollywoodien s'effiloche d'ailleurs chaque jour un peu plus. À moins qu'ils n'aient un livre ou un téléfilm à promouvoir, tous se disent fatigués, ou demandent un chèque en échange d'un entretien. Et traquer, biaiser ou relancer pour mener à bien ma petite entreprise n'est pas dans ma nature de chat sauvage tombé par accident dans le chaudron du journalisme. C'est pourtant bien ce qu'il faudrait faire. Les seules fois où j'ai eu du culot, ça a fonctionné, comme avec Kirk Douglas quand j'ai frappé à la porte de sa maison et que je l'ai trouvé en pyjama à rayures dans son salon regorgeant d'œuvres d'art moderne. Je m'étais apprêtée, le sachant amateur de femmes. Malgré sa récente attaque cérébrale, cet ancien tombeur retrouvait en effet le sourire quand il évoquait sa belle-fille, Catherine, avec laquelle il avait joué au golf le matin. « Ah ! si j'étais plus jeune… »

J'en menais moins large quand j'ai décidé d'aller voir Shirley MacLaine, à Malibu. Je m'étais arrêtée sur la route pour lui acheter un bouquet de fleurs et me calmer un peu. Le magazine ne m'avait rien commandé, c'est moi qui avais eu envie de rencontrer ce monstre sacré.

Elle l'avait d'abord joué rosse, vexée que je ne parle pas du tout de son dernier ouvrage *new age*. Voyant que l'entretien prenait une mauvaise tournure, je lui avais avoué être intimidée et lui avais demandé une deuxième chance. Elle s'était radoucie, acceptant finalement de se pencher sur sa glorieuse carrière. Pensive, elle avait évoqué sa liaison avec Robert Mitchum, « tout le monde couchait avec ses partenaires à l'époque ! », puis m'avait prise dans ses bras pour une longue accolade. J'avais cru sentir un peu l'odeur de tabac, de musc et de cocktails martini ; odeur de ce vieil Hollywood dont j'étais si amoureuse. L'après-midi s'était terminé en demi-teinte, à contempler ensemble dans le silence les rouleaux du Pacifique. Lorsque les silences deviennent confortables, dans une interview, c'est qu'elle est plutôt réussie.

De retour de l'institut de torture, je reçois un appel du Cow-Boy qui me demande si j'ai trouvé une robe pour le grand soir.

— Peut-être, je lui dis, faussement zen.

Après quelques potins sans conséquences, nous raccrochons sur notre habituel :

— S'il y a un tremblement de terre, tu m'appelles, hein ?

— Promis. S'il y a un tremblement de terre, je t'appelle.

Avec le Cow-Boy, c'est la lune de miel de la séparation.

Il va sans dire que je suis toujours à la recherche de ma tenue, et le stress monte. Ma sœur, alertée quelques jours auparavant, a eu le temps de m'expédier une robe longue façon Empire qu'elle a dégottée aux puces. Mon aînée est mon habilleuse officielle.

— Coool, j'adore tes fringues ! Marc Jacobs ?

Les jeunes comédiennes m'arrêtent parfois lors des premières. Leurs stylistes ont beau se mettre en quatre pour les habiller, elles envient mes tenues chinées à l'autre bout du monde. Mais comment porter cette soie perlée sans ressembler à Joséphine de Beauharnais ? Je sors de son écrin givré ma bouteille d'aquavit offerte pour la promotion d'un film russe. J'en verse une bonne dose dans ma tasse à whisky envoyée par Pierce Brosnan lui-même – si, si ! – pour un drame irlandais.

Faut quand même admettre que c'est plutôt une boisson d'homme...

Je ne recommande pas le mélange alcool et antidépresseurs. Une fois où je n'avais pas fait gaffe, j'ai eu l'impression que mes jambes se détachaient de mon corps et s'en allaient flotter au plafond en ricanant comme des hyènes. Mais ce matin, je n'ai pas pris ma drogue.

« Au cinéma russe ! » je fais en direction de mon ange gardien.

Il s'en jette un derrière la cravate.

Quand je prends mes pilules roses – ma drogue est légale et prescrite par une doctoresse qui ressemble à Gong Li, je tiens à le rappeler –, je deviens lobotomisée comme Jack Nicholson à la fin de *Vol au-dessus d'un nid de coucou*. Et cela a beau m'aider le jour, certaines nuits je préfère me libérer de ma camisole chimique et soulever la soupape de décompression. Besoin de sentir ce petit goût amer de la vie, de rêver, de retrouver le psychédélisme de mes nuits d'antan. Voilà pourquoi je n'ai pas pris mon antidépresseur ce matin. Besoin d'une nuit *normale*.

L'alcool me propulse dans un sommeil agité. Dans mon rêve, je passe en revue des visages d'anciens amants, leurs yeux comme ceux des animaux, vifs et tristes. J'échappe à la nostalgie dans un panier à salade géant qui m'emporte droit sur la lettre *a* de l'océan Pacifique. J'ai lu une BD de Philémon avant de m'endormir. Envie d'enfance. Je me réveille en sursaut avec l'impression d'avoir pissé au lit.

OK, OK, OK, demain je reprends mes foutus médocs.

Pour me bercer, j'enclenche la VHS d'un film envoyé par la Columbia, « Pour notre considération ». J'aime le logo des films Columbia : la belle dame inspirée par Annette Bening, montée sur un piédestal et brandissant sa torche sur fond de nuages, dans un faisceau aveuglant de rayons de lumière. Lorsque je parviens enfin à me rendormir, je rêve que la dame de la Columbia, lassée de tenir la chandelle, dégringole de son piédestal : un jeune premier d'Hollywood, une petite frappe sosie prémonitoire de Colin Farrell, lui a tapé dans l'œil. Plus personne pour annoncer les films de la Columbia. Leur figure de proue s'envoie en l'air dans un motel. Devant la porte, le lion de la MGM veille au grain, s'assurant que rien ne viendra troubler le moment d'intimité de l'égérie. Lui aussi a envie de se dégourdir les pattes. J'aime ce rêve, je le fais durer le plus longtemps possible. La dame de la Columbia revient de son escapade tout auréolée du scandale de sa fugue. Elle devient la chouchoute des tapis rouges, désirée, pressée, accaparée par tous. Mais comme elle n'est plus si jeune, elle finit par reprendre sa place en échange d'un gros chèque du studio Columbia. Sa torche continuera de brûler indéfiniment.

Je suis encore plongée dans mon petit film onirique lorsque le patron et moi débarquons sur la moquette cramoisie de la soirée de gala du Club. Je cherche des yeux la dame de la Columbia, drapée dans sa dignité et sûrement jalouse de la nuée de starlettes pailletées qui font tourner les têtes des producteurs. Il fait froid, et je cache ma robe napoléonienne sous un châle de laine. Autour de moi, les actrices sont toutes nues, ou presque, avec des étoles comme des bouts de ciel, tenues à bout de bras. Elles obéissent aux photographes qui cadrent leurs postérieurs dans l'objectif, avant de prendre un cliché d'un de ces sourires incendiaires dont Hollywood a le secret. Elles passent, suivant la stratégie de leur publiciste, d'un micro de télé à l'autre, en soufflant au passage des baisers aux fans perchés sur des gradins situés des deux côtés du tapis rouge. L'une a les pieds chaussés dans des pantoufles de diamant prêtées par Harry Winston, le joaillier des célébrités. Une autre exhibe sa rivière d'émeraudes.

— Moi, je porte Donna Karan.

— Mon sac, c'est Karl Lagerfeld.

Elles se vendent toutes ainsi, les unes après les autres, en femmes-sandwichs de luxe. Elles n'attendent même plus qu'on leur demande d'où proviennent leurs tenues : elles s'étiquettent toutes seules, en marchandises autonomes. L'industrie de la mode a détourné celle du cinéma, transformant les tapis rouges en podiums hystériques. C'est même fascinant de voir comment toutes ces actrices et chanteuses – au départ déjà pas moches – sont transfigurées par de savants *make-over*[1], véritables coups de baguette magique qui

1. Relookage complet qui ne fait pas nécessairement intervenir la chirurgie esthétique, mais toute une armée de stylistes, esthéticiennes, coiffeurs…

les font toutes se ressembler les unes aux autres et pétiller comme des fées.

Un formidable mirage amplifié simultanément à la télévision : montage flashy/speedé, enfilades de zooms avant, zooms arrière, ralentis, éblouissements… créant l'illusion d'un monde de tapis rouges où les stars en vogue s'étalent, l'air parfois incrédule, ne réalisant pas forcément qu'une fois qu'elles ont posé le pied sur la moquette du *red carpet*, leur âme a désormais un prix.

Les conjoints des vedettes sont aussi de la partie, tirés à quatre épingles, la plupart du temps dans l'ombre de leur moitié. Ou au contraire arrivant main dans la main, s'embrassant comme dans un film, immolant leur vie privée sur l'autel du tapis rouge.

— Faudra pas qu'ils se plaignent ensuite d'être traqués par ces foutus paparazzi. Ils sont pas très malins tout de même, je fais remarquer au Boss.

— Ce n'est pas si simple, la notoriété, me coupe-t-il.

Je réalise que le moment est mal choisi pour bouder son plaisir. Les stars se pressent les unes contre les autres, pour notre plus grande excitation.

— Regarde, je touche Billy Crystal ! Regarde, y a Steven Spielberg qui vient d'arriver. Hey, Harrison Ford ! Viens, on va lui parler !

— Mais qu'est-ce qu'on va lui dire ?

— Chais pas… On n'a qu'à juste le toucher.

— Attends, j'ai perdu quelque chose !

Le Boss a déjà réussi à se faufiler auprès de Tom Cruise, auquel il serre la main. Tom fait comme s'ils avaient grandi ensemble.

La cérémonie commence à dix-sept heures. Les festivités se déroulent dans la grande salle de bal de l'hôtel

Beverly Hilton. Nous nous retrouvons coincés à table avec des invités qui semblent aussi connectés au cinéma que moi à la navigation. Nous sommes bien placés : droit dans ma ligne de mire, je peux apercevoir Jack Nicholson qui montrera un peu plus tard ses fesses sur scène.

— Allez dans les toilettes, il y a des produits de beauté gratuits, plein de produits de beauté gratuits ! me glisse ma voisine, attifée comme un Rapetou, un bonnet enfoncé sur son air malaimable.

Ils l'ont laissée entrer comme ça ? !

Je fais donc un détour par les toilettes, histoire de vérifier mon tuyau. Une loge de maquillage y a été aménagée : je fais tout retoucher, assise entre Jennifer Aniston et Vanessa Redgrave. Nous échangeons quelques sourires complices de filles. Demi-lunes effacées sous les yeux, bouche, pommettes et cils rehaussés, me voilà à mon tour devenue un peu fée hollywoodienne. J'entasse un maximum de produits de beauté gratuits dans ma sacoche lamée.

Je suis désormais prête à prendre mon bain de stars : faites mousser ! Toutes ont répondu à l'appel et l'affiche du cinéma américain est au grand complet ou presque. L'espace d'une soirée, la communauté d'Hollywood renaît de sa pellicule de cendres. Au-dessus de la piscine, tout le monde, de Brad Pitt à Lauren Bacall, s'en grille une pendant les coupures pub. Personne ne touche à la nourriture proposée par une armée de vieux serveurs habillés en pingouins. L'un d'entre eux me confie avoir été enfant star à la MGM, du temps de Liz Taylor. Kat Sullivan, la publiciste de Jodie Foster, me toise sans me reconnaître. Cameron Diaz me lance un grand « Heeeey ! », me confondant avec quelqu'un d'autre ; Mike Myers, peut-être.

Le champagne coule à flots. Le Boss sort un énorme magnum de Moët et Chandon que personne n'a encore entamé ; il me tend une coupe avec un grand sourire. Je taxe une cigarette à Frances McDormand et Joel Coen alors que je ne fume plus depuis belle lurette, je dis trois mots à Nicolas Cage… Tout est si irréel et agréable. Et dire que tout à l'heure encore je flippais d'avoir égaré ma dernière pilule rose dans la cohue de l'arrivée du *red carpet*. Pourquoi prendre des capsules chimiques pour rehausser mon taux de sérotonine alors que tout roule parfaitement ? Alors que j'ai retrouvé mon légendaire appétit de vivre.

Aux chiottes les médocs !

La cérémonie terminée, c'est le coup d'envoi d'une dizaine de postparties toutes plus glamour les unes que les autres.

Le Boss s'est exilé au-dehors. Je le retrouve en train de discuter avec Jodie Foster. Nous bifurquons à quatre-vingt-dix degrés pour croiser la route de Catherine Deneuve. Elle m'impressionne plus que toute autre.

— Juliette, notre correspondante à Hollywood, entame le Boss.

Il a le chic pour me présenter tous les gens qu'il connaît, me permettant d'affirmer une identité au milieu de toutes ces personnalités illustres.

— Si on allait prendre une coupe ?

Suggestion lumineuse à l'entrée de chaque nouvelle fête.

— Faut que j'arrête, finit-il par me répondre, l'air contrit.

Depuis le début des postparties (alors que nous étions censés avoir dîné avant la cérémonie), il a avalé (dans cet ordre) : une poignée de *ribs* sauce barbecue, un assortiment de minimousses au chocolat, une douzaine de sushis et un mille-feuille au café. Devant nous, Winona Ryder et Matt Damon se bécotent. Le temps file et je ne sais plus s'il est vingt-trois heures ou quatre heures du matin. Nous nous décidons à suivre sur le chemin de la sortie ce beau gosse de Lawrence Bender, le producteur des films de Quentin Tarantino.

La fête est finie.

Sur le parking, nous ployons sous le poids de nos *goodies bags*. Au moment où le Boss me dépose chez moi, je me rends compte que j'ai égaré mon trousseau de clés. Un peu éméché, il en est réduit à escalader ma fenêtre pour déverrouiller la porte de l'intérieur, accrochant son smoking au passage.

Et puis le Boss n'est plus là, et je me retrouve aussi désemparée qu'une actrice sans travail.

Dans l'appartement du dessus, ma voisine rentre avec un type. Dix minutes plus tard, les ressorts de son lit se mettent en action. Pour couvrir le son Dolby Surround de leur prestation, je miaule avec mes chats, avant de sombrer dans un semi-coma.

12.

Rat de labo, drague à la gym…
Mais comment j'en suis arrivée là ?

Il faut que j'arrive jusqu'à la pharmacie. Je suis au rayon des surgelés, ça ne doit plus être loin. Je me recroqueville dans ma pelisse à capuche en marmonnant à voix haute. Dehors, il fait trente-neuf degrés.

— Je vais finir comme Adèle H., je réponds à un employé de Pavilions qui me demande s'il peut m'aider à trouver un article.

Les pinces ligotées des homards vivants dans l'aquarium du rayon poissonnerie m'apparaissent comme l'image de la dernière des cruautés : la goutte d'eau qui fait déborder mon vase. Les larmes, qui n'attendaient qu'un prétexte, jaillissent par torrents. L'eau coule sur mes joues, mes bras, mes jambes, forme une mare à mes pieds, un lac dans lequel je m'enfonce. Je vais me noyer devant le rayon poissons de Pavilions et tout le monde s'en fout. Une matrone aux lèvres refaites, qui ressemble davantage à un poisson que les chairs carrées, sans tête, sans nageoires et sans arêtes qui jonchent l'étalage, se met en travers de ma route.

— Où sont les côtes d'agneau ? elle m'agresse.

Les crevettes non plus ne sont jamais vendues avec leurs têtes.

— Je ne sais pas de quoi vous parlez !

Je lui tourne le dos. Elle se rabat avec hargne sur le bœuf. J'ai dû naviguer sans m'en apercevoir jusqu'au rayon boucherie et tant mieux, au moins je ne me suis pas frappé la tête contre l'aquarium des homards jusqu'à ce que le verre explose.

« Vous ne m'avez jamais vu en colère[1]. »

Au comptoir de la pharmacie, je double tout le monde pour me retrouver face à un jeune vendeur aux sourcils épilés qui fait : « Tsss tsss tsss », en désignant la file derrière moi.

Rassembler tout ce qu'il me reste d'énergie.

— J'ai arrêté cette saloperie depuis trois jours, je pleure pour un oui pour un non et j'ai envie de me zigouiller, aidez-moi !

Il prend l'ordonnance que je lui tends, l'étudie comme s'il s'agissait d'une prescription d'aspirine.

— Ces pulsions suicidaires, ça vous arrive souvent ? claironne-t-il.

Des têtes se tournent vers moi. Un petit vieux dans la file d'attente me montre du doigt son tee-shirt où on peut lire : « Jésus est mon seigneur. » Je m'enfuis en jetant à la ronde des regards traqués. Sur mon passage, d'autres acheteurs parlent aussi tout seuls, mais eux très fort, des fois qu'on soit sourd, dans l'oreillette invisible de leurs portables.

Plus moyen de reconnaître les fous.

1. Tom Cruise, dans *Mission : Impossible.*

Semaine 1 : comprimés jaunes. Semaine 2 : comprimés verts… J'ai un pilulier en carton, gros comme un calendrier des PTT, que je trimballe dans mon sac pour ne pas oublier de prendre une pilule chaque jour, dans un ordre bien précis. La vermine de la pharmacie m'a dénoncée à ma doctoresse, laquelle m'a suggéré un programme de thérapie gratuit avec prise de différents types de médicaments à l'appui. J'ai dit oui juste pour ne pas avoir à dire non. Thérapie, mon œil. Je réponds par monosyllabes aux nombreux questionnaires sur mes réactions aux antidépresseurs. À vrai dire, je ne me souviens plus pourquoi j'ai commencé à en prendre, tant la première prise procure une impression de bonheur permanent.

Mais alors... la vie est belle ?

Beaucoup paieraient cher pour une telle sensation. Pas moi. En revanche, les blouses blanches me rémunèrent pour chacune de mes visites hebdomadaires – « J'ai pris les pourboires, et j'étais contente de les prendre[1] » – avec, en prime, un check-up complet offert en début de programme. Quand on sait qu'une simple piqûre contre la grippe coûte les yeux de la tête dans ce pays, on réfléchit à ce genre d'avantages.

Le Cow-Boy trouve très bien que je sois devenue rat de laboratoire. Il n'a pas réussi à me faire entrer aux Alcooliques anonymes, il se venge en faisant de moi le jouet de la science. Derrière sa satisfaction à me voir ainsi prise en charge, je sens celle de toute une nation

1. Joan Crawford, dans *Le Roman de Mildred Pierce*.

toujours prompte à enrayer les pétages de plombs et tout ce qui risque de faire désordre.

Le Cow-Boy n'a d'ailleurs pas de temps à me consacrer. Son corps de métier est en danger. Les centaines de milliers d'acteurs qui vivent difficilement de leur art sont en train de se rebeller contre un système qui les prive de leurs bénéfices au profit des producteurs. Même les stars sont solidaires. Tous les comédiens d'Hollywood, sous la bannière de la guilde des acteurs, menacent de lancer une grève générale qui gèlerait tous les tournages, et les manifestations se multiplient. De quoi réveiller la flamme militante du Cow-Boy. « Tout seul on mendie, ensemble on négocie ! » scande-t-il dans la rue au côté d'un autre unioniste, l'acteur Elliott Gould, avec lequel il s'est acoquiné.

Pour être sûr que je lui fiche tout à fait la paix, le Cow-Boy me pousse à m'inscrire dans un petit club de gym encadré de gros bananiers jaunis, juste en face des bureaux de l'équipe française de Canal Plus. J'aime bien la gym. Il y a de la musique et des garçons, dont un qui ressemble à Chris Isaak et qui me jette des œillades par-dessous son scénario (un acteur, cela va de soi). Je m'empresse de détourner la tête. C'est ma tactique d'approche avec les gars : s'ils me regardent, je prends l'air renfrogné en faisant semblant de ne pas les voir. Tout juste si je ne leur tire pas la langue.

— Allez ma petite Juliette, on ne mollit pas. *No pain, no game !* crie le prof de kickboxing, un Français champion d'arts martiaux venu faire son Jean-Claude Van Damme à Los Angeles.

C'est à peine si je me reconnais. Je suis en première ligne, je pousse des cris de ninja, fouette l'air de coups de pied énergiques. Il m'arrive bien de baver un peu en faisant des pompes, mais je me maintiens au niveau en avalant des Red Bull cul sec. À force de descendre cette potion magique si prisée des équipes de tournage et dont les dégâts sur l'organisme seront connus dans un futur très proche, je commence à ressembler aux deux taureaux rouges qui se battent sur la canette, soufflant de la fumée par les narines.

J'essaie toutes les machines et prends une suée aux côtés de la bande des Red Hot Chili Peppers, des réguliers du club, de Bruce Springsteen qui est de passage à L.A., de l'éclatant Benjamin Bratt qui fait chauffer les machines en s'exclamant : « C'est bon pour le moral ! »

J'inspire et j'expire au côté d'acteurs de troisième zone, acteurs de télé, visages entrevus dans les pubs. Tous ces sourires carnassiers, ces tatouages gonflés, ces muscles bandés, tous ces strings qui dépassent des pantalons de survêtement, tous ces petits hauts ultrasexy, tendus par des seins comme des melons. C'est à se demander si les filles ne confondent pas ce centre de *health and fitness* avec un club de strip-tease. Les garçons en restent interdits, immobilisés dans un exercice abdominal compliqué. À terre, des entraîneurs personnels aident leurs client(e)s moites de sueur à étirer leurs muscles, se couchant à demi sur leurs victimes consentantes. Partout, des tee-shirts comme des secondes peaux, des formes moulées, accroupies, allongées, des cris gutturaux, des « oh » et des « ah » qui s'échappent dans l'effort. Des odeurs de corps à corps. On parle beaucoup de sexe et on le pratique peu (notez : je parle pour moi) dans cette ville… mais qu'est-ce qu'on transpire ! La culture physique comme seule culture.

Mais si vous croyez qu'il est facile de s'intéresser à autre chose après avoir fourni de tels efforts et réussi de telles performances. Je mincis à vue d'œil, bascule dans l'obsession du décompte des calories et de mes toutes nouvelles petites saillies musculaires. Et ce ne sont plus des bières qui ornent mon bureau, mais des cannettes de Slim Fast au chocolat, à la fraise, à la vanille.

Est-ce le retour à mon corps de jeune fille qui provoque cette poussée d'acné juvénile sur mon front et mon menton ? J'observe mes médicaments d'un œil suspect. Les blouses blanches, à qui je fais part de ma méfiance, s'en lavent les mains. Seulement moi, je dois répondre aux œillades du sosie de Chris Isaak !

C'est ainsi que je pousse la porte voisine de celle de mon club de gym, ouvrant sur l'institut d'une grande prêtresse des peaux à problèmes, reine de l'acide bien connue des stars blondes et roses comme Cameron Diaz et Kirsten Dunst, qui fait des miracles si on est prêt à lui laisser sa fortune. Je me déleste donc chez elle de mes dollars, les yeux humides de reconnaissance. La sorcière prend immédiatement un Polaroïd de ma peau à vif en gros plan et le range parmi des centaines d'autres. Ça doit lui permettre de faire chanter ses clients. Au bout d'un mois, les peelings à la poudre de perlimpinpin m'ont transfigurée. J'ai le museau tout lisse et tout luisant. J'ai mis le doigt dans l'engrenage.

Pour me sentir plus invincible encore, je me fais raidir les cheveux chaque semaine par la coiffeuse du club de gym, une grande gigue dont la conversation est à chaque fois une nouvelle épreuve. Elle me parle de sa vie au salon, de sa consommation de tofu, du lifting de son nez, de ses poches sous les yeux, de ses injections de Botox entre les sourcils tous les trois mois, de sa passion pour la sauce cacahuète, de la peau de ses bras qui se flétrit… Un matin, après un Red Bull frappé, je contre-attaque et me mets à mon tour à raconter une vie que j'invente au fur et à mesure. Elle fronce les sourcils (enfin, je crois). Je sens au souffle brûlant du séchoir qui se rapproche de mes oreilles que je gagne du terrain. Elle surenchérit. Moi aussi. Elle ne me dit même pas au revoir : j'ai gagné. C'est la première fois que je gagne contre un coiffeur. En repartant, la voix fourchue mais les cheveux lisses comme de la soie, je remarque sur mes mains des plaques rouges que je mets sur le compte de l'excitation.

— Eh bien, et celui qui te drague à la gym, vous n'êtes pas encore allés prendre un pot ensemble ? s'enquiert l'Ermite en remettant une bûche dans la cheminée de l'appartement que nous partageons au festival de Sundance, aux frais de la couronne.

— Il est maladivement timide. Mais j'ai un plan.

La grande préoccupation de mon compatriote à Park City[1] n'est pas vraiment l'état de santé du cinéma indépendant américain – les chaises pliantes des petites salles de projection le découragent et les *dudes* en tenues montagnardes collés à leurs portables l'exaspèrent – mais plutôt le choix des petits légumes qu'il achète au supermarché mormon du coin et le repérage des bars où il est possible de vérifier ses mails. Alors que j'en suis toujours à me demander comment Internet a pu prendre une telle importance dans notre quotidien

1. La station de montagne où se déroule le festival de Sundance.

du jour au lendemain, l'Ermite, en un clic de souris, est devenu Cybermite.

— C'est bien pratique, les mails. On n'a plus besoin de parler aux gens.

Un soir, je parviens tout de même à le traîner à une fête en l'honneur de Sofia Coppola. Nous nous installons à une table mais, le temps d'aller nous servir au buffet, nous la retrouvons occupée par un petit groupe au sein duquel je reconnais une belle femme au visage familier. Sont désolés, n'ont pas vu nos manteaux. Et pour cause : nos doudounes sont ensevelies à l'autre bout de la salle, sous un tas de fessiers festivaliers.

L'Ermite voit rouge :

— C'est vous qui les avez jetés là-bas !

Il lance nos manteaux sur nos opposants tout en poussant les leurs. Les autres ripostent dans le même anglais mâtiné d'un fort accent français.

L'Ermite en rajoute :

— Menteurs ! Votre attitude est scandaleuse !

Je tempère :

— Laisse tomber, les places ne sont pas réservées, on va trouver un autre siège.

La belle femme, c'est Nathalie Delon, qui possède un chalet dans les environs. J'aurais préféré lui dire bonsoir de façon civilisée plutôt que de me retrouver dans le camp des attaquants. Elle essaie de raisonner l'Ermite. Il la fusille :

— Vieille peau !

Son sourire s'affaisse. L'assemblée, qui a les yeux tournés vers nous, assiste alors à une sorte de rixe tribale autour des manteaux, chacun les tirant par une manche. De rage, l'Ermite jette son verre de vodka au visage d'un des membres du groupe. Il faut retenir ce dernier pour l'empêcher de lui casser la gueule. J'avale subrepticement un comprimé vert. Finalement, nos ennemis battent en retraite avec l'Ermite sur les talons, qui les poursuit d'un : « C'est bien les Français ! »

Et eux qui rétorquent en écho :

— C'est bien les Français !

De retour de l'Utah, mon plan avec Chris Isaak ne fonctionne pas exactement suivant mes espérances. Après un certain nombre de petits coups d'œil en biais, je me suis présentée à lui en tremblant comme un jeune faon. Il s'en est montré ravi. Il ne s'appelle pas Jason, ni Melvyn, ni même Chris comme je l'avais imaginé, mais Burke.

J'aurais dû me méfier.

Maintenant que nous connaissons nos prénoms respectifs, il me sourit comme si nous avions grandi ensemble – mais toujours pas de passage à l'action. Démangée par mon envie de forcer sa « timidité » autant que par cet eczéma qui me monte sur les mollets depuis quelques jours, je finis par lui glisser un billet plié en quatre au moment où il soulève une barre d'au moins une tonne avec l'aide d'un imbécile dont je n'avais pas remarqué la présence.

— Tiens, qu'est-ce que c'est ?

Burke ouvre le billet, avec l'imbécile qui se penche par-dessus son épaule pour lire.

J'ai détalé, rouge comme un cardinal.

« Perd-on l'occasion de mieux se connaître ? »

J'avais recommencé vingt-cinq fois ce billet avant de le lui remettre, avec mon numéro de téléphone soigneusement noté en bas. (Et je tiens à préciser que je n'ai jamais fait ça avant… Si ?)

Je passe ensuite l'après-midi à faire du shopping au Beverly Center pour trouver un joli petit chiffon à mettre lors de ma *date*, sûre de découvrir un message en rentrant. Je suis fière de moi. Fière d'avoir pris le taureau par les cornes. Fière d'avoir repris ma place dans le réel. Au diable, les acteurs connus. Les acteurs qui rament, ça, ça me connaît.

Pas un seul coup de fil ce jour-là.

Je lui aurais donné ma liste de commissions ?

Le lendemain non plus, à part un énième appel de télémarketing :

— Bonjour, vous allez bien ? Mon nom est Debbie Reynolds.

— Ah ?

C'est peut-être la vraie.

— Au nom de Capital One, je tenais à vous informer que vous avez été nominée, que vous avez été choisie, que vous êtes éligible pour un crédit gratuit (*pour l'instant*) d'un montant de six mille dollars. Vous n'avez qu'à dire oui. Oui ?

Foutue société de crédit. Foutez-nous la paix !

Je reste toujours polie avant de raccrocher, au cas où un télémarketeur fou déciderait de se venger de son sale petit boulot en venant me harceler à domicile.

Les jours qui suivent, je les passe au volant de Whoopi, postée devant le trottoir de mon club de gym, sans plus oser y entrer. Je fredonne des chansons gaies comme *Les Feuilles mortes* ou *Avec le temps*… J'enduis un à un de mascara mes cheveux blancs.

Je vais finir comme Francis Bacon, les cheveux teints au cirage.

Et ce poil blanc qui pousse dru, en plein dans mon sourcil droit, et dont je guette la repousse chaque mois, pince à épiler en main, est-ce la poussée de la sagesse que je m'évertue à déraciner ?

L'attente dans une carrosserie chauffée par le soleil sied mal à ma saleté d'eczéma. Je me gratte partout comme une démente. Les blouses blanches ont l'air ravies d'avoir trouvé quelque chose de nouveau.

— Ça gratte où exactement ?

— Ah, ça gratte, c'est tout, changez-moi ces drogues ou j'arrête le programme sur-le-champ ! je dis en frottant mon dos contre le dossier d'une chaise.

On me fait ingurgiter un nouvel antidépresseur à l'effet planant. Je rentre de chez mes « dealers » de la Vallée un sourire aux lèvres. Pour la première fois, je remarque la taille géante des sept nains qui soutiennent l'entrée principale de chez Disney. Plus loin, devant les studios de la Warner, je prends le virage un peu trop large. Tout à coup, le monde me semble plus vaste, plein de possibilités.

Ma rémunération hebdomadaire servira à payer mes dettes chez la grande prêtresse de l'épiderme. Les soins à venir, la sorcière a eu l'idée de me les prodiguer en échange d'un quart de page sur elle et ses clients célèbres dans ma rubrique « Hollywood ». Je suis à sa merci. Désormais, je supporterai sans dépenser un centime les longues heures d'attente dans une cabine avant qu'elle daigne s'occuper de moi, et ses monologues qui surpassent encore ceux de ma coiffeuse :

— Mon institut est un camp d'entraînement militaire pour la peau. Qu'est-ce qu'ils croient, tous, qu'on vient ici pour se faire dorloter ? C'est Drew Barrymore qui est dans la cabine à côté, elle n'a confiance qu'en moi.

Je suis filmée par la télé nationale ce soir, tu en toucheras un mot dans ton magazine, hein ? On parle de moi partout, et pour cause : je suis la meilleure. On m'a proposé Frances McDormand comme cliente, mais je suis pas chaude. Elle est trop laide. Qu'est-ce qu'elle est laide. Bon, c'est quoi encore ces boutons débiles ? Allez, on leur balance de l'acide. Et Nic Cage, tu l'as pas vu ? Il sortait d'ici quand t'es arrivée.

Je ne prends pas la défense de Frances McDormand, que j'aime pourtant beaucoup – la personne la plus intelligente qu'il m'ait été donné d'interviewer –, je me laisse bousculer, houspiller… je suis prête à tout pour oublier un détail qui annule les bienfaits de tous mes traitements : il ne m'a toujours pas appelée.

Bah ! Quoi de mieux pour se changer les idées qu'un bon gros voyage avec les joyeux drilles de mon Club ? Parce que bien sûr, comme pour n'importe quel *junket*, la promotion d'un film peut emmener les conférences de presse du Club ailleurs qu'à Los Angeles. J'observe parfois mes compagnons à l'arrière du bus, et j'ai envie de remercier ceux qui sortent du lot, les pros de la vieille école qui personnifient l'image romantique que j'avais d'un journaliste, avant d'y goûter. Comme ce gentleman de haute taille qui me fait penser à Gregory Peck dans *Vacances romaines*. Ne posant qu'une question courte et simple mais bien ciblée en conférence de presse, avant de noter la réponse sans la déformer, en sténo. Ne se laissant pas embobiner par la célébrité mais se laissant toujours séduire par un verre de chardonnay, ne se prenant pas au sérieux mais prenant son métier très sérieusement. Mais cette classe-là est rare. Non, les journalistes avec qui je voyage ont plutôt tendance à ne pas rester en place, à parler très fort et à vous submerger d'éruptions de paroles à sens unique, trouvant généralement quelque chose de rabat-joie à dire quand vous vous risquez à parler de vous.

Serait-ce le fait de poser sans cesse des questions aux autres qui ôte aux journalistes la faculté de s'interroger sur eux-mêmes ?

N'empêche, toutes ces excursions arrivent à point nommé. New York, Boston, Londres, Chicago, Miami, Toronto…

Juliette et sa bande dansent avec les marins à la grande première hawaïenne de *Pearl Harbor*.

— Honteux, nul, répugnant, répond l'Ermite à l'attachée de presse qui lui demande son avis sur le film.

Pourtant, pour une fois, il est resté jusqu'au bout. Il m'est souvent arrivé de me tourner vers l'Ermite lors d'une projection et de trouver son siège vide. L'attachée de presse insiste en tripotant son collier de fleurs. L'Ermite est trop content de persifler :

— J'aime beaucoup le méchant général de *L'Empire du soleil*. Il est japonais, non ?

L'attitude de l'Ermite est bien rodée en conférence de presse : il récupère une chaise au dernier rang et se cale dans un coin, aussi isolé que possible, l'air ailleurs. Tout juste s'il ne sifflote pas en mâchouillant un brin d'herbe. L'Ermite signifie ainsi que, même s'il fait partie du cirque et aime à s'habiller de couleurs vives, il n'est pas un clown. Et il faut le voir intimer l'ordre de se taire à la brochette de publicistes, maquilleurs, coiffeurs, agents, managers, assistants… qui font tapisserie au fond de la salle, cramponnés à leurs Blackberry maudits, racontant des potins tout le long de la conférence.

— Vous n'avez même pas le respect de vos clients ! leur crache-t-il avec un mélange de mépris et d'exaspération qui les laisse tous interloqués.

Juliette et sa bande, sur le tournage de la série *Band of Brothers* : nous visitons, en Angleterre, la Normandie reconstituée du débarquement. Tom Hanks, en costume de la Seconde Guerre mondiale, s'arrête de tourner pour nous saluer.

Juliette et sa bande sur les *Sentiers de la perdition* à Chicago : Tom Hanks dit : « Encore vous ? » On prend des bains brûlants à l'arrivée dans les chambres d'hôtel, après avoir vérifié que le studio nous a bien alloués, comme à l'accoutumée, une (grosse) poignée de dollars par jour pour la nourriture et le téléphone.

Essex House, Dorchester, Ritz, Claridge, Four Seasons…

— Ce séjour s'annonce miséraaable ! s'exclame un pilier du Club en débarquant dans l'humidité estivale de New York.

Mets fins et sorties de bain moelleuses nous attendent dans un palace : on a vu plus misérable !

— Ils sont forts, tes copains, pour être ainsi traités comme des rois partout où ils vont, s'extasie ma mère à chaque fois que je menace de les quitter.

— Ne vends jamais cette vache, ajoute ma sœur. (C'est sa réplique de film favorite. Faut avoir vu *Bonnie and Clyde.*)

— Qu'est-ce qui t'angoisse le plus, les *junkets* ou ton Club ? me demande une attachée de presse rigolote de la Warner.

Je devrais la remercier d'exister.

— Ah, allez, faut pas mordre la main qui vous nourrit…

Ça, je ne mords pas ! Trop bien muselée par le suivi des blouses blanches et par une accoutumance certaine au luxe et à la volupté. N'ai-je pas toujours été cet agneau dévoué et reconnaissant qui va gentiment prendre sa petite photo à la fin des conférences de presse ? D'ailleurs, ma collection d'images de stars a de plus en plus l'air de sortir d'une scène de *Zelig*.

J'ai déjà été photographiée trois fois avec Brad Pitt et l'autre jour, quand Keanu Reeves a passé son bras autour de mes épaules avec un mot gentil, je n'ai pas su répondre. J'ai fixé ses lèvres gercées avec l'envie irrésistible de les embrasser à pleine bouche. Je me suis reprise au dernier moment pour bredouiller : « Ah ba, aba, a ba ba. »

De respirer ces objets de désir, les toucher, en être si proche et pourtant si loin, je vous dis, moi, que ça perturbe. À moins que cela ne soit le marathon promotionnel qui me tape sur le ciboulot : toutes ces questions à tiroirs et ces réponses à clé, ces journalistes donneurs de leçons et planteurs d'étiquettes qui n'entendent que ce qu'ils veulent entendre, ces artistes exsangues après des journées non-stop d'interviews – jusqu'à trente par jour !

Il faut dire qu'être soumis sans cesse aux questions d'un tas d'étrangers, quelle gymnastique surréaliste ! Serait-ce la raison pour laquelle les représentants d'Hollywood semblent à la fois si rompus à l'exercice, et si déconnectés de la réalité ? Et cette manie d'employer des adjectifs excessifs pour qualifier les choses les plus anodines :

— Vous voulez un verre d'eau, monsieur Ron Howard ?

— Oh, fan-TAAAS-tique ! Merci ! Ça serait in-croyable !

Allons, allons.

Toutes les expériences ont été « spec-ta-cu-laires ! », tout le monde est « phé-no-mé-nal ! », les collaborations sont toutes « ex-al-tantes ! », pour un résultat « ab-so-lu-ment mer-veil-leux » ! À les entendre, Hollywood regorge de « génies ex-tra-or-di-naires ! ». Mozart, à côté, de la gnognotte.

« L'extravagance sociale et financière d'Hollywood était reflétée par l'extravagance verbale », écrivait déjà le romancier-scénariste Budd Schulberg dans *Le Désenchanté*, portrait mémorable de l'industrie du film dans les années 1940, dont les frères Coen se sont certainement inspirés pour *Barton Fink*. Depuis, rien n'a changé. On parle toujours de films « géniaux » alors qu'ils sont juste pas mal, et les gens d'Hollywood s'appellent toujours entre eux « chéri ! » et « mon chou ! » même s'ils ne sont ni amants, ni même amis… Tout un langage exclamatif qui réquisitionne une énergie constante et vous donne de fiévreuses envies d'hibernation dans l'Himalaya.

Mais après tout, quoi de plus normal que de vanter les mérites de ce que l'on vend. Si vous demandez au restaurant comment est le risotto, personne ne vous répondra « collant ». Parfois, on apprend plus tard que tel ou tel acteur ne trouvait pas si « merveilleux » le film dont il faisait l'éloge, et dont le tournage était loin d'avoir été « phénoménal ».

— Tout le monde savait que *Le Bûcher des vanités* était un ratage, nous avoua Tom Hanks une fois la période de promotion passée.

Il arrive aussi qu'un acteur arrive de mauvais poil à sa journée de promotion – le même Tom Hanks, bougon derrière ses lunettes noires à la sortie de *La Ligne verte* –, livrant ainsi une rafraîchissante démonstration d'humanité.

Mais c'est aussi pour leur capacité à assumer le service après-vente, et même bien plus que pour leur talent devant la caméra, que les acteurs sont désormais payés des millions…

— On devrait refuser de faire systématiquement tous les *junkets*, et les acteurs aussi devraient le refuser, comme ils devraient refuser de faire tous les plateaux télé sans discernement sous prétexte qu'il faut vendre la soupe. En acceptant ce gavage promotionnel, en ne se rebiffant pas, on est tous responsables !

J'essaie de pousser le patron à la mutinerie.

— Un de ces jours, je vais envoyer une circulaire à toutes les attachées de presse, promet le Boss.

Mais je sens bien qu'il commence à se méfier de mes revendications de moussaillon envoyé sur le pont d'Hollywood.

Plus l'acteur est légendaire, plus son entourage est restreint. Plus son entourage est important, plus l'acteur est… Enfin, l'époque a bien changé, quoi. Toujours plus de barrières, de mesures de sécurité et de « suiveurs ». Meryl Streep débarque seule ; Reese Witherspoon, précédée de dix personnes… des cousins, sans doute.

Dans la lassitude de l'Ermite, je perçois toute la nostalgie d'un vétéran qui, en son temps, était personnellement invité par Clint Eastwood à passer une semaine sur un tournage en Afrique. Clint continue d'ailleurs à réclamer l'Ermite sur ses plateaux : l'exception qui confirme la règle.

— Je me reconvertis. Je vais aller prendre des cours de ravaudage de filets dans un petit port de pêche du sud de la France, annonce fréquemment mon compatriote.

Ancien critique littéraire, l'Ermite a débarqué il y a dix ans à Hollywood pour pratiquer dans les règles de l'art la profession de journaliste de cinéma. C'est un vrai bon journaliste : curieux, rigoureux, respectueux sans être lèche-bottes. Ses papiers sont fouillés, fluides, on sent qu'il aime son métier, la recherche, l'investigation, l'efficacité d'une phrase. Enfin, il aimait son métier, parce que le système est en train d'avoir sa peau.

Pour moi, c'est différent. Je suis cette journaliste de cinéma qui a toujours adoré le cinéma, mais n'a jamais voulu être journaliste. « Comment fait-on pour devenir correspondante à Hollywood ? » me demandent des envieux dans le courrier des lecteurs. C'est me faire beaucoup d'honneur. Je ne sais pas. Je n'ai pas fait d'études. Je n'ai pas couché avec le patron de l'époque, dont j'étais l'assistante – tu parles d'une assistance…

… Je me revois, enfant, manier l'encre de Chine avec délice, tracer obsessionnellement des milliers de traits à la plume pour former des visages de femmes mystérieuses, inaccessibles. Je passais des heures sur les chevelures brillantes, la pulpe d'une bouche en cœur : fascination pour la finesse, les ombres du noir et blanc, les contrastes d'un angle, toute une sophistication qui devait trouver son écho dans les vieux films découverts au ciné-club de Claude-Jean Philippe et Patrick Brion.

Mes parents acceptaient que je reste rivée à la télé jusqu'à ce que je me retrouve seule dans la maison silencieuse, à me prendre pour Gene Tierney ou Rita Hayworth, Lana Turner ou Ingrid Bergman. Et c'est tout naturellement que j'en vins à remplacer les dessins à l'encre de Chine qui tapissaient ma chambre de petite fille par des photos de films en noir et blanc. Très peu de couleur, à la rigueur du sépia. Mon amour du ciselé, de la perspective travaillée et, de plus en plus, du fantasmagorique, a fait de moi une cinéphile assidue. Mon départ à Paris, à dix-neuf ans, a fait le reste. J'ai passé deux ans à travailler au standard de grandes entreprises, à écumer les cinémas, à suivre de très sérieux cours du soir consacrés à l'écriture et à l'analyse de films, à l'université de Jussieu si ma mémoire est bonne. Et puis j'ai répondu à une petite annonce passée par le magazine que, bien entendu, je dévorais chaque mois. La rédaction recherchait une secrétaire cinéphile. Dans les films, j'ai toujours aimé l'allure des secrétaires. J'y ai lu : « Recherche Juliette, désespérément ! »

Reine de la désorganisation, je n'étais évidemment pas le casting idéal pour ce rôle de secrétaire, mais je me suis dépatouillée comme j'ai pu pendant une période de temps respectable, aidée par l'ambiance unique, pleine de joie de vivre, de l'équipe du magazine. Riche de l'enseignement de ces pros qui m'entouraient, j'ai ensuite glissé à pas de mulot quelques critiques et mini-articles. Je n'allais tout de même pas laisser passer l'occasion d'être payée à voir des films, et de rencontrer ceux qui les font ! On m'a envoyée voir toutes les petites productions obscures que personne ne voulait plus subir jusqu'à ce que je ne rêve plus que d'effets spéciaux et d'explosions, puis on m'a confié des interviews – comme si j'étais qualifiée pour. En face de Fabrice Luchini et du feu d'artifice de son verbe, pendant trois bonnes heures en tête à tête dans une chambre du Crillon, je ne faisais pas le poids. Il m'a cernée d'instinct, avec mes ongles rongés. Pif, paf, en deux phrases impeccables, il a dressé mon portrait et j'ai ressenti l'envie d'inverser les rôles. Que ce soit lui qui me fasse parler de moi, moi, moi, moi, moi…

Et puis, à vingt-neuf ans, dans une impasse sombre, accablée par la perte d'un être cher et des histoires sentimentales chavirées, incapable de reprendre mes marques… la fuite pour Los Angeles. Mais à bien y regarder, c'est mon amour du vieil Hollywood qui m'a poussée à partir sur ses traces…

— Brad Pitt trouve James Gandolfini sexy ! Il trouve un garçon sexy, et ça le dérange pas que Jennifer Aniston aille avec des filles, hein ? Ça veut dire quoi ? Qu'ils sont bisexuels, tous ces gens ? Et vous trouvez ça normal, vous ? Ils font tout ce qu'ils veulent, et on doit trouver ça normal ?

Whoopi est tombée en panne. Pour de bon. Je suis la prisonnière d'un chauffeur de taxi obsédé par la couverture de *People Magazine*. Il agite ce torchon sous mon nez à chaque feu rouge. J'aurais dû prendre le bus. Sauf que prendre le bus à Los Angeles, mieux vaut y réfléchir à deux fois. Je dois trouver rapidement une autre voiture. Pardon, Whoopi.

Je tente de rassurer le chauffeur de taxi :

— Faut pas croire tout ce qu'on dit dans la presse, vous savez.

— C'est en couverture, ils inventent peut-être ?

— Croyez-moi sur parole. Les journalistes écrivent souvent n'importe quoi pour vendre du papier.

J'ai une faim de loup.

Je l'ai revu.

J'ai envie de beurre. J'ai envie de sel. Il me faudrait un bloc de sel à lécher. J'ai envie de dom pérignon. Je n'en ai jamais bu. Enfin je ne crois pas.

Je l'ai revu.

— Hé, quoi de neuf ?

Il m'est passé devant une première fois sans me voir. La neige fine de la désillusion m'a transformée en fantôme. Sans doute pour ça qu'il ne m'a pas vue : très peu de gens peuvent voir les fantômes. Devenue invisible, j'ai trouvé le courage de retourner au club de gym.

C'est là qu'il me tape sur l'épaule. Quel plaisir de me revoir ! Comme il regrette que je sois partie si rapidement la dernière fois. Sans cela, il aurait pu me dire qu'il était rudement flatté. Malheureusement, il sort déjà avec une jeune personne. Il ne pouvait donc décemment pas m'appeler. Il espère malgré tout que cet incident, décidément flatteur, ne va pas entamer notre « amitié ».

Je le vois articuler ces mots mais leur son ne me parvient qu'indistinctement. Je suis frappée par l'évidence. Depuis les échanges de sourires avec ce garçon à l'œil clair, ce ne sont pas des semaines qui se sont écoulées, mais des mois. Les arbres mauves ont laissé place à des arbres rouges, la saison des blockbusters à celle des remises de prix, les vents du désert, l'air cuisant de Santa Ana qui provoque à chaque fin d'été de gigantesques incendies, ont eu le temps de souffler. Et puis, à nouveau, le mauve des jacarandas et la charge des mammouths du box-office. J'ai cru avancer, mais seuls les autres trains étaient sur le départ. Une fois de plus, je suis restée à quai.

— Oh, oh, oh, de l'histoire ancienne, tout ça !

Je lui adresse un sourire trop grand, comme celui des perdants qui font bonne figure aux oscars. Satisfait, il me tape de nouveau sur l'épaule et va s'installer à plat ventre sur une machine à développer les quadriceps d'où je le vois lancer des œillades à une pin-up blonde et bronzée.

Sacré Burke.

Un autre jour, je le vois faire du plat à une rousse piquante. J'avale entière une barre protéinée au chocolat, telle une avaleuse de sabres. Bah, tant pis pour lui ! D'ailleurs, je me suis trompée. Burke ne ressemble pas du tout à Chris Isaak. Il ressemble à Chris O'Donnell. Après ça, je ne retourne au club qu'aux heures où je suis certaine de ne pas le trouver, en courbant un peu le dos.

— Je peux te poser une question ? Tu as quel âge ?

De dépit, j'ai accepté de boire un verre avec le Brésilien qui garde l'entrée du club de gym. Il ne me plaît pas, mais apparemment je lui botte bien. Je me suis dit, la vie est si injuste, donnons-lui une chance. J'ai fixé le rendez-vous chez Swingers.

— J'ai quel âge ? On vient de s'asseoir et c'est la question que tu me poses ?

Ce type est fou. Je le tue ?

— Je vais sur trente-trois, je dis quand même, avide d'un échange de paroles, aussi malheureux soit-il.

Quand j'étais petite, je me disais, en l'an 2000, j'aurais trente-trois ans. Et je m'imaginais avec un gros chignon et deux enfants déjà grands.

— Ah ! Très bien, très bien. Ah non, parce que t'en fais moins, hein.

Évidemment, CONNARD, *toutes mes fins de mois passent en rétinol !*

— Toi, tu fais pas trop brésilien, tu t'es bien américanisé, je rétorque.

Il me regarde, l'œil vide. OK, il a fallu que je tombe sur le seul Brésilien au monde à ne pas savoir y faire DU TOUT avec les femmes, il ne faut pas s'attendre à ce qu'il soit programmé pour l'ironie.

— Une camomille, s'il te plaît, il commande sans attendre que je choisisse.

Une camo… et qu'est-ce que je vais bien pouvoir commander, moi ? De l'éther ?

Il se rattrape :

— Vous en avez de la décaféinée ?

Le serveur tatoué jusqu'aux dents se gratte la tête.

— Hum, chuis pas sûr, non, j'crois pas.

— Tu sais, la camomille, par essence, c'est décaféiné, je tente de rassurer le petit homme qui me fait face et qui m'apparaît soudain tel qu'il est : tout gris.

Bon sang de m…, j'ai accepté de prendre une tisane avec la matérialisation de ma déprime !

Il me jette un regard suspicieux et demande de nouveau au serveur :

— Elle est décaféinée, ta camomille ?

Le serveur, qui en a vu d'autres :

— OK. Une camomille décaféinée pour le monsieur, et une Corona bien frappée pour la dame.

Là-dessus je me dirige vers les lavabos. Aussitôt, le petit homme gris se retourne pour vérifier à quoi ressemble mon postérieur dans un jean.

« Laisses-en un peu sur moi, je vais m'enrhumer[1]. »

Il ne m'a pas rappelée après ça. Faut dire que j'ai tout fait pour le décourager. Tout juste si je ne lui ai pas dit que je faisais du bénévolat dans une léproserie.

1. Eve Arden, dans *Le Roman de Mildred Pierce.*

13.

Boule de cristal et tremblement de terre

Quand on ne sait plus à quels saints se vouer, il reste toujours la solution de la voyante. Ma sœur et moi y avons parfois recours. Ce n'est pas que cela clarifie notre avenir, mais la simple confirmation par un tiers que l'on possède bien un futur réchauffe le cœur. Notre voyante habite Paris, et je décide de lui fixer un rendez-vous téléphonique, malgré les neuf heures de décalage horaire.

— Ouh ! là, là, votre sœur est entourée d'eau, dit-elle.

— C'est vrai ! Elle habite une île.

— C'est ce qu'on me dit, oui… Hum… Vous ouvrez des portes, toujours de nouvelles portes. Elles ouvrent sur d'autres portes fermées… Ouh ! là, là, vous êtes mal entourée. Il vous faut du changement, beaucoup de changement ! Je pourrais vous hypnotiser ! Les gens n'y pensent jamais : l'hypnose est le moyen le plus simple pour se débarrasser d'un ancien petit ami, d'un passé, de ce que l'on veut ! Pensez-y !

Voilà déjà une demi-heure qu'elle enchaîne les prédictions, cela fera quatre-vingt-dix dollars.

Je lui donne mon numéro de carte bleue.

— Ouh ! là, là, vous êtes endettée ! me lance-t-elle comme si elle lisait mon dernier relevé bancaire. Ne vous inquiétez pas, j'ai fait un peu de forcing par la pensée et votre banque a accepté cette petite dépense. N'oubliez pas : l'hypnose !

Dix minutes plus tard, coup de fil de ma banquière, perplexe : alors que mon compte est bloqué pour découvert non autorisé, quelqu'un vient de réussir à débiter quatre-vingt-dix dollars. Suis-je au courant ?

Les voyantes, il vaut mieux prendre ce qu'elles disent pour argent comptant, autrement ça ne sert à rien de les consulter. J'ai beau avoir refusé l'hypnose, si elle me conseille de changer, je change : de voiture (*bye* Whoopi), de maison… Faire peau neuve ! Après avoir pesté au quotidien contre la prolifération en ville d'énormes 4 × 4 arrogants consommant des tonnes d'essence, je me laisse convaincre par un vendeur de voitures plus malin que les autres, et tape dans mes économies pour repartir au volant d'un petit 4 × 4 à la carrosserie reluisante.

Histoire d'apprendre à aimer mon acquisition forcée, je la baptise Ava. Dans le rétro extérieur d'Ava, défilent les palmiers. Toujours les palmiers. J'ai lu dans le *L.A. Times* que la moitié de ces monuments historiques végétaux seraient menacés par un champignon prédateur. Devant ma nouvelle maison, s'élèvent les plus hauts palmiers que j'aie jamais vus. Ce sont mes sentinelles.

Mes seuls amis.

J'habite désormais sur l'autre versant de l'avenue de Melrose, encore moins urbain, encore plus fleuri. Lorsque j'ai vu la logeuse agrafer une annonce sur un poteau de téléphone en bois, j'ai couru me présenter. J'en avais ma claque, de mes voisins : la nymphomane, des surfeurs gays fumeurs d'herbe et un nazi amateur de techno hardcore, *basta*. Quand je suis allée trouver les propriétaires pour les avertir de mon départ, ils étaient en train de faire visiter un studio en face de mon appartement.

— Là, vous avez Juliette qui est très gentille... Elle est *tellement* gentille !

Le futur locataire avait l'air content à l'idée de vivre à côté de quelqu'un de « gentil ». Je suis sortie de mes gonds comme si on venait de proférer la pire des insultes :

— Non, je ne suis pas gentille ! Non, je ne suis pas gentille !

Ma nouvelle propriétaire, Californienne de souche italienne, a été manager des Gogos, *girlsband* des années 1980 qui lui a rapporté assez pour vivre de ses rentes. La location de l'aile ouest de sa propriété et celle de la petite maison d'amis au bout de l'allée lui servent à s'approvisionner en huile de truffe et en vin haut de gamme, et à briquer sa Jaguar. Une bourgeoise accorte, comme je les attire. On sympathise. Ma nouvelle cachette ressemble à une maison de poupée. Un cottage en bois blanc ouvrant sur une jungle bercée par le bruit de suçon des jeunes écureuils jouant dans les caoutchoucs et par celui des branches de bananiers qui crissent comme des mâts de bateau. Un bonheur exotique rarement entamé par le couple avec lequel je partage le jardin : un avocat épais et une styliste anorexique qui ne se risquent à l'air libre que pour s'engueuler violemment après leurs virées du week-end arrosées au Red Bull-vodka. Des engueulades qui finissent toujours sur l'oreiller, si j'en crois le changement de ton qui s'opère inéluctablement après une heure d'insultes corsées.

— Bonjour, comment ça va aujourd'hui ? me demande la voisine les lendemains de bagarre.

Physique à la Liz Hurley et voix de petite fille, elle s'étire de bien-être sur son palier, malgré son œil au beurre noir qui rehausse encore son regard de chatte.

Ben, ça va pas aussi bien que toi...

Depuis quelque temps, l'euphorie des médicaments s'est estompée. Les effets des molécules, en se télescopant, ont dû s'annuler. Je me sens comme anéantie, parfois tétanisée, prostrée sans raison. Notez, j'arrive encore à me faire rire. Par exemple, je pouffe en me revoyant terrée chez moi l'autre jour, à filtrer les messages de Jennifer Jason Leigh qui, fait rarissime, voulait absolument être interviewée (pour *The Anniversary Party* qu'elle a coréalisé). « Bonjour, c'est à nouveau Jennifer Jason Leigh. L'actrice. New Line m'a donné votre téléphone en me disant que vous seriez intéressée par mon film. J'espère que je ne vous dérange pas trop... J'essaierai à nouveau ce soir. » Et moi, à côté du répondeur, folle, les poings serrés, espérant que Jennifer Jason Leigh arrête de me harceler, à la fin !

Surtout, et j'en ai honte, je suis plus démotivée que jamais.

— Ah, il faut me serrer la main plus fort, il faut me donner de l'énergie ! m'a sermonnée Jackie Chan en pleine séance photo, pour m'inculquer un peu de sa formidable force de vie.

J'ai beau essayer de suivre les conseils du maître en arts martiaux, rien n'y fait : sitôt revenue à mon lopin de terre, je retourne à ce que je sais faire de mieux, perdre mon temps. Je m'y applique avec un mélange de méticulosité, de conscience et de panique qui frise le grand art. Faisant tout à la dernière minute, essoufflée, abattant les activités d'une semaine en une journée. Bien entendu, c'est toujours ces jours-là que mes connaissances se rappellent à mon bon souvenir. Je dois leur expliquer que je suis trop débordée pour les voir, et le pire, c'est que je ne mens pas.

Je suis justement à la fin d'une de ces journées effrénées. J'ai fini de courir dans tous les sens plus tôt que prévu et je passe la soirée à surveiller mon plafond attaqué par des colonies de termites. Les insectes sont apparus peu après mon emménagement. Une mauvaise surprise. En même temps, à force de suivre leur manège, on s'y attache. Je m'arrache à ma contemplation : je dois rédiger un dossier sur l'état des lieux d'Hollywood, dû depuis deux jours.

Je relis mes notes et elles ne me plaisent pas. Elles finissent en une grosse boule de papier froissé avec laquelle les chats jouent pendant vingt minutes, avant de stopper net, l'air de dire : « À quoi bon ? » Après avoir dîné de deux avocats au café et avoir été un peu malade – il restait du Nescafé sur la petite cuiller, et s'il y a bien deux choses qui vont mal ensemble, c'est l'avocat et le café en poudre –, je m'assoupis et Jackie Chan m'apparaît dans un kimono phosphorescent.

— Il ne faut pas t'affoler, me dit-il, sentencieux, dans sa langue natale. Ce dossier ne demande qu'à être écrit. Ne passe pas tes journées à ne pas faire ce que tu rêves de faire. Rassemble tes idées et ton courage : le flot jaillira. Le temps, il suffit de l'organiser. Le temps est précieux, tu ne dois pas le gâcher.

— Jackie ? je fais en me réveillant, toute pâteuse.

Le réveil indique seulement dix-neuf heures. Tout à coup, les termites au plafond m'apparaissent comme des ennemis dangereux. À éradiquer au plus vite. Ma propriétaire s'étant absentée quelques semaines, j'appelle un exterminateur qui promet de venir demain à l'aube. À l'entendre, ma vie dépend désormais de lui.

La nuit ne fait que commencer, j'ai le temps de travailler. Je m'envoie un demi-Red Bull, transforme mon lit en bureau, mon ordinateur portable bien calé entre des coussins… et ne tarde pas à m'endormir en rêvant de veau froid à la moutarde…

À Los Angeles, tout le monde a une lampe de poche à disposition sur sa table de chevet. Il y a une raison ! Je me réveille dans la panique la plus totale : par tous les saints d'Hollywood, un géant est en train de frapper du poing sous les fondations de ma maison de poupée, la chambre bascule, aaaaaah ! la coque du *Titanic* se retourne, tout vibre à l'intérieur de moi. Tout redevient normal. Et si c'était un cauchemar ? Je braque le faisceau de la lampe de poche sur les chats en état d'alerte, enfile une paire de baskets, attrape mon kit de secours dans le placard. Pas de doute, le sol a bougé. Ça peut recommencer d'une seconde à l'autre. Au moment où je me précipite pour allumer radio et télé, les murs gondolent à nouveau un grand coup. Un vase tombe et se brise, puis plus rien. Les chats viennent se coller contre mes jambes toutes tremblantes. Je reste comme ça je ne sais pas combien de temps, jusqu'à ce qu'on frappe à ma porte.

Je découvre le visage rieur du Cow-Boy.

— Ça va ? Rien de cassé ?

Il rit ! Je me jette contre lui.

— Eh ben, eh ben, tu vas pas me dire que la crise de nerfs de cette grosse idiote de Terre t'effraie à ce point ? T'as écouté la radio ? Rien à craindre. C'était dans le désert. T'as mangé ? T'as pas du vin ? On va se faire un casse-croûte et on se recouche ? La pire chose qui puisse t'arriver maintenant, c'est de me trouver dans ton lit demain matin. Tu crois que tu peux supporter ça ?

Je brandis une bouteille de vin mise de côté pour les grandes occasions, ornée d'une étiquette avec la photo de Marilyn Monroe.

— Reste autant que tu veux ! je m'écrie.

Il est déjà en train d'inspecter mon frigo.

— Tu fais jamais de courses ?

— Si j'achète à manger, je bouffe tout aussi sec. Mais il doit rester des œufs, je crois.

— Hum, deux œufs, du persil, un Slim Fast… Sortez avec une Française, qu'ils disaient !

— Je te rappelle que nous ne sortons plus ensemble…

Il joint les mains en regardant vers le ciel.

— Et merci pour ça, toi là-haut qui écoute, merci.

— Hé, c'est moi qui ai inventé ça. C'est moi qui remercie les dieux chaque jour !

Le Cow-Boy se retourne vers les chats, qui semblent heureux de sa présence dans ma maison de poupée.

— Et vous, mes pauvres minous, qui devez vivre tous les jours avec la sorcière de Blair[1]…

1. Référence au titre de film *The Blair Witch Project.*

— Sans moi, ces chats seraient dans le caniveau ! je lui rétorque en attrapant le gros matou dans mes bras.

— Des œufs… T'as du lait. De la farine ? reprend le Cow-Boy en cherchant une idée culinaire.

Il veut des crêpes ! Nous en confectionnons une jolie petite pile avec une rapidité qui me paraît irréelle. La bouteille Marilyn Monroe aidant, le Cow-Boy se met à parler. Il me raconte son début d'histoire amoureuse avec une fille qui s'est révélée aussi dingue que Glenn Close dans *Liaison fatale*. Depuis qu'il s'en est séparé, elle ne cesse de le harceler. Qu'il soit tombé sur une tordue affaiblit un peu l'aiguillon de la jalousie. Je lui dis de ne pas s'en faire. Je me garde de lui raconter mes propres mésaventures.

Nous partageons finalement un sommeil réparateur jusqu'à six heures du matin, heure à laquelle il prend son service dans un hôtel situé près de chez moi. Un nouveau petit boulot à mi-temps pour lequel il doit se plaquer les cheveux en arrière et porter une cravate, ce qui lui donne encore une fois l'impression d'un rôle de composition.

— J'aime ton visage le matin, avant que tu ne mettes ton masque de méchanceté, me lance-t-il en repoussant une mèche de cheveux derrière mon oreille.

Je souris. Il a allumé la télé. On déglutit un café amer devant les infos. George Bush et Al Gore entament leurs campagnes électorales. Le dollar monte. Le monde est mal fichu, toujours plus malade. Pas de doute, on va bien être jeté dans le nouveau millénaire comme des chrétiens aux lions. Et c'est le bug de l'an 2000 qui va entamer les hostilités. Mais le tremblement de terre de la nuit, surtout, fait bien marrer les présentateurs locaux.

Un jour, toute la Californie sera engloutie, avec ses présentateurs télé ringards, ses riches, ses pauvres, ses stars, ses coyotes, ses serpents à sonnette, et ils continueront à rire, avec cette perpétuelle dénégation de la réalité qui rend l'ouest des États-Unis si agréable à vivre.

Je tente de retenir le Cow-Boy :

— Y a des fois, je me demande si je vais pas prendre mes chats sous le bras et retourner en France. Qu'est-ce que j'essaie de prouver, si loin, si seule, à quoi je cherche à échapper ?

— Tu sais, il y a trop de combats dans le monde pour en plus en livrer un avec toi-même. Peut-être que tu devrais penser pour de bon à rentrer si cela peut t'apporter des réponses…

Ce qu'il m'énerve à ne pas vouloir m'empêcher de partir.

Là-dessus, le carillon du portail retentit.

Nous avons un mouvement de recul en découvrant la version mexicaine de Robert De Niro dans *Les Nerfs à vif.*

— Hé, je les sens… venez, mes coquines, montrez-vous !

L'exterminateur renifle dans tous les sens.

— Tu l'as trouvé où, celui-là, à la prison de South Central ? me chuchote le Cow-Boy.

Je le supplie de ne pas me laisser seule avec ce type. Trop tard, il doit partir au boulot. Avant de nous dire au revoir, nous mettons les choses au clair :

— Cette nuit, c'était juste entre amis, hein.

L'exterminateur nous interrompt en dévidant des kilomètres de tuyau noir hors de sa camionnette.

— Ne vous pressez pas, les tourtereaux, je dois déballer mon matériel.

Je m'accroche à la portière du Cow-Boy.

— C'est juste... Y a des fois, je sais plus si je veux rester, mais je sais pas si je veux partir non plus. Je ne suis pas chez moi ici, et je ne suis plus chez moi en France, je suis à la dérive, sur mon propre continent personnel...

Est-ce que je reste à Los Angeles pour le Cow-Boy ? Ne faut-il pas quitter cette ville fantôme au plus vite, avant qu'il ne soit trop tard ?

— À toi de savoir vraiment ce que tu veux, me lance le Cow-Boy en enclenchant le contact.

Voilà. Juste ce que je ne voulais pas entendre.

Je retourne voir l'exterminateur, qui possède une paire d'yeux noirs terrifiants, exorbités dans sa tête de termite. Il n'arrête pas de parler : il a fait de la taule parce qu'il a tabassé un type dans un bar à Tijuana, mais il compte bien se racheter une bonne conduite avec sa petite entreprise volante, et mettre assez d'argent de côté pour payer la pension alimentaire de ses deux ex-femmes et envoyer ses filles dans une école en Suisse. Elles s'appellent Brittany et Candie, du nom de deux strip-teaseuses qu'il a connues dans le temps. Il sort leurs photos.

Une moitié de mon cerveau tente de trouver une solution pour se débarrasser de ce nettoyeur. L'autre moitié pense à la nécessité d'être compréhensive et de rencontrer de nouvelles personnes.

Et si je prenais des cours de salsa ? Non, déjà fait (vous pouvez vérifier). La seule célibataire au milieu de tous ces couples... No thanks... *Des cours de poterie ?*

L'exterminateur fait couler un liquide toxique à l'intérieur d'une sorte de gouttière qu'il a installée derrière ma baignoire. Il s'arrête dans sa manœuvre.

— C'est à toi ces capsules ? dit-il en se penchant en avant.

Mes médicaments nagent dans le liquide : ils ont dû être propulsés par terre par la secousse sismique. Je les regarde se dissoudre dans le poison. Et voilà : plus d'antidépresseurs, plus de termites, plus de Cow-Boy. Plus rien qu'un sol en colère sous mes pieds.

L'exterminateur remballe ses outils de torture.

— Salut tout le monde. C'est triste, mais on se reverra plus : là où je passe, les termites repassent pas. Sauf si des fois tu t'ennuies un soir, hein ? J'ai eu une maîtresse qui venait de Montpellier. Elle était pas timide, je peux t'jurer. Tu viens pas de Montpellier, toi, des fois ?

Il me laisse sa carte.

Pfiou…

Savoir que j'ai évité de finir dans les décombres d'un tremblement de terre, ou trucidée par cet ancien taulard, m'insuffle le sursaut d'énergie dont j'avais besoin pour m'acquitter de mon article.

Une fois mon papier e-mailé en fin de journée, je vais m'aplatir contre l'un des deux palmiers devant chez moi. Le vent soulève les palmes par en dessous, les fait doucement bouffer, caresse d'amour dans des cheveux de femme. De l'autre côté de la rue, j'aperçois la vilaine trogne d'un vieux Français qui m'épie derrière son rideau.

Le fait est, je ne peux pas passer la soirée contre ce tronc. Je me décide à aller au club de gym où je tombe nez à nez avec mon ancien *crush*. Il me fait un petit signe de loin, sûr de son effet, et ça me frappe au plexus : l'ex-objet de mon affection ne ressemble pas à Chris Isaak, ni même à Chris O'Donnell, mais bien à George Bush !

Beurk !

Je célèbre cette révélation en m'enrôlant au cours de Power Sculpt qui vient de commencer. Nous sommes une dizaine de filles, toutes semblables dans le grand miroir de la salle. Alors que nous nous aidons de barres individuelles pour faire des jetés battus, je nous imagine toutes enfourcher les barres comme des balais et nous envoler en traversant le club avec des rires de fée Carabosse.

Bonne année, ha, ha, bonne année !

Et c'est comme ça, à califourchon sur un balai de sorcière, que j'ai rejoint le vingt et unième siècle. Bush a pris le pouvoir, le bug informatique n'a pas eu lieu et les acteurs n'ont pas fait de grève générale. Le côté obscur de la force a un peu plus étendu son ombre sur la planète. Pour être honnête, si j'avais vraiment eu un balai magique, j'aurais préféré me retrouver au siècle dernier qu'au suivant.

Je devais avoir un pressentiment…

14.

« La vie se comporte parfois comme si elle avait vu trop de mauvais films »

Humphrey Bogart,
La Comtesse aux pieds nus

Deux jours avant d'être marqués au fer rouge par le 11 Septembre, le Cow-Boy et moi avons revu *Tant qu'il y aura des hommes*. Il faut dire que le Cow-Boy étudie Frank Sinatra pour une pièce qu'il joue à Pasadena – une de ces miniproductions comme il en existe des centaines à Los Angeles. Il y campe Frank « Blue Eyes » Sinatra lui-même. Ça lui va pas mal, le rôle de Frank Sinatra, sauf qu'il ne sait pas pousser la chansonnette. En revanche, il maîtrise bien l'harmonica, sans doute pour parachever sa panoplie de cow-boy, et entonne toujours un petit air avant de rentrer en scène pour tuer le trac. J'aime aller le voir jouer à Pasadena, et j'ai immédiatement accepté de visionner avec lui les films de Sinatra pour préparer son rôle, bien contente d'avoir trouvé ce prétexte pour pouvoir regarder tout un tas de vieilleries que j'adore, et en compagnie amicale qui plus est.

Car avec le Cow-Boy, c'est le début d'une belle amitié. Si, si, ne riez pas. Une véritable amitié, sans ambiguïté.

— Et si, pour une raison ou une autre, je devais repasser la nuit chez toi, je dormirais par terre sur ton matelas gonflable. La situation doit être saine, m'a-t-il déclaré l'autre jour.

J'ai trouvé ça très intelligent.

Pour le moment, on sirote un thé désintoxiquant dans le jardin zen d'Elixir, au bout de ma rue, cernés par des enfants gâtés d'Hollywood qui braient dans leurs portables. Le Cow-Boy se demande comment toute cette population d'assistés qui nous entoure réagirait si un événement grave frappait le pays.

— Mal, ou pas du tout, je fatalise.

Depuis que j'ai entendu, gamine, les adultes discuter des prédictions de Nostradamus, je m'attends au pire.

— J'aurais dû m'enrôler quelques années dans la marine comme Gene Hackman ou Harvey Keitel, lance le Cow-Boy avant de partir à ses répétitions.

Je traînasse un peu dans le quartier. Je ne suis pas mal, là, pour attendre la fin du monde. Revenue à ma maison de poupée, je me connecte à ce foutu Internet.

— Vous avez du courrier, m'informe l'ordinateur.

Si cette machine croit m'impressionner. C'est une bafouille de l'Ermite, qui a découvert un site formidable sur les grillons : il comprend enfin la psychologie de ces bêtes infernales qui l'empêchent de dormir depuis des semaines.

— Au fait, chère Cyber J, conclut le mail, bien des choses à Tim Burton quand tu le verras…

… La plaisanterie court depuis que mon magazine a demandé à la Fox sa coopération pour un « spécial Tim Burton », coïncidant avec la sortie de *La Planète des singes*. Demande qui est passée par toutes les étapes, avant de revenir à son point de départ. J'ai essayé de comprendre quel ressort coinçait en m'adressant d'abord à ma vieille copine gentiment sourde de la Fox.

— Un « spécial Tim Burton » ? Mais c'est une excellente idée ! m'a-t-elle rétorqué.

Elle m'a ensuite orientée vers les « Laurel et Hardy » de son département, deux attachés de presse aussi disparates que possible : un petit toujours l'air sous calmants, tandis que le grand semble sous *speed*, parlant avec un débit à rendre Martin Scorsese jaloux. Au mot « singes », le tandem m'a mise en relation avec leur supérieure, une blonde filiforme épuisée par le système.

Pleine de compréhension, elle a juré d'obtenir le précieux *one-on-one*, et de récupérer des documents destinés à l'illustration de notre numéro spécial. Je lui ai rappelé sa promesse matin et soir.

J'ai persisté même après que, à la fin du *junket* newyorkais, elle m'a annoncé en se tordant les mains que Tim n'aurait pas le temps de me voir en tête à tête ; les choses n'avaient pas fonctionné comme prévu, bla-bla-bla… Le cinéaste ayant failli m'arracher les yeux en interview de groupe lorsque j'avais mentionné la pression exercée sur le film par le studio, je pouvais aisément imaginer quel type de dysfonctionnement avait pu se produire.

— J'ai juste besoin de lui parler de ce que le magazine veut faire avec lui, et de le faire réagir sur cinq ou six questions précises ! avais-je argumenté.

— Peut-être ce soir à la première, m'a accordé la publiciste comme si elle venait d'avoir une idée de génie.

Si elle espérait ainsi se débarrasser de moi, elle se fourrait le doigt dans l'œil. Je ne suis pas souvent motivée, mais lorsque je le suis, rien ne peut m'arrêter. Aussi, le soir de la fête de la première, j'étais là, nez à nez avec elle. Elle ne pouvait pas m'échapper. Elle a pourtant cru me semer en se cachant dans l'espace réservé à l'équipe du film. Seulement, papillonner devant le cordon d'un carré VIP, ça fait partie de mon éventail de compétences. J'ai aperçu Tim Burton faire non de la tête alors que j'acceptais une danse avec un type en costume de gorille : un figurant appartenant au décor coûteux de cette soirée jungle montée au cœur de Time Square…

Si l'épisode amuse toujours l'Ermite, c'est surtout parce que depuis, chaque fois que je croise la publiciste de la Fox, elle me fait de loin un petit signe du genre : « Tout est sous contrôle. On te tient au courant dès qu'on a du nouveau pour Tim Burton. »

Et puis, un matin, les plaisanteries, le cynisme et toute la planète Hollywood volent en éclats.

La Mort en direct[1].

Comme tout le monde, je compare les attaques du World Trade Center aux films d'action hollywoodiens.

1. Titre d'un film de Bertrand Tavernier, avec Romy Schneider et Harvey Keitel.

Du monstrueux naît un petit miracle : durant une semaine, la télévision supprime entièrement le matraquage publicitaire ; les présentateurs n'aboient plus, ils parlent ; les informations ne ressemblent plus à des bandes-annonces de films à sensation, mais à des nouvelles dans lesquelles vont jusqu'à apparaître des images d'autres pays du globe. La communauté d'Hollywood se rebâtit une raison d'être avec le rassemblement télévisé des plus grosses stars du show-biz et le soutien moral qu'elles apportent aux victimes.

God bless you, God bless America.

Un souffle de dignité réchauffe les esprits en état de choc. Derrière les pleurs, une ère nouvelle, l'ère de la sagesse et de la réflexion sur le monde semble prendre forme. Amour et bonté aident à panser la plaie…

Mais plus dure sera la chute. L'apologie du Bien n'aura fait que servir de tremplin au pire. La phase de deuil passée, c'est la grande bouffe des médias : les présentateurs postillonnent le mot « terroriste », l'agrafent dans les cerveaux traumatisés. Terroriste, terrorisme, TERREUR ! Chaque jour, la menace éventuelle d'une autre attaque a une nouvelle couleur dans un rectangle en bas de l'écran de télé. Un arc-en-ciel raccourci : ça va du vert – les souris dansent – au rouge – risque sévère signifiant qu'une frappe est imminente. Médias et gouvernement, sauvagement accouplés, ont trouvé leur cheval de bataille : légitimer la barbarie. Exploitant chaque lettre du mot « patriotisme », poussant l'Empire à réclamer la guerre. Cet endoctrinement soulève des vagues de protestations, mais les braves qui osent s'insurger sont lynchés, qualifiés de traîtres. Toute parole à rebrousse-poil devient antipatriotique. Déboussolée, je regarde l'histoire se dérouler sous mes yeux comme un générique d'ouverture de *La Guerre des étoiles*.

— Mords-moi, je dis à mon chat, en tombant sur une émission spéciale à la télévision qui expose les risques d'une attaque bactériologique.

On y montre entre autres comment isoler sa maison avec du gros scotch résistant.

— Et si vous avez de vieilles serviettes, de vieux draps, ne les jetez surtout pas. Voici comment faire : vous prenez un vieux drap, vous le coincez sous la porte cooomme ceci…

Entre deux reportages sur le Moyen-Orient exploitant toujours les mêmes documents d'archives montrant des enfants armés jusqu'aux dents, on y apprend aussi à utiliser un masque à gaz (accessoire toujours glamour). Étourdie par ces délires sécuritaires, je décide qu'il vaut mieux éteindre la télévision pour préserver ma santé mentale. Poussée à bout, je prends l'héroïque décision de résilier mon abonnement au câble. Je serai abrutie – peut-être –, mais pas par la télévision.

Depuis, je n'ai plus la télé. Je me garde bien de faire part de cet acte de sabotage. Une journaliste, par essence, regarde la télévision.

Plutôt que de me soucier d'être pulvérisée par une attaque bactériologique, je préfère dépenser l'argent de mon abonnement au câble chez l'esthéticienne.

Que sera sera[1]. Au vu des résultats, cependant, je me demande si je n'aurais pas mieux fait d'investir dans un

1. Chanson interprétée à plusieurs reprises par Doris Day dans *L'Homme qui en savait trop*.

masque à gaz. Mon spécial Diamond Peel n'a pas été concluant. Une semaine plus tard, je pèle et plisse encore, et n'ai rien d'un diamant. Salma Hayek, en revanche, me faisant face, étincelle de tous ses carats naturels. J'ai obtenu un *one-on-one* avec elle pour *Frida*, film qu'elle défend bec et ongles.

Il faut dire que *Frida a* reçu un accueil manquant d'enthousiasme lors de la projection. Alfred Molina, qui joue Diego Riviera, vend la mèche durant sa conférence de presse : réalisatrice et acteurs sont arrivés une heure et demie en retard au *junket*, après que le marketing de Miramax leur a fait subir un briefing à l'étage au-dessus.

— Ils nous ont expliqué sous quel angle nous devions vendre le film. Dommage que vous n'ayez pas pu assister au meeting, c'était très instructif sur la façon dont fonctionne Hollywood, s'amuse le grand acteur anglais, pas langue de bois pour un sou.

Salma, elle, est irritée. Peut-être parce que cinq heures de l'après-midi viennent de sonner et qu'elle n'avale jamais rien après quatorze heures. Je la comprends. Si on m'obligeait à ne plus rien manger après le déjeuner, jusqu'au lendemain matin, je serais de TRÈS mauvaise humeur. Recroquevillée dans son fauteuil, toute petite malgré ses formes de vamp de Tex Avery, elle tire par goulées sur sa bouteille d'eau aux piments – sa potion magique – en élaborant un long discours sur son amour pour le personnage de Frida Kahlo.

— Oui, vous êtes passionnée par Frida, il n'y a pas de doute, mais..., dis-je en l'interrompant pour caser une question.

Elle me dévisage comme si j'étais la petite sœur de Freddie Kruger. La lumière crue associée à mon Diamond Peel raté me font suinter comme un vieux légume.

— Vous avez des enfants ? me pique-t-elle. Parce que peut-être que si vous aviez des enfants, vous comprendriez quelle sorte d'amour je possède pour la Frida que j'incarne, de son adolescence à…

Je la coupe :

— Justement, vous n'avez pas eu peur d'être un peu trop âgée tout de même, pour jouer Frida à treize ans au début du film ?

Nous finissons l'interview sous tension, en chipies prêtes à se tirer les nattes.

Après la stupeur des attentats, le travail a donc recommencé à Hollywood. Non pas que l'Industrie se soit jamais arrêtée : pendant des mois, la machine a simplement pris plus de pincettes avec les sujets liés à l'actualité, a mis en *stand-by* ses projets jugés trop « explosifs » et créé de vagues cellules destinées à aider la lutte contre le terrorisme.

Naturellement, il faut prévoir davantage de temps lorsque l'on se rend aux projections. Papiers d'identité passés au crible, voiture inspectée avant l'entrée aux studios, coffres fouillés… Je n'arrive jamais à ouvrir celui d'Ava, mon nouveau petit 4 × 4, dont les portières arrière sont depuis peu bloquées. Le garde doit enjamber le siège du mort et, devant le bordel anthologique de mon véhicule, a toujours un grand geste agacé, l'air de dire : « Circulez, on n'est pas au zoo, ici. »

Mais on s'habitue à tout. Bientôt, les attentats seront routiniers, pathétique réalité annoncée dans *Brazil*. Et, de la même façon qu'on trouve naturel d'ôter ses chaussures avant l'embarquement dans les aéroports, on accepte bon an mal an de se faire peloter par deux types de la sécurité avant d'aller voir un film.

La vie poursuit son cours. Le biorythme impitoyable de la machine à rêves a même repris avec plus d'ardeur, stimulé par le besoin d'évasion des citoyens ayant succombé à une indigestion de réel. Dans les foyers, seul le mirage de la téléréalité fait maintenant recette. Foutus postes de télévision branchés partout en permanence depuis la date maudite.

Big Brother vous regarde.

Aujourd'hui, drapeau jaune à la météo du terrorisme. Promesse de catastrophe, mais on peut tout de même sortir claquer de l'argent aux quatre vents des centres commerciaux – c'est même encouragé.

Lasse de voir toujours les mêmes têtes alors que le monde entier crie au changement, je me suis inscrite dans un nouveau club de gym. Chez Equinox, antenne du club chic et choc new-yorkais, des écrans de télé sont suspendus partout. Je peux me tenir informée tout en suant à grosses gouttes.

Un matin, alors que je pédale comme une dératée au côté d'un blond aux yeux d'acier qui répète à voix haute son dialogue de *Minority Report*, une émission consacrée à l'agroalimentaire aux États-Unis montre des avions qui bombardent les champs avec du pesticide. Des autoroutes de fumée chimique s'abattent sur la terre meuble, abreuvent ses sillons.

— À mon avis, c'est de là que vient la vraie menace, je lance à la ronde.

Cela ne fait rire que moi. De toute façon, mieux vaut me la jouer modeste. Le *Made in France* n'est plus à la mode : comment les Alliés libérés du joug nazi en 1945 peuvent-ils refuser d'aider leurs sauveurs à entrer en guerre avec l'Irak ? La situation mondiale aurait-elle évolué depuis soixante ans ?

— J'adore la France, je vais passer mes vacances au cap Ferrat. Ce sont les Français qui n'aiment pas les Américains, je ne sais pas pourquoi, boude le producteur de *Matrix*, Joel Silver, durant notre tête-à-tête.

« Le Texas est plus grand que la France », clame un sticker collé sur le coffre d'un 4 × 4 menaçant.

C'est sans doute vrai.

En période d'élections ou de crise, c'est aussi par l'automobile que s'expriment les opinions politiques. Les antennes se parent de drapeaux américains ; les pare-chocs, de slogans patriotiques, ou au contraire subversifs : « Au Texas, un village a perdu un idiot », « *Fuck Bush* », « Bush Satan », « Plus de *Bush-shit* à venir », « J'aime mon pays, c'est mon gouvernement que je redoute. » Mon préféré : « Frodon a échoué. Bush a l'anneau. »

Le Cow-Boy m'a appris une réplique à l'attention de ceux qui pourraient me reprocher d'être française :

— Hey, *scumbag*, à ton avis, qui a financé la révolution américaine ?

Mais je n'ai jamais eu à m'en servir. Ce que j'ai eu à reprocher jusque-là aux Américains, c'est plutôt leur excès immédiat d'enthousiasme et de gentillesse (ils ne peuvent pas faire la gueule, comme tout le monde ?), ainsi que leur obsession du froid (air conditionné, glaçons) et leur façon d'apostropher tout groupement de personnes par *guys*. Le prochain qui me dit « *you guys* », je lui mets un coup de boule !

Pour le reste, les clichés nationaux continuent d'apparaître dans les films et les dessins animés : les Français sont des paresseux qui ne pensent qu'à baiser et manger, aiment Jerry Lewis et ne se lavent jamais ; les Américains restent des gosses qui ne pensent qu'au fric, parlent fort et n'ont pas de manières. La France ne fait rien pour encourager la réussite ; l'Amérique est entièrement dédiée au succès. Et qu'il y ait du vrai dans tout ça n'est pas la question.

Pendant ce temps, à la cafétéria du Congrès américain, les *french fries* sont rebaptisées *freedom fries !* Le politicien qui se cache derrière cette grande idée l'a eue mauvaise quand les Américains ont finalement appris que les frites étaient d'origine belge. Avec le temps, bien sûr, le sentiment antifrançais tourne en eau de boudin.

Même les éboueurs, en grève depuis des semaines et que je soupçonnais de me boycotter délibérément, sont de retour.

— Salut ma p'tite dame, pas mal, le soleil aujourd'hui, hein ? Allez, passez une super journée !

— Salut ! Oui, je vais passer une super journée ! Et vous aussi, hein ! Passez une journée extraordinaire !

Lorsque je veux, je peux vraiment sonner comme une Américaine.

— J'y manquerai pas, et à vous, une journée merveilleuse et spéciale, ma p'tite dame !

— Non, à VOUS, m'sieur, une journée merveilleuse et spéciale !

Sur son perron, mon voisin d'en face, ce vieux Français fouineur qui a accroché une bannière étoilée à sa fenêtre, me regarde avec un air désapprobateur.

— Une très bonne journée à vous aussi, je lui crie avec l'envie de lui faire un bras d'honneur.

— Comment voulez-vous qu'on puisse passer une bonne journée à mon âge, avec tous mes soucis ? C'est stupide !

Il me tourne le dos et rentre chez lui en maugréant. Je me sens plus vidée que mes poubelles. En les faisant rouler dans l'allée pour les rentrer, elles m'apparaissent aussi lourdes que ce sentiment de désincarnation – comme s'enfoncer dans un écran de cinéma vide – qui vous prend parfois à la gorge à Los Angeles, au point de vous étrangler.

15.

Recharger les batteries

Et puis un jour je me réveille, et j'ai trente-cinq ans.

Glacée par le sang-froid de la nouvelle Amérique du Nord, je suis allée me réchauffer au coin du feu chez mes parents, histoire de recharger mes batteries.

— Je m'en fiche pas mal, moi, qu'on soit français ou américain. Tout ça, c'est de la politique, ronchonne l'agent de sécurité d'United Airlines à Los Angeles.

Il regarde sur mon passeport à deux reprises le Photomaton pris il y a cinq ans.

— C'est vous, ça ?

— Faut croire.

La même, ou presque : plus de cernes et moins de seins.

Il me lance un regard suspicieux et j'en suis pour une fouille en règle. À mon arrivée en France, même topo.

— On saque tout ce qui vient des États-Unis, m'explique-t-on à la douane de Paris, en coupant les bolducs qui entourent la verroterie que j'ai rapportée pour amadouer ma tribu.

Dans la salle d'embarquement pour le vol de Nice, une annonce prévient que l'avion sera retardé. Les passagers forment aussitôt une queue et attendent ainsi, serrés et inquiets comme si on allait leur piquer leur quatre-heures. La guerre, nous l'avons eue sur notre sol. Ça laisse des séquelles.

Comme toujours, ce passage en France me fait du bien, mais j'ai bizarrement le mal du pays. Car, finalement, chez moi, c'est là-bas, à Los Angeles. Certains de mes amis me regardent du coup comme si j'étais une extraterrestre : pour eux, les Américains sont des fachos en tout genre, et ils n'en démordent pas. « Leur » Amérique, c'est celle des laissés-pour-compte et des contradictions humaines. Celle de David Lynch, de Jim Jarmusch ou de Sam Shepard. Celle, plus sophistiquée et urbaine, de Woody Allen. Pourtant, cette Amérique-là n'est pas plus marginale que celle des bigots, des machos, des fachos. Cette frange que l'on dit minoritaire, cette « autre Amérique » capable de s'autocritiquer, c'est aussi l'Amérique ! Et tous ces artistes – cinéastes, musiciens, romanciers, auteurs de théâtre – qui ne sont que vaguement respectés en leur pays mais encensés en France (les jazzmen de la grande époque, les William Faulkner, les John Fante, les Jim Harrison) auraient préféré être acceptés dans leur pays natal. Car, au fond, il n'y a pas plus américains qu'eux.

D'ailleurs mes amis anti-américains... adorent Clint Eastwood ! Alors, je ne dis pas que je retourne à Los Angeles, je dis que je retourne à Hollywood, ça fait encore rêver.

Hollywood... Le système a beau être le plus fort, on peut s'y infiltrer par de nombreuses brèches. Après tout, j'ai beau vivre au pays des flingues, je n'en ai pas un contre la tempe, personne ne me force à rester en exil. Le Boss m'a dit plusieurs fois que si je voulais rentrer, un poste m'attendrait à Paris. Ma réaction de panique (Rentrer ? À Paris ? Reprendre le métro ? La vie de bureau ? Un studio ?) m'a confirmé que pour le moment je n'étais pas si mal que ça sous le soleil californien.

Et puis il y a les chats et l'ultimatum du Cow-Boy.

J'ignore quelle mouche l'a piqué avant mon départ. Il m'a dit :

— Profite d'être au calme pour prendre une décision. La plaisanterie a assez duré. On ne peut pas rester comme ça entre deux eaux. C'est avec ou sans moi, petit pois !

— Qu'est-ce qui te prend ? Nous ne sommes plus ensemble de toute façon, hein, pas vrai que nous ne sommes plus ensemble ? Pas vrai que nous ne sommes plus ensemble ? Ben alors, qu'est-ce qui te prend ? ai-je répété comme un disque rayé.

— Les gens pensent que nous sommes ensemble, m'a dit le Cow-Boy.

— Occupe-toi bien des chats pendant mon absence, ai-je signifié au Cow-Boy pour couper court au débat. Je crains que son ultimatum n'ait un peu endommagé notre belle amitié. « Avec ou sans moi… » C'est bien lui, ça. Comme si tout n'était que noir ou blanc. Qu'est-ce qu'il croit, le Cow-Boy, que je ne suis pas capable de rencontrer un autre type que lui ? Mais je vais lui montrer, moi, de quoi je suis capable, qu'il se tienne prêt !

Quelques jours après mon retour à Hollywood, je suis à nouveau dans l'avion, direction New York. Je n'y étais pas retournée depuis presque un an. Je ne souhaitais pas voir tout de suite les trous béants laissés par les tours. Lorsque j'y remets les pieds pour *Gangs of New York*, je réalise à quel point Manhattan m'a manqué.

Los Angeles est branchée sur un groupe électrogène, il faut aller chercher l'énergie, la mettre en marche. New York, lapalissade, fonctionne à l'électricité pure, survoltée en permanence. Anéantie par l'effondrement d'une époque, j'ai besoin, égoïstement, de mettre les doigts dans la prise.

Il neige, le paysage de la ville est féerique comme dans un conte. Dans le quartier de Soho, je croise Willem Dafoe qui fait ses courses. Un bon présage avant d'aller interviewer Martin Scorsese.

Je suis logée avec mes collègues du Club au milieu des dorures de l'Essex House. Pour entrer dans l'hôtel, on doit se creuser un tunnel parmi les grappes de chasseurs d'autographes et de badauds, à toute heure du jour et de la nuit. Tournant le dos à la beauté poudrée de Central Park, ils attendent l'apparition de Leonardo DiCaprio.

La projection du film a lieu dans une toute petite salle. Devant moi, une journaliste gesticule dans tous les sens : elle mime les coups, retient son souffle, pousse des jurons… Aïe, et pas d'autre siège de libre.

Je zappe la réception donnée par Miramax le soir même : j'en ai assez de devoir cirer les chaussures du nabab Harvey se pavanant en serrant les paluches. Bien qu'Harvey Weinstein soit un vrai cinéphile, ce que je respecte avant toute chose, et malgré mon énorme admiration pour Scorsese, j'apprécie de moins en moins ce genre de retape du marketing au moment de la saison des prix. Mon comportement d'incorruptible me fait louper le meilleur : à la sauterie, la journaliste agitée de la projection a cherché querelle à qui voulait bien croiser le fer avec elle. Le film l'avait chauffée à blanc, le vin lui a fait voir rouge. Elle a commencé par éclater la bouche d'un photographe deux fois plus petit qu'elle. Il a eu la lippe fendue en deux, vlan, du sang partout !

Les versions varient ensuite suivant les témoins. La boxeuse s'est mise à insulter ses collègues les uns après les autres. La police a été appelée par le patron du restaurant. Lorsque le *staff* de Miramax a tenté de se mêler à l'action, la belliqueuse y est allée d'un « Et toi, salope ! » adressé à l'attachée de presse, et a conseillé à Martin Scorsese d'aller se faire foutre…

Le lendemain, au déjeuner, juste avant les conférences de presse avec l'équipe du film, le compte rendu de la soirée pimente toutes les conversations. La lèvre de la victime a triplé de volume.

— Ça a dû lui faire drôle, à Marty, qu'on lui donne du « *fuck you* » comme dans ses films. Ça doit pas lui arriver tous les jours, je dis à l'Ermite en rigolant.

Il ne m'écoute pas. Il se demande pourquoi la pièce, déjà étriquée, a encore rapetissé, scindée en deux par un grand rideau. Au même instant, un petit bonhomme à lunettes sort du rideau, qu'il tire pour révéler un pied de micro et deux tabourets.

— Mes amis, voici Bono et The Edge qui vont vous interpréter la chanson du film, *The Hands that Built America*, s'écrie le présentateur, Martin Scorsese en personne.

J'envoie balader mon assiette de pommes de terre sautées et l'Ermite, je fais trébucher une petite vieille tremblotante qui veut voir ce qui se passe… Me voici en lévitation sous le nez de Bono qui s'enflamme *a capella*. La guitare monte à ses côtés. Je ne suis pas la seule à avoir la chair de poule. Au fond de la pièce, la brochette d'acteurs du film – Cameron Diaz, Daniel Day Lewis, Leonardo DiCaprio, John C. Reilly – assiste à la performance magique. Leonardo DiCaprio a sorti son Caméscope, émerveillé comme un môme. Une star de rock est à une star de cinéma ce que New York est à Los Angeles : de l'énergie brute, plus puissante que toute autre ! Entre les murs de l'hôtel, les stars de *Gangs of New York* sont redevenues de simples fans, prêtes à demander des autographes. Rien de tout cela n'était vraiment prévu. Aussi, une fois le concert terminé, lorsque l'attachée de presse réunit soudain Bono et The Edge avec les acteurs du film pour une rapide photo « improvisée », je vole sur les tables, plus agile qu'un protagoniste dc *Tigre et Dragon*, et m'abats essoufflée et hilare sur la poitrine de Bono.

— Pardon, mais je ne pouvais pas ne pas profiter de cette incroyable opportunité de figurer en photo avec vous ! je lui souffle en m'excusant pour l'atterrissage.

— Et pourquoi tu n'en aurais pas profité ? Viens avec nous, on te protège ! me dit Bono en me serrant les épaules.

Un membre du Club m'alpague après coup, espiègle :

— Dis donc, on te reconnaît pas, tu te lâches ! T'aimes bien U2, on dirait ?

Eh bien, oui, ça, c'était vraiment moi, les gars. Et si être une midinette me permet de sortir de ma coquille, ainsi soit-il !

Leonardo DiCaprio a assisté à mon manège. Je suis passée devant lui sans même le saluer.

— Et cette traduction d'article, elle en est où ? s'enquiert-il un peu vexé, évoquant notre tout dernier entretien en tête à tête qui vient d'avoir lieu à Los Angeles.

On y avait parlé de sa double actualité, *Gangs of New York* et *Attrape-moi si tu peux*. Ça avait eu lieu dans un grand bureau baigné de soleil de sa maison de production, et Leo avait même claqué la porte au nez de sa publiciste quand cette dernière avait voulu écourter le rendez-vous. J'étais déjà heureuse de retrouver *mon* Leo, mais alors là, j'ai vraiment savouré l'instant. Du coup, je lui ai promis, à sa demande, de traduire l'interview et de lui faxer le texte aussi rapidement que possible.

— Ça vient, ça vient. J'ai dit que je l'enverrai, cette traduction, je l'enverrai, je lui rétorque en le faisant reculer d'un pas.

Il m'empêche d'apercevoir mon acteur préféré, Daniel Day Lewis. Il fait un peu la gueule car tout ce cirque s'est produit alors que sa conférence de presse aurait déjà dû commencer. On lui a volé la vedette, mais il reste beau joueur. L'acteur signe tout de même là son grand retour après des années loin des caméras. J'aime son petit sourire en coin lorsque je le croise un peu plus tard dans un couloir de l'hôtel. Il faut être de marbre pour résister à un tel charme.

La journaliste boxeuse du jour précédent fait son entrée, avec un air de petite fille qui a fait une grosse bêtise. Vieille connaissance de la mère de Leonardo DiCaprio, elle en profite pour se glisser près du fiston.

— Alors ? Il paraît qu'il y a eu de la castagne hier soir ? lui demande Leo en la poussant du coude.

Elle pouffe et s'embarque dans une justification exaltée. Tous ces coups, toute cette adrénaline… Comment ne pas se laisser emporter par un tel film !

— Ah, c'est sûr, mais il faut faire attention, hein, la sermonne Leonardo DiCaprio, amusé.

Faire attention.

Mais dès lors que l'on met le nez hors du ventre maternel, il faut faire attention, non ? La neige se met à tomber. Dans le car qui me ramène à l'aéroport, je fixe, les yeux grands ouverts, les rues étroites qui fuient à la verticale, qui grimpent vers l'inconnu. J'ai envie de monter moi aussi, de grandir, de m'élancer, au lieu de toujours repousser la vie en freinant des deux pieds.

« Eh, la vie, c'est pas la répétition, c'est le show ! » a répondu Cameron Diaz à une question, en illuminant la pièce de son fantastique sourire.

« Tout à fait judicieux », a commenté très haut la journaliste boxeuse. J'ai vu le *staff* de Miramax prêt à la plaquer au sol, la surveillant de très près.

C'est peut-être à cause d'elle qu'on a été privés de *goodies*. Même pas une escalope « Billy the Butcher », pas un coutelas. Rien. Quand je le fais remarquer à l'Ermite quelques jours plus tard, alors que nous sommes rentrés à Los Angeles, nous nous remémorons le dérapage de la journaliste boxeuse. Je mime un coup de poing, en riant avec l'Ermite… Je me remémore aussi le concert *unplugged* de U2, juste pour nous, et je dis que nous avons quand même beaucoup de chance. L'Ermite surenchérit : « Oui, on devrait apprécier, au lieu de toujours se plaindre. Enfin, je parle pour moi, ma chère Juliette. » Je le regarde, je ris encore, de bon cœur : New York a rechargé mes batteries.

16.

L'Acteur connu, deuxième

C'est toujours quand vous allez bien que les choses viennent à vous. C'est comme ça : on ne prête qu'aux riches. D'ailleurs, j'en arrive à me demander comment j'ai pu aller si mal, parfois tomber si bas. C'est tellement plus facile d'être en forme, de se réveiller lucide, motivée, normale.

Ce matin, j'ai eu ma sœur au téléphone. Je lui ai dit que j'allais HYPER bien et que tous mes ennuis étaient finis. Je me suis mise à parler pour elle, en disant que nous avions finalement assimilé les leçons de la vie. Fini le temps où l'on se tapait la tête contre les murs pour des raisons pseudo-existentielles… À présent, nous pouvons voguer de l'avant, solidement arrimées malgré la houle de l'existence.

— On *sait maintenant*, j'ai ajouté juste avant de raccrocher, ce qui m'a empêchée de m'attarder sur son silence dubitatif.

Bah ! elle y viendra elle aussi, au bel optimisme radieux, à la grande réalisation du bonheur intérieur.

Je me gare en chantonnant devant le Four Seasons.

— Ravi de vous revoir, mademoiselle.

L'employé en livrée me tend un ticket.

Mademoiselle, hé, hé. Pas madame, mademoiselle.

J'ai rendez-vous avec ce jeune acteur connu qui m'avait jeté un sort à la fin d'une conférence de presse. MON Acteur connu. Quel allumeur. Oh, c'était il y a longtemps. FORT longtemps. Il ne se souviendra plus de moi, je suis bien tranquille. Mais rien que de savoir que j'ai rendez-vous avec une personne qui a été sensible à mon charme plutonien m'aide à me débarrasser d'une bonne partie de mon trac habituel. Je ne dis pas que quelques papillons dans le ventre ne sont pas essentiels avant d'entrer en scène – une comédienne qui n'aurait pas du tout le trac se remettrait sans doute en question –, mais pouvoir se décontracter un tantinet, au lieu de lutter contre les risques d'évanouissement et d'intervertir toutes les questions, a aussi ses avantages.

On m'a servi ce rendez-vous sur un plateau : « Juliette, nous t'apprenons avec joie que tu as été nominée pour un tête-à-tête de vingt minutes avec patati. La projection aura lieu patata. »

Ah, en revanche, comme convenu, l'Acteur connu restera inconnu. En lisant ce qui suit, vous comprendrez que je veuille draper ce qui me reste de dignité dans un pan d'anonymat. Les événements à venir sont notre secret à tous les deux.

— C'est ton tour, Juliette, me lance-t-on de loin.

Je me suis assise dos à un groupe de collègues et de publicistes pour cacher un fou rire irrépressible. Une vraie crise d'hilarité, de celle qui touche les gens qui croient aller très bien, alors qu'ils vont en fait trop bien. Il faut être prudent avec ça. Quand on n'est plus habitué à la bonne humeur et qu'elle vous tombe dessus, ça secoue, ça se propage et ça finit par déborder. Splouch, y en a partout, fou rire incontrôlable. Tout ça parce que, juste avant mon tête-à-tête, il a fallu que je récupère des photos signées par Steven Spielberg auprès d'un vieil attaché de presse descendu au Four Seasons. Je croyais que « mon contact » m'avait entendue frapper, mais lorsque j'ai poussé la porte de sa chambre, il sortait de sa douche. Il a juste eu le temps de rabattre son peignoir sur sa peau toute rose et mouillée. J'en ai quand même vu beaucoup plus que je n'aurais dû…

— OK, les photos, et pas d'entourloupe, j'ai dit.

Il a farfouillé en hâte dans ses affaires. J'en ai profité pour grappiller des fruits rouges sur un chariot de *room service*. Il m'a tendu, la main nouée de grosses veines, une enveloppe que j'ai trouvée bien maigre. J'ai ouvert le document en émettant un petit bruit réprobateur, la bouche pleine de framboises :

— Il n'y a qu'une photo. Il nous en faut d'autres, et rapidement. Je vous laisse vous habiller et vous rappelle ce soir.

J'adore quand je suis comme ça. Je suis toujours en train de me bidonner lorsque je pénètre dans cette suite du quatorzième étage du Four Seasons où l'Acteur connu mène ses interviews. L'après-midi touche à sa fin. Le clair-obscur gagne la chambre et les rideaux ont été tirés. Seul un petit carré lumineux joue sur les murs.

Il est assis dans le fauteuil du fond, en contre-jour. Pantalon bleu, tee-shirt noir, cheveux en arrière : prêt à se laisser torturer encore vingt minutes. C'est sa dernière interview de la journée.

— Ça va, pas trop claqué par cette journée de presse ?

Je lui tends la main. Il s'est levé d'un bond. Il me dévisage, l'air d'avoir vu la Sainte Vierge. Je prends place dans le canapé et enlève mon foulard, du même bleu que son pantalon. Il est toujours debout.

— On se connaît, il répète plusieurs fois.

Il a l'air furieux contre lui-même de ne pas se rappeler où l'on s'est rencontrés.

Je lui rappelle la conférence de presse. Il pousse un long gémissement.

— Oh ! là, là, je ne m'étais pas bien conduit. Je ne t'avais pas… ? Est-ce que je t'avais… agrippée ? Est-ce que je m'étais accroché à toi ? Est-ce que tu étais en colère ?

Il fait mine de m'enserrer le bras. Il a l'air réellement inquiet, comme un alcoolique qui ne se rappelle plus sa nuit de la veille.

Euh, et vous en agrippez souvent comme ça, des filles ?

— Je suis flattée que tu te souviennes. Cela fait si longtemps. C'est moi qui m'étais conduite comme une midinette en venant poser à tes côtés. Mais c'était amusant et… doux.

Je mets en branle la machine à minauder. Il se laisse tomber sur son fauteuil. Son visage se déride enfin.

— Je me souviens… Je m'étais dit que j'aurais dû te demander ton numéro de téléphone. Mais ça ne se fait pas. Je ne pouvais pas faire ça…

Il s'allume une American Spirit, la même marque que celles du Cow-Boy : un tabac biologique, censé rendre moins accro. Ça n'a pas l'air très efficace, parce qu'il fume clope sur clope.

— Je savais que quelque chose de bon allait arriver aujourd'hui.

Il nous entoure d'une volute de fumée, mauve dans cette semi-obscurité. S'ensuit un échange maladroit, qu'il faut imaginer ponctué du rire niais de la journaliste et du ronron de l'acteur qui a pris dans les siennes les mains de la journaliste, ce qui n'aide pas à calmer son rire bêta. Je retranscris cet échange tel qu'il apparaît sur la bande de ma cassette TDK :

— Je vais peut-être récupérer mes mains, histoire de garder un semblant de tenue.

— Je suis sous le charme, totalement sous le charme.

— Tu ne me facilites pas la tâche... On essaie de parler du film ? On va à la plage à la place ?

— J'adore la plage. Comment s'enfuir ?

— Il faudrait créer une diversion.

— Ou faire une corde avec des draps et s'échapper par la fenêtre ?

Parfois, on parvient quand même à aligner quelques questions-réponses à peu près articulées. Lorsque l'Acteur connu parle de son travail, il est sérieux. En revanche, lorsqu'il s'empare du foulard de la journaliste pour s'en frotter le visage en faisant « huummm », c'est elle qui perd tout à fait pied.

— Arrête avec mon foulard, sinon je n'y arriverai jamais.

— Huummm... J'aime ton vernis grenat sur les orteils. Ces petits pieds, ces yeux, ce sourire... Cette complicité entre nous... J'aime tout, je prends tout.

— Je suis juste une fille très timide et un peu débile, qui devient encore plus timide et débile dans ce genre de circonstances.

— Tu es super. C'est moi qui suis débile. Je n'y peux rien, je suis hypnotisé.

— Je connais ta réputation de tombeur.

— Je n'ai jamais fait ça en interview.

— Je ne te crois pas. Hu hu hu. (*Tentative de retranscription du rire bêta qui ponctue chacune de mes phrases.*)

— Naan. Je le jure, je n'ai jamais fait ça.

— Je ne te crois pas, je ne te crois pas.

— Tu… es mariée ?

— Pas mariée.

— Tu as un copain ?

— C'est moi qui pose les questions…

— D'accord, alors vas-y.

— Hu hu hu hu hu. Je suis complètement déconcentrée.

— Moi aussi, je suis déconcentré.

— OK, je rassemble mes esprits, une question : euh… Et toi, tu es marié ?

— Naaannn… (*Là, il se penche vers la journaliste.*) Entre toi et moi, je vois quelqu'un mais…

— Mouais…

— Naaan. C'est pas ce que tu crois.

— Entre toi et moi, je suis moi-même en période de transition. Je n'ai pas l'esprit très clair, mais je ne demande qu'à le clarifier. Ou à l'embrouiller encore plus, hu hu hu.

— Nous pourrions avoir une de ces grandes idylles secrètes qui se déroulent sur des années, qu'en penses-tu ? Nous nous verrions à l'occasion de chacun de mes films, nous ferions les interviews au lit…

À partir de là, le magnétophone ne tourne plus. Il l'a arrêté.

— Tu vas me détruire, n'est-ce pas ?

— Tu plaisantes, j'espère ?

Entrée discrète de ce qui doit être un attaché de presse venant nous signifier la fin de l'interview. S'est-il rendu compte de quelque chose ? La pièce est maintenant plongée dans le noir.

L'Acteur connu se redresse :

— Oh, euh… Non, on va discuter encore un peu si c'est possible.

Sortie de l'attaché de presse vexé qui fait mine d'allumer une lampe, puis se ravise. Un quart d'heure supplémentaire à se faire les yeux doux. On parle de Los Angeles où il s'est installé, de musique, de notre peur de prendre l'avion. Quand il ne tourne pas, l'Acteur connu dit avoir l'impression de voyager non-stop pour assurer la promotion de ses films. Il dit qu'il a besoin de temps pour se recaler.

— Voir tous ces levers et couchers de soleil en si peu de temps aux quatre coins de la planète, ça doit finir par taper sur le système, tu crois pas ?

Si, je crois que ça détraque un peu, mais on conclut qu'il serait malvenu de se plaindre de tous ces voyages. On tient une conversation ordinaire et c'est très agréable. D'un autre côté, si mon magazine me demande de coucher cette interview sur papier, je manquerai cruellement de substance. Mais le Boss ne m'avait-il pas encouragée, au tout début, à cultiver des rapports personnalisés avec les acteurs à Hollywood ? Une promotion, oui, voilà ce que je mérite. Une Mata Hari du journalisme.

On parle de nos prochains voyages.

— Et si on se donnait rendez-vous à Paris ? Tu crois qu'on peut se voir à Paris ?

Il fait le paon.

Moi, tourterelle :

— D’ici là, tu auras été hypnotisé par quelqu’un d’autre.

— Naaann.

— Mouais… Et puis tu viens de dire que tu as une copine.

— Oh…

Il me signifie qu’il n’y a plus rien à dire sur le sujet et replonge le nez dans mon foulard. Je tente de cerner son cas. Il ne rentre pas dans la catégorie des jeunes acteurs en chasse qui sévissent en meutes pour mieux dévorer les filles agglutinées. Plutôt le genre réservé, qui remplace la drogue ou la boisson auxquelles il n’a plus droit – comme tant de jeunes acteurs connus, il a dû suivre le rituel de la désintoxication – par l’addiction au sexe féminin. Seul l’oubli de soi dans le travail et, quand il ne tourne pas, dans l’amour peut aider ce genre de beau ténébreux torturé à supporter la réalité. Un chiot qui quémande de l’affection aux femmes même s’il a déjà une bonne maîtresse quelque part qui s’occupe bien de lui. Et évidemment, s’il y a un chiot, il est pour moi, l’amie des bêtes.

Des voix viennent de l’extérieur. L’Acteur connu se lève en se dandinant d’un pied sur l’autre. Ça fait plus d’une heure qu’il n’est pas allé soulager sa vessie. Je me lève d’un bond.

Il me tend mon magnétophone et mon sac à main restés sur le canapé.

— Tu es dangereuse… Tu ne vas même pas me donner une accolade avant de partir ?

Il me prend dans ses bras. Je me souviens du baiser dans le cou de la dernière fois… L’étreinte s’éternise. L’accolade devient torride. Je lui colle un beau baiser tout rond sur la nuque.

Là, égalité partout.

Ralenti. Nos lèvres se touchent dans un baiser de cinéma. « Hum », je fais, en le repoussant avec mon magnétophone. Il me retient. Baiser de cinéma, deuxième. On s'appuie contre la porte. De l'autre côté, je sens la présence de l'attaché de presse qui attend la fin de l'interview. Je suis contente d'avoir picoré des framboises dans la chambre du vieil attaché de presse de Steven Spielberg. Ma bouche doit être délicieusement fruitée… (Ou alors pas du tout.) Celle de l'Acteur connu est un monde de velours, *french kiss* à la framboise dans une suite embrumée de fumée mauve. La poignée de la porte est actionnée. Séparation rapide, regards intenses, pression de sa main sur ma gorge. M'a-t-il marquée ? Disparition de l'Acteur connu dans le nuage mauve. L'attaché de presse me regarde avec insistance. A-t-il noté la disparition de mon rouge à lèvres ?

— Il t'a retenue longtemps, ça devait être bien, il dit, démangé par la curiosité.

— C'était pas mal, je réponds.

C'était pas mal ! Comme elle était douce, l'heure du premier rendez-vous.

Je ne me souviens pas de la soirée qui a suivi ma grande scène du baiser, ni de la journée du lendemain, juste de m'être frappé le front en me disant : « Mon foulard ! Il a gardé mon foulard ! »

Voleur !

— Est-ce que c'est toi ?

Je reçois ce mail vers cinq heures de l'après-midi. À sept heures, je tape sur le clavier de mon Macintosh :

— Oui…

Réponse immédiate, et en français :

— Oh, oh… Nous devrions continuer cette interview.

J'étouffe un rire de victoire, je regarde autour de moi, pouffe encore. Je ne lui ai pas donné mes coordonnées. J'imagine avec délectation la tête de l'attaché de presse à qui il aura fait demander mon adresse Internet. Eh oui, désolée, vous ne pouvez pas tout contrôler. Moi non plus, d'ailleurs.

Suite de la conversation électronique :

— Tu parles très bien français. Je ne sais pas… Si nous ne pouvons « avoir » Paris, que pouvons-nous avoir ?

— Nous pouvons avoir la ville des anges…

Une partie des réponses se poursuit en assez bon français. Je suis impressionnée.

— « Les folies qu'un homme regrette dans la vie sont celles qu'il n'a pas commises », est-ce la citation que tu cherchais durant notre interview ?

— Oui, c'est ça. Dangereux, mais ça fait réfléchir… Je peux t'appeler ?

Diable.

— Oui, mais plutôt demain, vers midi ?

Je n'essaie pas de la jouer inaccessible. Simplement, le Cow-Boy est dans le coin et doit passer chez moi d'une minute à l'autre pour me faire coucou.

— Tu ne veux pas me revoir ?

— hjjfeo;nhcmivfq,mùni;,n:n;,n,n,,,klmerzbnùeqç _″aè‴çà=″″″=ujoiù,dclgbhnj,k;:!cvbn,;:$$$$$$@<kjhf uhfnbjkdhfdshf:kd uhdgbkfhgu$__″″″″″μμμ°^jlklfdhg-bfdshgsdhfgndfhgmdd////////////*********************

— Qu'est-ce que c'est que ça ?

— Désolée, mon chat s'est assis sur le clavier. Je veux bien te revoir, mais j'ai besoin que la nuit me porte conseil.

— Tu peux écrire ça en anglais ? Mon français est très approximatif.

— J'ai besoin de la nuit pour réfléchir.

— Je comprends que tu hésites. Je ne suis pas fréquentable. J'ai été élevé par des loups… Tu es sans doute une meilleure personne que moi. Je sais que tu es dans une période de transition. Moi aussi, mais je suis trop farouchement attiré par toi pour hésiter. Si c'est trop, si cela te met mal à l'aise, je comprends. Je n'ai rien à t'offrir, je veux juste terminer notre entretien, juste une journée de baisers, sans rien attendre de plus. Juste pour le *fun*, parce qu'il y a une telle complicité entre nous. Si tu es prête à vivre ça, sans état d'âme, sans arrière-pensées, alors que l'interview commence !

— Je t'écris demain… petit loup. Un baiser pour ta nuit.

Pff… Des coups à y laisser un bout de cœur, ça. « Je n'ai rien à t'offrir »… Un prédateur qui me laissera blessée une fois son appétit rassasié.

Et s'il l'avait inventée, sa petite amie, et si c'était un truc pour tenir les filles à distance ? Et si cette journée s'avérait bienfaisante, ma chance de me défaire enfin de mes liens avec le Cow-Boy ?

Ah, pauvre Juliette. Que la nuit te porte conseil !

Lendemain. Un lundi. Midi. Nouveau mail :

Sujet : « Lune bleue ».

— Qu'est-ce qu'on attend ? Une lune bleue ? Est-ce que je t'ai fait peur avec ma faim de loup ? Est-ce que tu ne vas plus me donner de nouvelles ? Et si nous laissions juste le soleil briller…

Ma réponse prudente :

Sujet : « Re : Lune bleue ».

— Bien sûr, les lunes bleues ne se produisent que rarement…

— Exactement ! Tu es seule ?

— Oui.

— Je peux t'appeler ?

— (310) 288 8464.

Oh ! là, là, là, là. Vite, enlever la pâte anti-acné sur mon menton, arracher ce très seyant peignoir déchiré et plein de taches de café, me brosser les cheveux… Po po po. Il ne va pas voir tout ça au téléphone, grosse dinde, calme-toi.

Poupoum poupoum poupoum poumpoumpoumpoum… Ah ! La sonnerie me fait louper un battement de cœur. Je décroche :

— Qui cela peut-il bien être ?

Mais le chasseur sur le point de saisir sa proie n'est pas d'humeur à plaisanter. Sa voix, un peu nasillarde dans la vie, est, au téléphone, plus grave, caverneuse. Il me reproche d'emblée de ne pas me laisser aller à plus de spontanéité. Ne pouvons-nous pas nous retrouver dans un restaurant ou un cinéma ou quelque chose comme ça ?

— Mais… c'est toi la personne publique…, je me défends en français.

Un blanc. Je ris.

— Tu ne parles pas français, n'est-ce pas ?

— Pas une syllabe. J'ai demandé à des copains de traduire pour moi… Je n'aurais pas dû te le dire, je t'ai impressionnée, hein ? Tu croyais que je parlais couramment ?

— Oui, tu m'as eue… Et ta copine dans tout ça ?

— Non, ce n'est pas un problème. Ce n'est pas ce que tu crois.

Hum…

Je sais bien qu'il ne me donnera pas rendez-vous dans un restaurant, sous les yeux de tous. À sa mauvaise humeur à fleur de peau, je comprends que, quoi que je dise ou fasse, il m'en voudra un peu. En acceptant de lui parler par téléphone, j'ai déjà gâché une partie du jeu. Mais il m'en voudra encore plus si je refuse de « terminer l'interview ». Et je n'ai pas envie qu'il m'en veuille.

— C'est toi le loup, propose-moi quelque chose de concret, un lieu de rendez-vous, et j'y serai. Chez moi, ce n'est pas forcément l'idéal.

Pourtant, que le Cow-Boy débarque à l'improviste et me trouve avec l'Acteur connu serait encore le meilleur moyen de rompre définitivement. Il faudrait vraiment qu'il arrête de débarquer à l'improviste, généralement pour aller pisser ou faire la sieste dans mon jardin. Mais quand même, chez moi, je ne trouve pas ça idéal. Les chats vont faire leur numéro de trapèze, vomir sur la moquette et se servir huit fois de la litière, ma propriétaire va taper à la porte pour demander : « Chérie, tu n'as pas un peu de noix de muscade que je pourrais t'emprunter ? », et les voisins vont rentrer d'une soirée et se réconcilier dans un bruyant orgasme. Chez moi, ce sera vraiment en dernier recours.

— J'ai envie qu'on s'embrasse… J'ai juste envie de t'embrasser encore. Je n'ai rien d'un loup. J'ai été élevé par les loups, mais je suis en fait un petit agneau très gentil.

— Oh, oh, vraiment ? Alors, tu m'expliques pourquoi j'ai le sentiment d'être moi-même un pauvre agnelet entre tes crocs ?

— Naaan. Je suis inoffensif. D'ailleurs nous n'avons pas à faire quoi que ce soit qui nous mène trop loin… Même une bataille de polochons, une partie de Scrabble… Juste être un peu ensemble, parce que nous avons une telle complicité… Alors, on laisse une chance au soleil ?

Une bataille de polochons !

— … D'accord, laissons le soleil briller !

— Je t'envoie un mail d'ici demain avec une adresse de rendez-vous. Tu n'auras à t'occuper de rien. J'ai hâte de te voir.

Je risque un : « Moi aussi… », même si j'ai bien compris que lui seul avait le droit de montrer ses émotions.

Le rendez-vous est fixé au dimanche après-midi, dans sa maison. J'y vois une belle preuve de confiance. Après tout, il laisse entrer une journaliste chez lui. Parce que je suis journaliste avant tout, c'est même pour ça, hum, que je me devais d'accepter son invitation. Un bon journaliste ne refuse jamais une bonne histoire. Je suis venue en taxi. Je trouvais qu'un taxi se prêtait mieux à l'aventure.

— Vous voulez que je vienne vous rechercher ? me demande Igor Nievsky, mon chauffeur russe – son nom est marqué sur sa carte d'immatriculation, accrochée au tableau de bord.

— Non, j'habite là, merci, Igor, je dis.

La matinée a été fébrile. J'ai changé trois fois de tenue. Je n'ai pas mangé ou presque de toute la semaine et je flotte dans mes vêtements. Vu que je suis en plus allée à la gym deux fois par jour depuis cinq jours, c'est un vrai fil de fer qui se présente à sa porte.

Oh non, ça y est, je suis passée dans le miroir déformant d'Hollywood, je suis squelettique !

— C'est ouvert, dit une voix sombre dans l'interphone.

— Hello, c'est Juliette.

— C'est ouvert !

Il y a plusieurs façons d'accueillir les visiteurs : Bette Davis les attendait toujours sur le pas de sa porte pour leur éviter d'être accueillis par une porte fermée, certains vous envoient un employé, une bonne, un assistant ou même un autre invité, et puis il y a ceux qui vous laissent venir à eux…

Je pousse le portail et traverse le jardin. C'est une maison simple, pas très grande – mais bon, je m'en contenterai. Une maison des bois, entourée d'arbustes à fleurs joufflues, violettes. Le jardin est vert-de-gris, comme dans les films anglais. Aucune trace d'Acteur connu, ni sur le pas de la porte, ni à l'intérieur. Je ne serais pas surprise que des chandeliers tenus par des bras humains s'allument sur mon passage. La bête m'attend dans sa cuisine, sans doute rassurée par ce lieu ordinaire où s'amoncelle de la vaisselle sale, ses cheveux rebelles sont plus clairs et plus épais que dans mon souvenir, jean et blouson de nylon. Nous sommes tous deux habillés en gris et bleu.

— Oh, oh…, fait-il en souriant, presque incrédule, comme s'il ne s'attendait pas à ce que je vienne.

— Me voilà.

J'écarte les bras pour lui montrer que je suis venue en toute simplicité, sans mouchard attaché autour de la taille. Je suis trop à l'aise, lui trop mal à l'aise. Quelque chose cloche.

La bête m'observe de ses yeux perçants. C'est à moi, le visiteur, de briser la glace. Je n'aime pas beaucoup ça. Je risque une plaisanterie :

— « Acteur d'Hollywood parlant couramment français… » Ce sera le début de mon interview.

— Ouais, c'est ça, c'est ça… Qu'est-ce que tu as fait ce matin ?

À part me préparer pour venir te voir ?

— J'ai rendu visite à des amis qui habitent Santa Monica, j'en reviens tout juste, je mens comme un arracheur de dents. Et toi ?

— Oh, j'ai écrit… J'écris un scénario.

Je le regarde, touchée par sa beauté et… merde, par sa jeunesse.

— Tu n'as pas l'air d'un scénariste.

— Qu'est-ce que tu veux dire ?

Sur la défensive, dès qu'on lui fait une réflexion.

— Tu n'as pas de cernes, ni l'air au bout du rouleau…

— Oh, je n'ai commencé à écrire que depuis hier.

— Ah, ah, c'est ça que tu appelles écrire un scénario !

Il faut vraiment que j'apprenne à cesser de me moquer des garçons, moi, ça ne leur plaît pas du tout. On est maladroits, on se lève, on se rassoit, on se relève. Je trouve ses goûts trop prévisibles, je suis déjà passée par tout ce qu'il découvre encore. En même temps, derrière la banalité, il semble détenir la clé d'un passage secret, comme si les plus grands mystères se cachaient toujours derrière l'évidence.

« J'ai le cœur qui bat vite », il dit en s'approchant de moi. Il recule aussitôt. Il ne tient pas en place, s'allume dix clopes en dix minutes. Il finit par me proposer à boire comme si c'était une idée de génie.

Il sort deux petites bouteilles d'eau en provenance directe des montagnes californiennes de la Sierra Nevada en disant :

— Une vodka serait mieux.

— Mais tu ne bois plus…, je dis, soudain pleine d'espoir.

— Nan. Mais peut-être que si on avait un peu de… Je sais pas, un truc qui nous ferait planer. Tu n'as rien ?

— Euh, j'ai rien dans mes poches, non… Écoute, peut-être que ce n'est plus une si bonne idée que ça, moi, chez toi… Je vais partir, non ?

Il me retient. Il m'embrasse à la dérobée. Un baiser glacé. Nous en frissonnons tous les deux. Il parle de mettre de la musique. Il m'engueule parce que je ne sais pas quel disque mettre.

— Tu vas pas me gifler, quand même ?

Ouf, j'ai réussi à lui arracher un rictus. Mais il n'arrive pas à se décider sur l'endroit où nous devrions nous asseoir, ni sur le disque adéquat, sur rien.

Je commence à m'apercevoir que l'Acteur connu, dans la vie, est incapable de prendre une décision. Lui, dont la carrière et les rôles sont si matures, est bourré d'angoisses et de doutes à la ville, pauvre petit chiot en quête perpétuelle d'approbation et de protection. Blessé, bien sûr, comme tous les chiots séparés trop jeunes de leur portée. Né pour créer des personnages mais incapable de s'en inventer un dans la vie.

La frontière qui sépare l'acteur de son personnage est souvent énorme, garde-fou indispensable, mais la ligne de démarcation peut aussi être floue comme un mirage. Je lui parle doucement :

— Dis-moi ce qui cloche.

Il s'est fâché avec sa copine. Il se sent coupable d'être là à vouloir se payer du bon temps pendant qu'elle doit ressasser leur dispute.

— C'est fini avec elle, d'ailleurs… Mais je ne m'attendais pas à ressentir ce sentiment de culpabilité. Ça ne veut pas dire que je veuille que tu partes. Je ne veux pas que tu partes, je ne veux pas que tu rentres chez toi.

Chez moi… Qu'est-ce qui m'attend chez moi ? Deux chats presque humains, quelques esprits frappeurs, l'ombre d'un Cow-Boy, un ordinateur prévisible, un foutu frigo, des restes de termites…

Je le fais asseoir, le force à me regarder dans les yeux. Je suis une maman en train de gronder son petit garçon. Mon horloge biologique fait tic tac tic tac.

— Il ne faut pas faire quoi que ce soit qui puisse nuire à quelqu'un. Si je reste, nous pouvons discuter, regarder un film…

Je lui adresse un grand sourire d'encouragement.

— Ah, quel soulagement, ça serait super !

Il se lève d'un bond, tout excité.

Ce n'est pas vraiment flatteur pour moi. Débauchée sans états d'âme, pour mieux être rejetée une fois arrivée dans sa tanière… D'autres se sentiraient abusées, partiraient, bien sûr.

A-t-il été déçu en me voyant à la lumière du jour ?

Je m'en fous. Je suis bien là, à goûter ces instants paisibles, ce calme de sous-bois. L'intérieur de sa maison est dépouillé, plâtre blanc et poutres marron, sans aucune touche personnelle à part trois grandes photos de films aux murs. Pas même une savonnette dans la salle de bain. L'Acteur connu s'est installé ici depuis peu, mais il peut repartir n'importe quand. De l'humidité vient du patio. En tentant de fermer, il coince ses lacets dans la porte arrière du jardin. Ça le fait rire.

— La maison veut jouer avec toi, je lâche.

Son estomac gargouille, le mien aussi.

— Je suis affamé ! il s'exclame, très joyeux maintenant. Je n'ai pas mangé depuis hier. Tu ne peux pas savoir dans quel état ça m'a mis, ce rendez-vous. Et le nombre de scénarios que je me suis faits dans ma tête. J'ai imaginé qu'on irait au restaurant, puis sur une plage de Malibu, qu'on arracherait nos vêtements…

Mais… C'est MON scénario !

Quand il apprend que je suis moi-même au bord de l'hypoglycémie, pâtes et petits légumes sont commandés derechef et un film est enclenché sur son écran plasma au-dessus de la cheminée : *Crimes et délits* de Woody Allen, génial conte moral autour d'un adultère.

— Cela va nous dissuader une bonne fois pour toutes d'avoir une liaison secrète, je souris.

Il plaque sa main contre sa bouche. Il n'y avait pas pensé.

Le livreur est déjà devant la porte. Le restaurant doit se trouver juste en bas du canyon. L'Acteur connu me tend une liasse de billets pour que je paie, un peu gêné – il doit éviter de se montrer, c'est la rançon du succès.

— Soixante-dix dollars de pourboire, *groovy !* exulte le livreur.

Je lui arrache la liasse des mains.

— Pas si vite, il doit y avoir une erreur.

Je recompte les billets un à un, ce qui me prend un certain temps. J'ai toujours du mal à compter quand il s'agit d'argent, le fric me trouble.

— Hé, faut faire attention à tes sous, je dis gentiment à l'Acteur connu.

Bah, au moins il sait que ça sert à payer les gens, mais elle est loin, l'enfance pauvre...

— OK, on s'installe, soirée cinéma !

Il me prend par la taille, heureux comme un gosse. Il a un instant d'étonnement.

— Dis donc, t'es plutôt mince comme femme.

— Ne t'y fie pas.

Je lui pince l'oreille. Une fois la pression envolée, nous sommes comme deux coqs en pâte. De façon déconcertante, nous faisons tout pareil. « Tu t'écris aussi sur la main ? Tu te tortilles les cheveux ? Tu te ronges les ongles ? » Il n'arrête pas de nous trouver des similitudes.

— J'ai bien peur qu'on ne se ressemble un peu trop, cela n'aurait pas pu marcher de toute façon.

— C'est vrai, c'est vrai.

Il me verse un verre de San Pellegrino, je me sers une portion de pâtes aux champignons. « Règle n° 1 : ne jamais mettre deux scorpions dans le même bocal. »

Le Cow-Boy aussi est né sous le signe du Scorpion.

Aglou, aglou, aglou. Il frissonne.

— Ah, je déteste ce bruit d'eau versée dans les verres, ça me rappelle les dimanches en famille.

— Le son du malaise... Tu me passes les épinards ?

Il m'observe.

— Au moins, tu manges vraiment, j'aime bien ça. C'est mieux que de chipoter.

Il est habitué aux actrices qui picorent. Je lui laisse admirer mon coup de fourchette. On s'affale tous les deux, repus, devant le film, nos estomacs continuant leur petite musique, due, cette fois, à l'engloutissement rapide de la nourriture entre de longues gorgées d'eau pétillante. Il allume un feu, inaugurant ainsi sa cheminée. J'aurais au moins servi à ça.

— Viens, ne reste pas si loin.

Il m'attire contre sa poitrine.

— Tu es bien ? Tu te sens à l'aise ?

— Très.

Je pose mes pieds sur le bras du canapé. L'Acteur connu change de position, s'allonge de tout son long, la tête calée sur mon ventre dont les petits bruits l'amusent. Je n'ose d'abord pas toucher à ce petit prince tombé entre mes mains. Puis je le sens en demande de caresses et passe mes doigts dans ses cheveux épais et brillants. Je le caresse à un rythme régulier. Parfois, je m'aventure jusqu'à ses avant-bras duveteux, ses mains fines.

Il laisse échapper un « hum » de plaisir. Sur l'écran plasma, Martin Landau demande à son frère d'éliminer Anjelica Huston. Le feu crépite maintenant, teintant de vieil or le bleu gris de la nuit qui tombe comme un rideau sur ce charmant tableau.

Il ne le sait pas, il s'est assoupi, agité de légers soubresauts comme en ont les chats dans leur sommeil. À un moment je le chatouille derrière l'oreille, et j'ai bien l'impression qu'il ronronne.

— Ah, c'était un bon film !

Une demi-heure après la fin de *Crimes et délits*, il se réveille, hirsute et ravi. Son regard jette des éclats fauve et kaki. Je pense aux filles qui ont passé la nuit avec

Elvis, James Dean ou Monty Clift. Ça devait être électrique, comme sensation, de voir la bête au réveil.

— Voilà l'effet que j'ai sur les hommes, je murmure tandis qu'il me donne un gentil baiser sur la joue.

Je sais les endormir...

— Mais enfin, depuis quand fait-il nuit à cette heure-là ?

Il se frotte les yeux. Il est neuf heures du soir. Nous rions.

Il va vérifier ses mails. Il est de nouveau un peu éteint. Le charme semble s'être rompu. Les braises, grisâtres, se meurent. J'ai envie de partir.

— Tu me raccompagnes ?

Je lui touche l'épaule. Il prend une mine contrite mais il m'avait prévenue : « Je n'ai rien à t'offrir. »

Dans la voiture, on parle de ses projets. Je lui dis que je le verrais bien dans un film de Woody Allen.

— J'adorerais. On dit qu'il renvoie ses acteurs s'ils ne lui conviennent pas, je me demande si c'est vrai.

— Je ne sais pas. Sûrement, je dis.

On est devant chez moi. Un dernier baiser sur sa bouche de velours. Il me fait un signe de la main, j'agite la mienne. Retour dans ma maison de poupée.

Miou...

Oui, oui, je sais, les enfants, je sais...

Le gros veut sortir.

— Non, on ne va pas dehors, c'est la nuit. Y a des coyotes qui descendent des collines, la nuit. Arrête, tu ressembles à un morse hystérique. Bizarre, ça, un chat qui ressemble à un morse hystérique.

Moi, en revanche, je m'attarde un peu dans le jardin. Un écureuil sous *speed*, aux petites joues gonflées, libère son butin dans un rayon de lune. Voilà pourquoi le pot de l'oranger est toujours rempli de grosses noix velues. Tiens, c'est la pleine lune ?

Qu'est-ce qu'on attend, une lune bleue ?

Une heure plus tard, l'écran de l'ordinateur s'anime.

— Tu as vu, c'est la pleine lune ? J'ai vraiment passé une après-midi et une soirée merveilleuses avec toi. Merci. Et pardon si je me suis laissé submerger, et que je t'ai sans doute semblé bien ennuyeux. Fais de beaux rêves.

Réponse émue :

— Tu es tout sauf ennuyeux. Tu es comme le Petit Prince de Saint-Exupéry. Merci pour la soirée cinéma et la lune bleue, petit prince. Un baiser pour ta nuit.

Voilà, c'est une jolie façon de se quitter. Maintenant, il ne reste plus qu'à faire une nuit blanche…

Trois jours plus tard, un mail :

— Bonjour, ça va ? Donne-moi de tes nouvelles tout de même, de temps en temps. Raconte-moi ce que tu fais. J'espère à bientôt.

Là, erreur. Croyant que nous sommes devenus amis, je lui envoie une longue réponse où je lui raconte ce que je fais. Après, plus de nouvelles.

C'est alors que notre soirée au coin du feu remonte à la surface et que je constate les dégâts : en me voulant aussi violemment et en me rejetant aussi sec comme une malpropre, l'Acteur connu a descendu en flèche ma belle confiance en moi. Petit prince ? Oui et non. Mec paumé, oui, fermé, froid et fou. Et moi, bécasse, dinde, GROSSE dinde ! D'ailleurs, ça y est, j'ai le cou qui flétrit, ça commence à saillir, le processus est enclenché. C'est peut-être pour cela qu'il n'a plus voulu de moi. Il a vu mon cou de dindon et a eu la chair de poule. Je suis malheureuse, vieille, frustrée ! Voilà ce que j'ai gagné après toutes ces années passées à Hollywood. Le film se termine en queue de poisson.

Oh, mon petit loup, donne-moi un signe, un coup de dents par Internet !

Obsédée par mes mails, je vérifie mon courrier toutes les demi-heures. Le bon vieux temps, celui des tourments vains de ma jeunesse, me revient avec l'envie de me taper la tête contre les murs. Je n'ai toujours rien appris, rien compris, et c'est très bien comme ça. Éternellement jeune, ha, ha, ha... Des boutons apparaissent même sur mon corps. Une rubéole ?

Non, ce n'est pas la rubéole, mais un zona, à cause du stress, m'a dit la toubib. Je l'ai payée soixante-quinze dollars pour qu'elle me dise ça, et en plus elle n'a pas voulu me prescrire de somnifères. Je suis en quarantaine. Il va sans dire que je n'ai pas dit au Cow-Boy d'arrêter de débouler chez moi sans prévenir : je lui ai donné un double de mes clés.

Pour l'instant, il fait la sieste, les deux chats montant et descendant sur son ventre au rythme de ses ronflements. Moi, je suis en train de finir un bol de corn flakes avec du sucre, du miel et du sirop d'érable. Depuis que l'Acteur connu m'a raccompagnée devant ma porte, j'ai repris six kilos et je bois comme un trou. Faut prendre des forces pour écrire. Le magazine vient de me demander six pages sur le petit prince. J'ai été obligée d'aller chercher de la documentation à la bibliothèque de cinéma sur La Cienega Boulevard vu que, comme prévu, les « hu hu hu » sur la cassette ne donnent pas grand-chose sur le papier. Si seulement j'étais moins abrutie, j'écrirais un article intitulé : « Ma soirée au coin du feu avec X ». Mais je suis loyale, moi, monsieur, oui, loyale !

Morale de l'histoire : je suis bouffie, avec un zona, et toujours le Cow-Boy sur le dos. Sans parler des yeux kaki qui hantent mes nuits… Heureusement, j'arrive à les oublier un peu grâce aux somnifères que je vais chercher chez l'Ermite.

— Je comprends très bien, ma chère Juliette, moi aussi je cogite trop, m'a-t-il consolée.

J'ai répondu, penaude :

— Merci, docteur Feelgood.

De toute façon, mes enfantillages hollywoodiens sont sur le point d'être balayés par des événements autrement plus graves. Et on dira ce qu'on voudra, mais une entrée en guerre, pour se changer les idées, on n'a encore rien trouvé de mieux.

17.

Promotion canapé

— Pas de sang pour le pétrole ! Pas de sang pour le pétrole ! Pas de sang pour le pétrole !

J'ai rêvé que j'étais sur Hollywood Boulevard, portée par le déferlement d'une marée humaine charriant avec elle l'écume du bon sens. Je me souvenais être agoraphobe, et j'agitais ma pancarte « La guerre n'est pas la solution » pour m'extraire de cette foule compacte. Les manifestants se transformaient petit à petit en badauds amassés devant le tapis rouge du Kodak Theater où avaient lieu les oscars. Je l'ai rêvé et je l'ai vécu : la guerre a eu lieu en même temps que les oscars. N'ayant plus la télévision, j'ai dû aller dans une chambre de l'hôtel où travaille le Cow-Boy pour pouvoir les regarder. J'ai profité de la complicité du veilleur de nuit, prénommé Oscar, qui m'a ouvert la porte avec un fil de fer. On s'est introduit comme des cambrioleurs, et Oscar est resté pour voir le début de la cérémonie.

— *Show must go on*, ont lancé tous les commentateurs.

Et les infos américaines qui ont immédiatement inventé un charabia militaro-médiatique pour apporter la guerre dans le salon des citoyens !

Devant une carte de l'Irak, un présentateur météo s'agite comme s'il s'agissait soudain d'un autre État d'Amérique :

« Demain, à Bagdad, fraîcheur le matin, mais tempêtes de sable à redouter en fin d'après-midi. »

Une fois de plus, je me pince.

Sommes-nous finalement rentrés dans la peau de John Malkovich ?

Au fond, pour masquer l'horreur et l'absurdité contemporaines, l'époque fait dans la créativité. Celle des directeurs de marketing n'en finit pas de m'épater. Pendant que les gosses de pauvres sont envoyés au casse-pipe, le circuit des *junkets* en profite pour dérailler complètement.

Les studios, endettés, réclament toujours plus de publicité. Les médias, démultipliés, résignés face au surnombre d'intermédiaires, n'essaient même plus d'obtenir de vrais entretiens, ne parlent plus de stars mais de *celebs*, et confondent Scorsese avec Versace. Les *celebs*, fouettées par la compétition, jouent le jeu des aboyeurs, enchaînent leurs journées de huit heures d'interviews sans broncher.

Et dans l'absurdité de ce marathon qui anesthésie tout le monde, un nouveau type de *junkets* a été créé, défini, signe des temps, par un nouveau jargon : « Chers tous, vous êtes conviés au *long lead junket* des deux nouveaux volets de *Matrix : Matrix Reloaded* et *Matrix Revolutions*. Vous trouverez ci-joints tous les détails pertinents concernant votre *interview living room…* »

Par *long lead junket* entendez une première vague d'interviews organisées très en amont de la sortie d'un film (que, du coup, l'on ne voit pas). Le *junket* traditionnel, lui, aura lieu quelques semaines plus tard : une seconde vague de rendez-vous avec une autre fournée de journalistes. Il suffisait d'y penser. Avec la création des *long leads* précédant les *junkets* habituels, les services de marketing ont doublé la couverture médiatique d'un film. Et chaque média a désormais le droit à sa miette du gâteau, en temps et en heure.

Le concept *d'interview living room* est déjà connu. Je vois même précisément de quoi il retourne, pour avoir déjà fait « salon » avec la bande d'*Ocean's Eleven* : les acteurs du film affalés dans des canapés agencés cosy, qui se poussent du coude en se remémorant des blagues de tournage. Ce qui donne quelque chose comme :

— Ha, ha, c'était hilarant, vraiment hilarant, hein, Brad, c'était hilarant ? lance George Clooney, habituellement si charmant, interrompant mes velléités de leur poser des questions un tant soit peu concrètes sur le film.

— Ouais, c'était hilarant, s'étire Brad Pitt, tandis que les pieds de Matt Damon, avec lesquels il essayait d'atteindre la table basse retombent lourdement sur le sol, ce qui réveille Don Cheadle. Ha, ha, ça aussi, c'est hilarant.

George Clooney se tape sur le ventre. Et ça continue comme ça, avec le mot *fun* qui revient souvent, et des bâillements à s'en décrocher la mâchoire – que Brad Pitt a fort jolie. En fait, je me demande même si je n'ai pas aperçu sa luette.

En face d'eux, une poignée de scribouillards qui n'a pas vu le film en question. Cinq ou six invités à un dîner de cons, qui rient au moment de l'apéro avant de réaliser que la blague est faite à leurs dépens. J'avais cru comprendre, à tort, que mon *living room* pour *Ocean's Eleven* représentait un cas isolé, lié au concept de camaraderie cool du film de Steven Soderbergh. Une interview à thème. Du tout : les *living rooms* se sont institués comme un genre à part entière de l'exercice promotionnel. Une nouvelle catégorie d'interviews à la chaîne est née : c'est la promotion canapé.

Désormais, en plus de mes conférences de presse du Club, j'écume donc ces *interviews living room*. Et comment me plaindre ? On est mieux là qu'en première ligne de combat en Irak..

Ce jour-là je range Ava derrière une file obscène de Hummer étincelants, qui ont pris d'assaut un nouvel hôtel branché de Beverly Hills.

Mais qu'espèrent-ils tous, avec leurs chars de millionnaires, capturer Ben Laden ?

Dans un bungalow sixties, Keanu Reeves, Laurence Fishburne et Jada Pinkett Smith s'ennuient déjà. Face à eux, le chœur des intervieweurs, prêts à poser encore et toujours les mêmes questions. Ceci dit, j'aurais pu écoper d'un plus mauvais casting de journalistes. J'aime plutôt bien ce Finlandais rougeaud et peu bavard : quand il l'ouvre, on en a toujours pour son argent. Il y a aussi une fille avec une dégaine intéressante, à la Shelley Duvall dans *Shining*. Je l'ai à la bonne, jusqu'à ce qu'elle se mette à réclamer aux acteurs des potins croustillants sur un ton hystérique. Entre ensuite en scène une foldingue espagnole qui s'est prise d'affection pour moi au fil des *junkets*. Elle me plante deux baisers sonores sur chaque joue, et colle sa chaise à la mienne. Elle veut absolument savoir quelle marque de clopes fume Keanu. Elle se penche pour fouiller dans sa poche. L'acteur, timide mais charmant, la remet gentiment à sa place.

— Ah, les gars, ce que vous êtes beaux, tous, comme ça, en face de nous. On en mangerait ! lance l'Espagnole en éclatant d'un rire qui me paraît interminable…

Et se conclut par un : « Pas vrai, Juliette ? », la main posée sur mon genou.

Ma copine de la Warner me jette un œil affolé.

— Qu'est-ce qu'elle a pris, celle-là ?

Selon moi, elle a tout simplement pris au sens propre le terme de « salon », évoquant il est vrai confort, intimité et décontraction. J'aurais dû la prévenir : il ne faut pas s'y fier. Confort, intimité et décontraction, cela ne vaut que pour les acteurs. Contrairement au déroulement des *junkets* classiques, ce sont les journalistes que l'on renouvelle toutes les demi-heures, pas les *talents*. Les acteurs, livrés à eux-mêmes, se curent les dents, inspectent leurs ongles et s'enfoncent progressivement dans les sofas en attendant qu'on vienne les libérer.

Vers la fin, faute de mieux, des sujets annexes sont abordés. Là, on en est à discuter des réalisateurs qui ont influencé les générations à venir. Le nom de Quentin Tarantino est évoqué. Le Finlandais se tourne alors vers Jada Pinkett Smith pour lui demander si elle partage son point de vue : Tarantino est un cinéaste surcoté et un acteur exécrable. Madame Will Smith prend la chose à la plaisanterie, alors que le Finlandais est sérieux comme un renne le soir de Noël. Il a toute une théorie sur le sujet, et se propose de la partager avec nous. Il range dans la même catégorie Orson Wells et Kurosawa ! Heureusement, son exercice est interrompu par le merveilleux rire de gorge de l'attachée de presse de la Warner.

— Bien, bien, bien, c'est malheureusement l'heure, d'autres journalistes attendent dehors. Une dernière question ?

Je me risque à dire que nous ne savons toujours rien sur l'intrigue des deux suites de *Matrix*. Quelqu'un a peut-être un petit indice à nous donner ?

Pour toute réponse, Joel Silver me renvoie au jeu vidéo.

À une époque, voir le film était la condition *sine qua non* pour participer à un *junket*. Mais ça, c'était dans l'ancien temps, ma bonne dame : avant qu'on ne puisse télécharger les nouveautés sur Internet ; avant que des critiques écrites par des quidams ayant participé à une projection test apparaissent sur le Net des semaines avant la sortie d'un film. Maintenant, les films sortent le même jour dans tous les pays du monde, dans un climat de paranoïa absolu. Autant de conditions qui ont servi d'excuses pour faire la publicité d'un film de plus en plus tôt et à le montrer de plus en plus tard. Les films sont ainsi officiellement relégués au rang de produits, et les journalistes deviennent de simples relais pour les écouler.

« Parce que, en plus, maintenant, les journalistes veulent voir les films ? » Une attachée de presse de la Paramount me fait partager cette plaisanterie qui court dans son bureau.

Je fais mes naseaux.

— Tout le monde trouve ça absurde, mais tout le monde accepte l'ascension de l'absurdité. Je suis désolée, si je ne peux pas voir le film, je ne fais plus les interviews. Non négociable. Ces papotages sur canapé sont inutiles, on en retire rien du tout. Zéro.

Pourquoi organiser ces journées ? Pour faire marcher les traiteurs locaux ? Balancez-nous les dossiers de presse, les photos et *basta !*

Je ne croyais pas si bien dire... Depuis, un nouveau type de promotion prémâchée a fait son apparition : des interviews toutes faites, assemblées par le studio, envoyées pour « faciliter le travail ».

— Les films ne sont pas prêts au moment des interviews, qu'y pouvons-nous ? Nous faisons tout pour satisfaire, malgré tout, les délais de bouclage des mensuels, s'est excusée une autre attachée de presse, désolée de sa propre impuissance.

— Pas prêts, mon œil ! j'ai aboyé.

Elle a eu l'air de me trouver bien téméraire.

— C'est amusant comme vos *living rooms* s'appliquent toujours aux films pop-corn, ai-je ajouté sans lâcher le morceau. Parce que pour les films « oscarisables » qui dépendent des critiques, là, vous nous courez après pour qu'on les voie, qu'ils soient prêts ou non !

Autant lutter contre des moulins à vent. Aussi, ne vous étonnez pas si tous les chroniqueurs de cinéma ont adopté de plus en plus ce petit ton moqueur pour décrire l'air qu'ils respirent : en devenant encore plus cynique, en déraillant, le système a poussé à la raillerie.

Pour ma part, j'ai opté pour cette solution : une interview salon sans avoir vu le film au préalable ? Pas de problème : je me dédouble, j'envoie l'autre. Je suis physiquement présente, j'apprécie le talent glamour de mes hôtes mais mon esprit, lui, vagabonde ailleurs. Seulement, quoi, vais-je rester indéfiniment dans l'antichambre de ma vie, à regarder mon double faire salon avec les stars ?

18.

Sept ans de réflexion et page blanche à l'arrivée

Le progrès tue toujours une ancienne valeur : celui de la machine promotionnelle assassine à petit feu le journalisme de cinéma. Mais au fond, l'évolution vers toujours plus d'abstraction et d'uniformisation a aussi du bon : cela me fait *réfléchir*. Arrivée au bout de mon endurance vis-à-vis du système, je me mets méthodiquement à réévaluer la situation. Voyons, si je ne suis pas prête à rentrer au pays mais que je n'accepte plus de me contenter des miettes jetées ici à ma profession, il va bien falloir envisager *quelque chose*. Je ne peux pas laisser la jeune cinéphile passionnée que j'étais se métamorphoser en vieille « junketiste » râleuse ! Mais est-il encore temps de revenir en arrière ?

Dans mon vieux dictionnaire *Harrap's* anglais-français, à *JUNKET* on trouve : « Festin. Banquet. Voyage d'agrément aux frais de la princesse. »

Juste en dessous, il y a le mot *JUNK FOOD* : « Aliment peu équilibré. Cochonneries. »

Voilà sept ans que je suis invitée dans les banquets, sept ans que je voyage aux frais de la princesse… Sept ans que je nourris mes cellules grises de cochonneries peu nutritives. Finirai-je comme les vétérans d'un Club que j'ai rejoint malgré moi, au lieu de m'enrôler dans un groupe bénévole pour aider à la reconstruction des pays ravagés par les guerres, ou d'offrir ma jeunesse à la Mission de Los Angeles qui donne à manger aux sans-abri de *Downtown ?* Dois-je encore, après tout ce temps, vexer la représentante sourdingue de la Fox en lui répétant pour la énième fois que je ne m'appelle pas Michelle et que je ne travaille pas pour le magazine *Première ?* Dois-je toujours prendre la peine d'expliquer à la nouvelle vague d'attachées de presse, qui pourraient être mes arrière-petits-enfants, que non, les journalistes de cinéma ne sont pas employés par les studios pour promouvoir les films ?

Car, au fond, sept ans, c'est un excellent tournant. L'époque ne serait-elle pas plutôt à l'aventure, voire à la reconversion ? Justement, mes velléités d'écrire un scénario – ambition bien naturelle chez le journaliste de cinéma – n'ont pas disparu, et j'ai décidé d'emboîter le pas au Cow-Boy pour suivre des cours sur le sujet à UCLA[1].

Depuis quelque temps, le Cow-Boy s'est mis à prendre des cours de tout : caméra, montage, production, loi, commerce… Il me dirait qu'il apprend à fabriquer des sushis que ça ne m'étonnerait pas plus que ça. Un jour, je l'ai surpris en train de rechercher sur Internet les acteurs ayant réussi sur le tard ; lister leurs

1. *University of California Los Angeles.*

noms, les additionner, les soustraire, comparer leurs dates de naissance avec la sienne. Dustin Hoffman moins Gene Hackman plus Sharon Stone moins Vin Diesel égale… Des amis bien intentionnés mais cruels, qui lui assènent qu'il n'a plus aucune chance puisqu'il n'a pas encore percé, n'ont réussi qu'à raviver son ambition.

Mais dans ses jours de déprime, je l'ai déjà entendu me dire :

— Je ne veux pas me retrouver à quarante balais à passer des auditions pour une pub. Si dans deux, trois ans maxi, rien ne bouge pour moi, je me casse.

Je lui ai rappelé qu'il devrait plus se donner à fond dans les relations publiques et la séduction. « *Play the game, damn it !* » Il m'a regardée comme si j'étais Lucifer en personne, en train de lui proposer un contrat foireux. Je ne peux lui jeter la pierre, ne parvenant qu'à peine à jouer le jeu moi-même.

Ensemble aux cours de scénario, on s'est marrés comme deux collégiens. Quand je me suis enfin sentie suffisamment désinhibée pour prendre la parole devant la vingtaine d'autres élèves, on s'est tiré la bourre avec le Cow-Boy. C'était à celui qui répondrait le plus vite aux questions du prof, comme s'il s'agissait d'un jeu télé. Tout juste s'il ne me poussait pas pour lever le doigt à ma place. On faisait aussi des commentaires sur les autres en se passant des petits bouts de papier. Des enfants. Moi, j'étais impressionnée. Car où, à part à Los Angeles, peut-on prendre des cours avec des scénaristes en activité ? Cependant, quand mon professeur, qui a créé la série télé *Walker, Texas Ranger* – il n'y a pas de quoi être si fier –, a admis n'avoir vu aucun des films de Joseph Mankiewicz, j'ai prétendu aller aux toilettes et ne suis jamais revenue.

La vérité, c'est qu'à force de poser des questions à tous les loups et louves aux dents acérées d'Hollywood, mon désir, au lieu de s'aiguiser, s'est un peu trop émoussé… Quant à travailler à la poste comme Charles Bukowski ou comme Denzel Washington à ses débuts, je ne suis plus si sûre que cela soit une bonne idée. D'ailleurs, les deux n'arrivaient à pointer que parce qu'ils avaient une bouteille de gnôle sous le guichet. Et moi, j'essaie justement de freiner la picole.

Reste bien sûr le fantasme du roman. Ah, la vie d'écrivain : un grand bureau croulant sous les bouquins dans une pièce qui donne sur les marées montantes et descendantes ; deux chats comme ceux de Colette qui veillent sur moi pendant que je fais vrombir le clavier de mon Macintosh… Précieux félins s'étirant sur les épreuves de mon petit dernier tant attendu par le public. Car, naturellement, j'écris des best-sellers et à chaque fin d'année je reçois les honneurs des critiques et des prix littéraires… Bon, j'ai déjà les chats, mais leur rôle consiste surtout à faire des confettis avec tout ce qui ressemble à du papier, surtout si ça sort du fax avec inscrit : « Urgent, très important, concerne votre exclusivité avec Tom Cruise. »

— Tu passes peut-être trop de temps avec eux, me fait souvent remarquer le Cow-Boy.

Je lui rétorque que c'est avec lui que je passe trop de temps, et que notre histoire qui consiste à refaire indéfiniment la même prise, sans parvenir à la mettre en boîte, n'a aucune chance de connaître un second acte.

— Je sais, je sais, me répond-il invariablement en français.

Je pense alors à mes amours passées, aux occasions ratées, à l'Acteur connu... Tout est si loin... Lorsque je m'endors au milieu de mon lit à deux places pour bien montrer que je ne crains pas le célibat, le non-lieu de ma vie sentimentale se réveille comme un précipice bien réel, vers lequel je ne veux surtout pas me retourner.

« Eh, la vie, c'est pas la répétition, c'est le show ! »

La phrase de Cameron Diaz, philosophe bien connue d'Hollywood, me revient en écho...

Aussi, j'essaie de faire partie du show, en commençant à parler autour de moi, à tort et à travers, de mes velléités littéraires :

— Si je termine un roman un jour, je l'intitulerai *Prologue*, je dis à ma sœur par téléphone.

— Écris ce que tu veux, un menuet, un requiem, *Les Misérables*, mais écris déjà, après on en reparlera, elle me coupe court.

— Si t'as pas d'idée, commence par prendre exemple sur les pros, ensuite ça viendra, me conseille pour sa part mon Jedi de père, qui a été dans sa jeunesse musicien professionnel.

Il a commencé à accompagner des chanteurs célèbres à la guitare à l'âge de seize ans, avant d'envoyer balader Paris et les gros salaires pour retourner à la nature avec sa famille.

Les musiciens pros ne conçoivent pas que l'on ne fasse pas au moins ses gammes.

C'est ainsi qu'au terme de sept années d'un exil opaque, je commence à gribouiller le récit de mes tribulations. Les blogs d'expatriés champignonnent chaque jour sur le Net et la chronique hollywoodienne est un genre en soi, au même titre que le western au cinéma, mais l'idée n'en reste pas moins valable : car tout le monde n'a pas vécu avec un cow-boy ! Et puis, j'écris chaque mois dans un magazine une colonne hollywoodienne. Qu'est-ce qui m'empêche de coucher sur le papier, ne serait-ce que pour moi, mon véritable journal ? Ou plutôt mon anti-journal, mon antidote ?

Avant d'avoir vingt ans, j'écrivais beaucoup. Je raturais des bouts de romans, des poèmes, des chansons. Avec les mille francs (somme énorme !) donnés par mon grand-père maternel en récompense de mon bac poussivement obtenu à la seconde tentative, je m'étais offert une machine à écrire. Je ne sais pas ce que mon Olivetti est devenue, mais une chose est certaine : il est grand temps de me remettre à pianoter.

— Le moment de la reconnaissance est venu, je m'encourage à voix haute, par une superbe journée d'hiver, trouvant naturel de parler toute seule.

Je commence par embrasser mon ordinateur.

— Tu sais que je t'aime, toi ! Toi et moi, on va faire équipe.

Je caresse du pouce la pomme translucide du Macintosh. Je dispose en éventail des rames de papier, des stylos, mes dicos. Je les change de place, réarrange tout mon bureau, trie le contenu des tiroirs, trouve des vieilles photos, pleure un peu, vais dans la salle de bain baigner mes yeux, me redessine un trait de khôl par habitude.

— Salut, je lance à la fille dans la glace.

— Salut, elle me répond, l'œil brillant.

Je décapsule une bière au potiron, produit vendu seulement entre Halloween et Thanksgiving. J'en ai acheté un stock ; il faut bien les écouler. J'en prends une autre, jette quelques idées sur des feuilles de papier, organise des notes éparses prises au dos des dossiers de presse au fil des ans.

Il est temps de faire un break.

J'appelle l'Ermite. Il est à cran.

— Je n'en peux plus de tous leurs mails qui commencent par : « Chers tous ». Je n'en peux plus de leur emploi du temps donné la veille pour le lendemain. Et t'as remarqué comme ils ne disent plus « le », mais « la » *junket* à Paris ? Qu'ils viennent encore me bourrer le mou pour savoir si je fais L.A. *long lead junket* de *Elf* et je bloque leurs mails !

— On n'a plus le droit de dire « actrice », faut dire « acteur » pour les deux sexes, et à côté de ça les *junkets* sont devenus féminins… Je te demande un peu ce qu'ils ont de féminin, à part l'art de tourner autour du pot ? je lui réponds, pompette.

Je revois l'Ermite à la sortie de la projection du foutu *Elf*.

— Ignoble, insultant, ça m'a dégoûté de Noël ! a-t-il mis au parfum une jeune attachée de presse qui lui demandait ce qu'il avait pensé du film. Mais merci beaucoup pour le collant jaune moutarde que vous nous avez fait porter par coursier spécial. Je le mettrai à la conférence de presse.

Je renvoie mon compatriote à ses collines et entame la troisième bouteille du pack de six. Mes idées vont toutes à la poubelle. Mon chat, qui a mangé trop d'herbe, vomit de la chlorophylle sur les dossiers de presse où j'avais pris des notes. Je repousse les rames de papier, les stylos, les dicos. Je tire sur mes cheveux. Quel cliché ambulant je fais !

Je décide de vider dans l'évier les trois dernières bouteilles de bière. Quelle volonté de fer ! La citrouille d'Halloween, posée sur mon étagère, semble se moquer de moi :

— La bière au potiron n'était peut-être pas une bonne idée, grimace-t-elle de son sourire édenté.

C'est au prix d'une volonté surhumaine que je hisse à nouveau mes fesses sur ma chaise de bureau, enclenche le bleu de mon Bic quatre couleurs… et, au lieu de me plonger dans mon œuvre, m'attaque à mes cartes de vœux en tirant la langue.

À en juger par les grappes de cartes agglutinées sur mon frigo, je compte un nombre d'amis célèbres assez impressionnant. J'ai reçu les vœux de Nicole Kidman, Sarah Jessica Parker, Julianne Moore, Laura Dern, Rob Lowe, Ian McKellen, Spike Lee, Kevin Spacey, David Caradine, Peter Falk, Renée Zellweger, Peter Weir… toutes écrites à la main, sûrement par un assistant spécialement rémunéré.

« Chère Juliette, bonheur, paix, prospérité, et tout ce que tu souhaites pour cette nouvelle année », a marqué John Travolta. Tom Cruise, lui, m'a fait envoyer les quinze commandements du code d'honneur de la scientologie : « N'aie jamais peur de blesser quelqu'un pour une juste cause », énonce le douzième.

Je le relis en me grattant la tête.

Pour ce qui est des cadeaux, leur nombre a diminué. Après tout, c'est la guerre, et les studios ont freiné la production de *goodies* pour la presse. En revanche, les sponsors se déchaînent en bombardant les stars de produits gratuits : c'est l'explosion des « suites cadeaux » (on ne prête qu'aux riches), où les stars, qui ont pourtant déjà tout, viennent se faire couvrir de présents onéreux. Je trouve le principe quand même un peu étrange, mais bon, si je suis invitée…

Au rayon des cadeaux reçus chez moi en cette fin d'année, une bouteille de Huia, envoyée par Peter Jackson.

Du champagne néo-zélandais baptisé d'après le nom d'un bel oiseau rare, qui mousse comme du shampoing, et saoule comme de l'alcool de coing.

Le soir de la Saint-Sylvestre – pas du tout sur mon trente et un, mais vêtue de mon pyjama frappé d'un signe *peace and love* aux couleurs de l'Amérique –, je m'apprête à boire à la santé de la Terre du milieu quand débarque le Cow-Boy… Prise en flagrant délit de *cocooning*, le DVD du *Roman de Mildred Pierce* déjà enclenché et la bouteille de Huia à la main. Je l'avais pourtant averti au téléphone :

— Ne t'occupe pas de moi, je suis invitée chez des amis français.

Le Cow-Boy jauge la situation. Il attrape un sac, y balance au hasard des fringues et une paire de chaussures à talons, des produits de beauté qui trônent dans la salle de bain. Il remplit l'auge des chats de croquettes au saumon et, dans un rire de baryton, s'exclame :

— Direction Las Vegas !

Sur le moment, je me dis qu'on va atterrir dans une chapelle, mariés par un sosie d'Elvis. Pas sûr que ce soit une bonne idée. En fait, le Cow-Boy a surtout envie de jouer : pendant qu'il perd tous les dollars gagnés grâce à une pub tournée un an plus tôt, je sors à l'air libre pour fuir les trémolos d'un crooner qui reprend *My Way*.

Dehors, le spectacle est incroyable : les corvettes et les Hummer sont couverts d'une fine poussière blanche, les palmiers saupoudrés de neige.

Je cours dans le casino.

— Arrête tes conneries ! j'intercepte le bras du Cow-Boy au moment où il actionne celui d'une machine à sous. Viens voir dehors : il neige !

On se retrouve avec tous les autres joueurs en smoking à l'extérieur, sous l'enseigne du casino Stardust, à constater le dérèglement de la machine météorologique. Cette blancheur soudaine redonne un peu de tenue et de cachet à la ville du jeu. Les oreilles rougies, le Cow-Boy me prend par l'épaule et me crie : « Bonne année ! »

— Il est trop tôt, il est même pas dix heures, je lui rétorque.

En fait, on est dans mon lit, dans ma maison de poupée, à regarder les feux d'artifice à la télé. En ville, il n'y a pas un chat et les lettres d'Hollywood ne sont même pas éclairées pour l'occasion. On a déjà fini la bouteille de champagne-shampoing, on s'est écroulé comme des Hobbits harassés.

Ce paragraphe sur notre réveillon à Las Vegas, c'est un des textes que j'ai gribouillés quand j'ai eu des velléités d'écrivain. Quand le Cow-Boy est tombé dessus, il en a compris le sens et s'est rebiffé :

— Tu me vois, moi, passer le 31 décembre à Las Vegas ? Tu m'as bien regardé ? Et quoi d'autre ? Mon anniversaire à Bagdad ?

Je lui ai arraché mon cahier des mains.

— J'essaie de pondre un bouquin, j'ai fait.

— N'écris pas un roman, écris ton vrai journal de L.A. Si tu commences à inventer les faits, ça n'a plus d'intérêt, m'a sermonné le Cow-Boy.

— Tous ces réveillons passés à être complètement minée, ça fait pathétique, j'ai avoué en baissant la tête.

— Assume ce que tu es, et prends des leçons sur toi en écrivant, m'a-t-il intimé.

Pour toute réponse, je lui ai sauté au cou et donné un coup de langue sur son nez, qu'il a terriblement sexy : les cow-boys, il faut toujours les prendre par surprise, sinon ce sont eux qui vous attrapent au lasso.

Et puis il a vraiment neigé à Las Vegas, ce 31 décembre 2003 Vous voyez, il faut tout de même me croire un petit peu…

19.

« Même avant l'arrivée du premier invité, je flairais la catastrophe »

Bette Davis, *Eve*

Le Cow-Boy et moi roucoulons depuis plusieurs semaines, sans vraiment assumer cette lune de miel inattendue.

— Oh, nous ne sommes pas ensemble, répétons-nous à l'envi.

Nous marchons enlacés, nous nous embrassons entre deux bouchées de spaghettis et nous tenons les mains pendant les films. Je confirme notre venue à toutes les projections presse, même – et surtout – à celles des navets que je ne suis pas obligée de voir pour le magazine. Tout ça pour le plaisir d'être enfermés tous les deux dans le noir, cramponnés l'un à l'autre, à sucer les raisins enrobés de chocolat offerts à l'entrée.

Ensuite, nous allons grignoter quelques tacos au Farmers Market, sur Fairfax, marché couvert à l'ancienne où se côtoient toutes les communautés de Los Angeles. Le Cow-Boy y trouve toujours le moyen de tomber sur quelqu'un qu'il connaît, généralement un acteur qui arrondit ses fins de mois comme serveur, vendeur ou voiturier. Je trouve ça tellement mignon, cette façon qu'il a de restituer partout à L.A. la bonhomie d'un bled perdu de l'Indiana.

Et puis, pour un rien, des amoureux de Peynet on passe aux Thénardier. Ça commence un matin chez le Cow-Boy, de manière tout ce qu'il y a de plus banale. Un couvercle de toilettes pas rabaissé, un bouchon mal refermé, et les reproches refoulés ou inconscients fusent des deux côtés.

C'est au moment de la balle de match qu'on se rend compte que nous ne sommes pas tout seuls.

— Ah, va te faire foutre !

— Non, toi, va te faire foutre !

Au-dessus de nous, une caméra au bout d'une perche… On les avait oubliés, ceux-là : c'est une équipe de Channel 4, une chaîne anglaise, qui réalise un documentaire sur les centaines de milliers d'acteurs qui veulent percer à Hollywood. Ils suivent le Cow-Boy dans ses activités quotidiennes. En échange, il empoche un chèque rondelet.

La première interview du documentaire se déroule dans le trou à rat du Cow-Boy, bungalow auquel je trouvais autrefois du charme. L'endroit ne manque pas d'animation : en plus de nos gueulantes, la voisine du Cow-Boy, qui ressemble à Marlène Jobert époque *Passager de la pluie* sauf qu'elle a le cou couvert de tatouages, vient de se faire cambrioler. Deux flics inspectent les lieux, faisant semblant de s'intéresser au problème. On les sent plus habitués à assurer la sécurité d'un tournage de film et l'arrivée d'une caméra les titille. La fille cambriolée travaille pour le FBI et dort avec son flingue sur sa table de nuit.

— La pauvre, je vais aller lui dire un mot, elle doit être traumatisée, s'apitoie le Cow-Boy.

— Traumatisée ? Elle dort avec un flingue sur sa table de chevet !

La voix snob de la productrice anglaise rappelle la présence de son équipe :

— Vous êtes prêts ?

— Même avant leur arrivée, je flairais la catastrophe, je préviens à voix basse le Cow-Boy, lui confirmant ainsi que je ne vais pas lui rendre la tâche facile.

— T'as fini de me balancer tes répliques de film ? rétorque-t-il sur le même ton.

— Et toi, si tu pouvais arrêter de dire *you guys* toutes les cinq secondes, et de ponctuer toutes tes phrases par *dude*, ou *man*, ça t'éviterait d'avoir l'air d'un surfeur attardé à la télé anglaise.

Le Cow-Boy me tourne le dos.

— Eh, *dude*, comment ça va, *man ?* dit-il en serrant la main du cameraman. Entrez, entrez, ma fiancée et moi allions justement faire du café. Vous en voulez, *guys ?*

— Formidable, approuve la productrice. Juliette, tu pourrais faire le café pendant que je te pose des questions ? On va commencer par toi. Ensuite, on ira dans les rues de Los Feliz pendant que vous achetez un journal, discutez de cinéma à une terrasse, des choses comme ça. Si on pouvait aussi vous suivre à une première de film cette semaine, ça serait du tonnerre. Quand vous vous avancez sur le tapis rouge, par exemple. OK, on se met en place ? Le tee-shirt de Juliette, c'est pas un problème ?

Je jette un regard noir au Cow-Boy.

Même avant que nos amours ne s'écroulent comme un château de cartes, je m'étais fait prier pour participer au documentaire. Mais c'était la condition de Channel 4 : interviewer la petite amie, afin de lui soutirer son point de vue sur les joies de la vie de couple avec un acteur dans la dèche.

— Tu n'as pas autre chose à te mettre par hasard, Juliette ? reprend la productrice. Non ? Pas de problème, on s'arrangera. OK, on n'a qu'à répéter une fois. Juliette, arrive-t-il parfois à ton fiancé de manifester ses frustrations d'acteur, et comment réagis-tu dans ces cas-là ?

Je marmonne que sortir avec un acteur, d'une manière générale, est fortement déconseillé. Je m'empêtre avec la mouture du café et fais tomber le filtre souillé sur les pieds de la productrice.

— C'est très bien. Mais quand on la refera, essaye d'être plus naturelle, m'ordonne-t-elle.

— Si je suis plus naturelle, ça risque d'être censuré à la BBC, je grommelle entre mes dents.

— Plaît-il ?

Je déteste cet air de lévrier snobinard.

— On va dire que c'est bon là, pour le café, je dis en croisant les bras.

La productrice prend le Cow-Boy à partie :

— Elle ne veut pas participer ?

Je monte sur mes grands chevaux :

— ELLE veut bien participer, mais ELLE vous connaît trop, vous autres, journalistes. Vous faites probablement un reportage sur les losers à Los Angeles et vous allez vous servir de ce qu'on dit, et tout déformer à votre sauce. Ouais, ouais, ouais… pas la peine de nier.

La productrice se tourne à nouveau vers le Cow-Boy.

— Elle est pas journaliste aussi, ta copine ?

— Je suis pas sa copine.

— Plaît-il ? répète la productrice.

Le documentaire s'est finalement révélé d'un bon niveau, mais j'y ai mis tellement de mauvaise volonté que j'ai été coupée au montage.

— Et moi alors ? je proteste en voyant les autres *girlfriends* interviewées.

Pendant une heure, l'histoire du Cow-Boy est intercalée avec celle de jeunes acteurs britanniques vus dans les films de Guy Ritchie, venus eux aussi poursuivre leur carrière à Hollywood. L'ensemble est enrichi des commentaires d'Alfred Molina – encore lui –, qui donne des cours d'art dramatique à Los Angeles. Le ton est empathique vis-à-vis des acteurs et le regard sur le système reste lucide. Aucune trace du racolage dégradant contre lequel j'avais mis en garde le Cow-Boy. Mais la fin du tournage a creusé le fossé France-Amérique POUR DE BON. Le Cow-Boy et moi sommes d'accord pour effectuer une cassure nette, avec coupure de toute communication.

Prendre une décision et s'y tenir !

Trouver un remplaçant au Cow-Boy s'avère cependant plus difficile que jamais.

Je sors pourtant beaucoup, et enchaîne les concerts. Los Angeles n'est pas que l'Eldorado du cinéma. C'est aussi celui de la musique.

— Profites-en, me conseille mon ange gardien, conscient d'avoir encore pas mal de boulot avec moi.

Tous les vendredis soir, j'échoue au café-théâtre du Largo où se produit Jon Brion, fabuleux homme-orchestre et compositeur pour les films de Paul Thomas Anderson. J'y croise également le chanteur folk Michael Penn, frère de Sean. Mon attitude un peu autiste ne joue pas en ma faveur. Je fais bien quelques connaissances, mais gâche tout par maladresse. Je prends surtout conscience d'une réalité terrifiante : mon cerveau possède une vie propre sur laquelle je n'ai aucun contrôle, avec une tendance croissante à me faire faire ou dire le contraire de ce que je lui ordonne. Plus l'enjeu est gros, plus mon cerveau me trahit. Sitôt abordée, je me saborde. Et finalement, la nuit, je ne sors plus si souvent que ça. Quand on ne peut plus se faire confiance, que voulez-vous, on reste chez soi.

Vais-je finir ermite à mon tour ?

Et puis, un beau matin guilleret, je trouve dans ma boîte aux lettres une invitation à un cocktail pour un film avec l'Acteur connu.

Un signe du destin ?

Je sais bien que non. C'est une invitation envoyée par un studio. L'Acteur connu n'a rien à y voir. Je veux décliner, bien entendu. Le revoir ne peut que remuer le couteau dans la plaie ; répondre à cette invitation témoignerait d'un manque de jugeote évident…

C'est sublime d'assurance que je débarque au cocktail, quelques jours plus tard. Décor luxueux, typique d'une *mansion* méditerranéenne de Pacific Palisades, musique d'ambiance… Je ne suis ni trop à l'heure, ni trop en retard ; la foule des convives commence juste à prendre forme.

Même avant l'arrivée du premier invité, je flairais la catastrophe...

Je l'aperçois immédiatement, il m'aperçoit immédiatement. Son instinct sauvage me repère de loin, et je le vois marquer une pause, prendre le temps pour réfléchir à l'attitude qu'il va adopter, tandis que je donne des directives à mon pauvre petit cœur. Une grappe de crétins m'entoure soudain en bourdonnant. L'Acteur connu va sûrement en profiter pour se faire la belle. Mais il vient droit vers nous, son œil olivâtre braqué sur moi. Il serre les mains de chacun, acceptant les compliments de bonne grâce. Je me tourne dans l'autre sens en faisant mine de tremper une fraise dans une fontaine de chocolat blanc. Il me tape sur l'épaule. Je fais volte face. Oups. Il me prend dans ses bras, et me mordille la joue en repoussant adroitement les crétins de côté. Ouuh ! là, là... C'est encore meilleur que les fraises au chocolat blanc. Il se colle à moi. Il est à nouveau ce petit animal avec lequel j'ai folâtré dans une vie antérieure. On parle de nos derniers voyages, on se pousse en rigolant bêtement, on se fout de ce que les autres pensent. Dans le ciel de Pacific Palisades, les étoiles brillent de mille feux.

Et soudain, dérapage de la bande : son agent lui fait signe. L'Acteur connu m'embrasse au coin de la bouche et fend la foule sur les talons de cet agent beaucoup trop diligent à mon goût. Hébétée, j'attrape un verre vide au hasard, le passe d'un geste mal assuré sous la fontaine de chocolat blanc et m'en rassasie jusqu'au vertige.

Je suis prise d'un premier spasme, écarte de mon chemin de gros producteurs hideux qui se pavanent comme s'ils étaient des apollons, bute contre un serveur de cocktails, gloups, en avale un au passage... *Bon sang, qu'est-ce que c'était, de l'alcool à brûler ?* Dans mon angle mort, apparaît le profil sauvage de l'Acteur connu. Il parle avec une jeune publiciste belle comme le jour. Je m'enfonce dans le jardin, disparais dans les bois, et, dans un grand rejet de la condition humaine, me laisse submerger par la nausée.

Le surlendemain, alors que je vérifie mes mails sur l'ordinateur situé à l'entrée du club de gym, coup au palpitant : j'ai un mot de *lui*.

— C'était charmant de te voir à nouveau. Tu avais l'air en forme. Pardon d'être parti aussi brusquement, sans te dire au revoir, mais je ne suis pas conçu pour rester plus d'une heure au milieu d'un tas de types habillés en pingouins et de bonnes femmes en robes longues. Prends soin de toi. Porte-toi bien.

Il signe de la première lettre de son prénom.

Bon, il ne m'a pas vue vomir à quatre pattes sous les eucalyptus, c'est déjà un point favorable. Pour le reste, c'est un mail civique, bien poli et sans ambiguïté, qui appelle une réponse du type :

— Oui, toi aussi, c'était bon de te revoir. Je te souhaite bien des choses, et peut-être à une prochaine fois.

Au lieu de cela, encore transpirante après un cours de Boot Camp (entraînement militaire très à la mode à Hollywood), je tape :

— J'imagine à quel point ces petites sauteries doivent être une corvée pour toi. Je suis moi-même partie après avoir eu le plaisir de te revoir. Dis donc, je vais sans doute me ridiculiser mais c'est de ta faute. Tu as trop d'effet sur moi… Et si je passais te voir un de ces jours, juste pour prendre un thé et papoter ? Bonne ou mauvaise idée ?

Pauvre Juliette. Elle est gentille, mais elle ne comprend pas vite…

Une semaine sans nouvelles à me ronger les sangs et, finalement, une réponse, sûrement la dernière que je recevrai jamais de l'Acteur connu :

— Désolé, je n'ai eu ton mail qu'aujourd'hui, je suis à Paris en tournée de promo. Je te souhaite une vie pleine de douceur et de bonheur. Que tes voyages soient splendides.

Eh bien, à toi aussi, petit prince, une vie pleine de grands bonheurs. Adieu, orphelin de l'existence qui en cherche le sens à travers tous tes personnages, et parfois même à travers les mortels. Que tes voyages aussi soient splendides, toi qui vois sans cesse le soleil se lever et se coucher. *Ciao*, petit animal. Et merci de m'avoir laissée caresser, le temps d'une transhumance, ton doux pelage…

L'épisode Pacific oublié, je choisis la voie du bon sens : m'immerger dans le travail. Mon livre sur ma vie à Los Angeles avance bien. J'ai déjà écrit une moitié de chapitre. À ce rythme, je devrais avoir fini en 2010. Comble du ridicule, je me suis mise à parler à tout le monde d'un bouquin que je n'ai pas encore écrit. Progression dans la vie fantasmée, légère accélération dans la folie. En prime, la folie des grandeurs. Je mens même au Boss, qui avait été le premier à m'inciter à écrire lors de mon installation à Los Angeles.

J'ai de plus en plus envie d'ailleurs, d'autre chose. Mes accès de claustrophobie au sein du Club s'intensifient.

Mes crises de timidité en conférence de presse s'accentuent. Mon travail devient laborieux. *J'étouffe.*

Il y a pourtant un peu de mouvement au sein du Club. Un e-mail tombe régulièrement pour informer du décès d'un des membres vétérans, confirmant la lente et triste hécatombe de notre cercle de correspondants. À travers les obituaires, ces individus révèlent un passé souvent fascinant : certains étaient reporters de guerre, d'autres ont échappé aux ghettos, aux goulags, à la famine. Ils ont débarqué en Amérique et, à partir d'une petite boutique familiale, ont créé l'une des grandes vitrines d'Hollywood. Ils sont allés jusqu'au bout du rêve américain. Mais ces anciens sont remplacés progressivement par des nouveaux venus dont certains ont attendu si longtemps pour être acceptés qu'ils s'acclimatent un peu trop vite. La journaliste apprentie boxeuse qui avait provoqué un scandale à la projection new-yorkaise de *Gangs of New York* a, elle, été clouée au pilori et jugée en place publique lors d'une réunion administrative.

— Elle n'avait pas toute sa raison. Elle a eu tort, mais soyons généreux. Pardonnons. Faisons l'amour, pas la guerre, a tenté un photographe hippie pour convaincre ses collègues de ne pas l'excommunier.

Rien n'y a fait, elle a été bannie pour plusieurs mois. Pardon et rédemption ont beau ne pas être les mamelles du succès, cette mascarade de justice m'a laissé un sale goût dans la bouche.

20.

Fucking pathetic (où Mel Gibson prend les enfants du bon Dieu pour des canards sauvages)

Alors que j'étais sans nouvelles du Cow-Boy depuis plusieurs semaines, je le croise par hasard au rayon gâteaux salés chez Trader Joe's. Nous tenons chacun à la main un paquet de chips.

— Je reviens d'un *junket*, j'ai besoin de compenser, je me justifie.

— Pauvre petite. Moi, je reviens d'un rallye pour John Kerry et j'ai aussi besoin de réconfort. Ils ne se remettent jamais en question, tous ces libéraux d'Hollywood ! Ils sont là, à pavaner avec Ben Affleck et Barbra Streisand, des gens qui ont perdu le sens des réalités depuis longtemps et qui ont la vanité de se poser en sauveurs du peuple, sans réaliser à quel point cette image élitiste leur fait du mal.

— Je n'aime pas la dictature des deux partis uniques de ce pays, je dis.

— Ouais, et les démocrates ont aussi voté pour la guerre en Irak, mais ils ne nous laissent pas le choix. C'est soit les démocrates, soit les républicains, et tant qu'à faire, autant pas se tromper de case, grogne le Cow-Boy en jetant une demi-douzaine de *burritos* surgelés dans son caddie.

— Mais y a de l'espoir pour les prochaines élections, non ? Je lisais la presse française ce matin sur Internet, ils donnent John Kerry gagnant.

— Ce sont des grands idéalistes, chez toi, en France ! Kerry est trop mou face à Bush. La moitié des Américains ont peur. Ils ne vont pas voter pour un mou bien élevé qu'ils connaissent à peine ; ils vont se prononcer pour un Texan en béton armé déjà en place. Enfin, il reste encore plusieurs mois, ça peut changer. Et puis, l'espoir fait vivre, non ?

Le Cow-Boy me glisse un regard en biais.

Je repose mon paquet de chips sur le rayon et prends mon air angélique.

— Une crucifixion ce soir, ça te dit ?

Je dois m'envoyer *La Passion du Christ* aux studios de la Fox et je redoute d'y aller seule. J'ai bien essayé de convaincre l'Ermite de descendre de ses collines, mais il préfère rester chez lui à égrener son chapelet de cogitations.

Le Cow-Boy se fait un peu prier mais finit par plier. Il s'avoue intrigué de voir ce brûlot précédé d'une telle polémique. Mel Gibson, accusé par ses détracteurs de désigner les juifs comme responsables de la mort du Christ, s'est contenté de déclarer que l'antisémitisme était un péché. Deux ans plus tard, appréhendé en état d'ivresse à Malibu, il déblatérera aux flics des propos pas franchement prosémites… Il doit d'ailleurs y avoir quelque chose dans l'air à Malibu, ou plutôt un manque de quelque chose, comme une promesse de grand large non tenue, qui engendre quelques ébriétés fameuses : c'est sur cette même portion du Pacific Coast Highway, dans une communauté peuplée de célébrités, que Nick Nolte et, avant lui, Robert Downey Jr. ont déjà été sommés de souffler dans le ballon.

Mel Gibson, à l'époque de *La Passion du Christ*, a souvent soif mais il reste sobre, fier pilier des Alcooliques pas si anonymes que ça… Et c'est dans son moins bon rôle, celui de curé, qu'il donne des interviews pieuses sur toutes les chaînes évangélistes qui soutiennent son film. Je ne suis pas sûre, personnellement, de saisir toutes les nuances du débat.

— Mais tout le monde, les Romains mis à part, ne faisait-il pas partie du peuple juif dans cette bonne ville de Jérusalem ? Et si Jésus était juif, alors pourquoi, depuis l'origine… ?

Que j'aie des lacunes théologiques, pas de doute. La faute à mes parents qui ont refusé que j'aille au catéchisme sous prétexte que l'homme d'Église du village carburait au pastis dès le matin. Résultat, quoique volontiers spirituelle – toujours prompte à allumer un bâton d'encens quand je prends un bain, par exemple –, je considère avant tout la religion comme la cause de la moitié des conflits dans le monde. Bref, méfiance. Mon appréhension, ce soir-là, ne porte pas toutefois sur la crainte que des dévots mettent une bombe dans la salle du théâtre Zanuck de la Fox, comme à Saint-Michel pendant *La Dernière Tentation du Christ* de Martin Scorsese. Je vais surtout voir le film à reculons en raison de sa brutalité annoncée. Sur le grand écran, comme prévu, suintent des litres d'hémoglobine.

Par chance, je possède une technique très au point pour filtrer la violence au cinéma : je ferme les yeux aux trois quarts, en conservant juste assez de vision à travers mon mascara pour suivre l'intrigue, mais sans absorber des images qui continueraient trop longtemps à irriguer mon cerveau. (À côté de cela, des films sont interdits ici aux moins de dix-sept ans pour « légère sensualité »…)

N'entrapercevant que 75 % de l'action, je supporte. Le Cow-Boy, lui, se prend tout de plein fouet. Il se tourne vers moi en faisant les gros yeux. Arrive la scène où, d'après ce que j'en distingue dans mon champ de vision réduit, les bras d'un Jésus transformé en hamburger se révèlent trop courts pour atteindre les trous dans la croix. Vas-y donc qu'on te le démembre à moitié pour atteindre les trous, et pan pan pan, gros plan de rigueur sur les clous qui pénètrent dans les paumes.

C'est à cet instant que le Cow-Boy me bouscule comme un vulgaire sac de jute.

— Je me casse, tu viens si tu veux, sinon tu trouveras quelqu'un pour te raccompagner !

Je le suis, courbant l'échine pour ne pas nous faire davantage remarquer.

— *Fucking pathetic !* crie-t-il en passant devant l'attachée de presse d'Icon Productions[1] qui attend dans le couloir.

J'écarte les mains en signe d'impuissance, l'air de dire que je ne connais pas ce type, je le talonne juste

1. Société de production de Mel Gibson.

parce qu'il a emmené par mégarde mon écharpe en se levant.

À l'air libre, devant un immense plateau de tournage ouvert qui sent bon le sapin et la sciure, le Cow-Boy s'allume une clope en hâtant le pas loin devant moi. Au début de la rue de carton-pâte où ils tournent *NYPD Blue*, je parviens à le rattraper.

— Hé, arrête de me semer comme si j'étais le démon. On savait ce qu'on allait voir, quand même !

— Je regrette, je ne savais pas que ça serait si brutal. Là, Mel a franchi une limite. C'est un taré sadomasochiste, et qu'il aille se faire voir. Je vais pas revivre en temps réel ce martyre pour aider Mel *fucking* Gibson à expier ses propres péchés. Pourquoi pas embaucher des types qui nous écartèleraient pendant qu'on regarde le film, tant qu'on y est ?

— Non, non, bien sûr, t'as raison…

— Viens là, Marie Madeleine.

Il m'attire contre lui et je note un début d'embonpoint que je ne lui connaissais pas.

— Hé, je te rappelle qu'on est séparés.

— Si, comme disait Einstein, la folie consiste à refaire encore et toujours la même chose, en espérant à chaque fois des résultats différents, alors nous sommes vraiment bons à enfermer, me sort-il.

— C'est dans quel film, cette réplique ?

— Einstein disait ça, ou quelque chose d'approchant. Faudrait peut-être t'intéresser à autre chose qu'au cinéma, dans la vie, *Frenchie*.

— Oui, je me repens.

— Allons manger un truc sucré pour oublier la Galilée !

On finit devant une coupe en plastique de *frozen yogurt* sur Santa Monica Boulevard, à côté du Rage où un type danse en string léopard sur de la techno. On admet que, malgré ses tares, le film a du coffre. Il sait filmer, l'animal. On comprend mieux aussi la polémique dont Mel Gibson fait l'objet. Le Mel, y a pas à dire, il cherche les poux.

— C'est un nazi, ton Mel Gibson, conclut le Cow-Boy en me déposant chez moi.

— Meu non, exagère pas, quand même…

J'ai du mal à m'endormir ensuite à cause de l'image de Satan qui est une femme dans le film (ben tiens !), avec son asticot qui lui sort du nez et le foutu serpent qui rampe sous sa toge. Exactement le genre d'illustration qui peut me travailler les méninges pendant des semaines…

Le lendemain, conférence de presse avec Mel et ses acteurs. J'hésite à sortir une médaille de la Sainte Vierge, mais je préfère m'abstenir.

Jim Caviezel, alias Jésus, qui en plus de ses initiales J.C. a trente-trois ans et pratique depuis toujours le catholicisme avec fièvre, et Maia Morgensten, l'interprète roumaine de Marie, arborent chacun un bijou religieux au cou. Lui, une grosse croix, et elle, une étoile de David. Comme ça, plus de polémique.

Si mes racines bretonnes font parfois oublier les autres, berbères d'Afrique du Nord, le fait d'avoir connu le caractère sacré de la fabrication des boulettes de couscous familial a réduit ma foi à une dévotion avant tout culinaire. Après avoir vu Mel ce jour-là, je suis de toutes les façons prête à me convertir à ce qu'il veut. Je distribuerai des tracts s'il le désire, j'aiderai à la distribution des hosties dans l'église qu'il s'est fait construire à Malibu, je m'occuperai de Gibson père, qui aurait déclaré que l'Holocauste n'a jamais eu lieu (*sic*), j'accueillerai même les Rois mages quand ils passeront par Hollywood… Car la grande nouvelle du jour, de la semaine, du mois, de l'année, c'est que Mel, enfin, m'aime. *Amen !*

La dernière fois, sur le tournage de *Nous étions soldats*, il s'était détourné de moi, agacé, n'arrivant pas à lire le logo Shrek qui ornait ma casquette. Désormais, le dédain de Mel Gibson n'est plus qu'un mauvais souvenir. Relax et charmant, ses divins yeux bleus aux cils recourbés papillonnent à deux reprises sur moi pendant la conférence de presse. Enfin, il m'a VUE ! Plus tard, je le fais rire en imitant une vieille dame haute comme trois pommes qui grimpe sur ses genoux pour se faire prendre en photo avec lui.

Ce jour-là, je suis dépêchée par mes employeurs pour faire écrire à Mel Gibson : « Bon anniversaire », sur un bout de papier. On fêtera, à Pâques, le deux centième numéro du magazine.

D'habitude, il est interdit de faire signer des autographes à la fin des conférences de presse. Autrement, ce serait la foire d'empoigne. Je demande donc au publiciste de Mel Gibson de faire gribouiller en privé à son client un petit quelque chose qu'il me faxera plus tard.

— Mais c'est ridicule, dit-il en me prenant jovialement par le coude. Mel est là, on va lui faire signer maintenant !

Alors je retourne voir Mel, Melou, Melounet, Memel, qui *se fait un plaisir de me voir*, et me *sourit*, et me *serre la main*, et *taquine* mon accent. Vive le jardin des Oliviers, vive le bœuf et l'âne, vive l'étoile du Berger ! Mais si Mel Gibson est enfin sensible à mon charme, il y a un prix à payer : tout le monde m'a vue lui faire signer un papier et ainsi entraver nos lois ancestrales. Des Judas se chargent de me dénoncer. On va me mettre au « comité des complaintes », me menace une catho de choc, avec cette autorité supérieure des anciens alcooliques qui s'en sont sortis. Ceux qui se réclament du nom de Jésus-Christ ne sont pas forcément les plus prompts à pardonner. Jésus reviendrait, ils le crucifieraient une seconde fois.

Une sanction de suspension temporaire me pend au nez… Alléluia ! Je n'en ai cure, car seuls deux points comptent pour moi : *a)* J'ai rempli ma mission pour le magazine : le Boss sera content de moi.

b) Plus important encore, Mel m'aime !

— Ouais, c'est maintenant qu'il est illuminé et qu'il ne trompe plus sa femme qu'il te remarque… C'est dommage, ironise le Cow-Boy à qui je relate les faits.

Il ajoute que si je suis suspendue, il ira prendre ma défense. Je le regarde en souriant. Et soudain, j'ai envie de tout envoyer balader : le Cow-Boy et ses avis sur tout, le Vatican du Club, un boulot que je porte comme une croix, mon chapelet de mauvais choix, mon rosaire d'indécisions… Tous et toutes : allez au diable !

Emprunter un autre chemin, trouver ma voie, me porter bénévole dans une organisation caritative, être humble et sans ego, aider les pauvres, être bonne, donner plus d'amour au lieu de ne penser qu'à en recevoir.

Grâce à Mel, j'ai retrouvé la foi !

21.

Moi, robot ? (« Faut que je parle au patron »)

Finalement, je n'ai pas été suspendue du Club. Un confrère m'a volé la vedette en giflant une autre membre, une vieille dame ! Il était à bout, le pauvre garçon, vlan, la beigne est partie toute seule. Cantonnée à mon rôle d'enfant de chœur, j'ai répondu à l'une des invitations de la MGM, que j'avais pourtant décidé de boycotter. Leurs projections systématiquement couplées avec un dîner gargantuesque finissent par vous couper l'appétit. (Quoique.)

La cage du lion est nichée en hauteur dans une tour aseptisée de Century City, non loin des studios de la Fox.

Je m'assois sur le dernier siège libre. La salle de projection de la Metro ressemble à une poule de luxe au plumage ocre. On y étouffe. Un des journalistes arrive en retard, marchant à l'aide d'un déambulateur.

Le film, c'est *De-Lovely*, dont j'attends peu de chose depuis mon *set visit* : un tournage sur lequel on nous a parqués une fois de plus à l'écart du plateau devant un moniteur vidéo montrant des rushes sans charme. La campagne anglaise, par contre, était de toute beauté.

L'attaché de presse en chef du jeune *staff* débraillé de la MGM fait un speech avant le lever du rideau et s'éclipse sans oublier de lancer quelques blagues aux membres les plus retors du Club.

Comme prévu, le film s'avère être un *biopic* plaqué et sans résonance de Cole Porter.

— Tu as aimé ? me demande l'un des assistants en me sautant dessus à la sortie.

— Beaucoup ! je lui réponds avec de grands yeux innocents.

L'espace attenant a été métamorphosé pendant la projection : grandes tables couvertes de nappes crème, chaises dorées, arrangements de roses blanches et une pluie de bougies scintillantes. Des deux longs buffets derrière lesquels s'affairent des serveurs en veste blanche monte un fumet appétissant. Un troisième buffet offre un tourbillon de desserts. Je ne pourrais pas rêver plus beau pour mon mariage.

— Tu restes dîner, hein ! supplie l'assistant en me voyant les clés de voiture déjà en main.

Personne n'a encore assiégé les buffets. Le bruit d'un bouchon de Moët et Chandon épouse la partition de Cole Porter. Un pianiste en smoking égrène ses mélodies sur un Steinway à queue. Ils ont réussi à reproduire dans leur *party* la magique *Cole Porter's touch* que l'on ne perçoit pas dans le film.

— Oui, merci, dis-je avec un battement de cils.

Un coussin d'air nous porte, moi et mon assiette, vers une épaule d'agneau rôtie à la perfection. Le serveur ajoute à ces tranches croustillantes un vol-au-vent de légumes de printemps et trois feuilles d'une salade qui fait dans le subtil.

— Oh, c'est bien suffisant, merci, mon ami.

Mon petit nuage me conduit à une table vide.

— Champagne, mademoiselle ? me demande un serveur ressemblant étrangement à Brad Pitt.

Oh, si vraiment vous insistez...

— On peut s'asseoir à ta table ? me demandent bien poliment des membres de la confrérie.

— S'il vous plaît, c'est moi qui vous le demande, dis-je, savourant une bouchée fondante en attrapant ma flûte.

« *Night and day, you are the one...* »

Le pianiste crooner me sourit. D'accord : si c'est comme ça que vous le prenez, alors vous avez gagné ! Je suis à vous, je suis des vôtres, faites de moi ce qu'il vous plaira...

Prenez-moi !

Un vétéran du Club me bouscule. Je sursaute. On a reçu un fax la veille annonçant un décès, et j'étais persuadée qu'il s'agissait de lui. L'attaché de presse en chef ne me voit pas prendre congé, occupé à consoler cette pauvre dame qui s'est fait gifler. Il ne la console pas de s'être pris une beigne, mais de ne rien trouver à son goût au menu.

— Mais si, il y a du poulet là, dans les petites tourtes, c'est bon, ça, le poulet, lui dit-il en lui tapotant l'épaule avec une patience qui m'apparaît soudain comme tout à fait exemplaire.

Un biscuit noir et blanc en forme de clé de sol dans la poche, une gorgée de champagne encore dans la bouche, je me perds dans les dédales de cette tour infernale. Je n'ai bien entendu pas repéré où je m'étais garée en arrivant.

J'arrive chez moi lasse, pour ouvrir une boîte de foies et d'abats au jus pour les chats, virer un soutien-gorge qui me scie les côtes et réaliser que le biscuit en forme de clé de sol s'est transformé en bouillie au fond de ma poche. Il faut que j'arrête de subtiliser des desserts en quittant les buffets… L'autre jour, en interview, le chien d'Ashley Judd m'a caftée. Le bichon de l'actrice s'excitait depuis dix minutes sur mon sac, quand sa maîtresse s'est penchée sur mes affaires en prononçant ces paroles horribles à entendre pour une personne vivant depuis toujours dans un complexe aigu de culpabilité :

— Allez, avoue, fais-nous voir ce que tu as caché là-dedans !

J'y avais fourré une sélection fine de *shortbreads*, dérobés dans la suite hospitalière où l'on m'avait fait poireauter avant l'interview.

— Ah, ah, prise en flagrant délit de vol de *cookies*, c'est du joli ! s'est esclaffée Ashley Judd en offrant un biscuit à son sale petit délateur.

Bah, qu'ils ouvrent leurs sacs, toutes et tous, on va voir combien de gâteaux, de savons, et de cendriers ils tapent, eux, dans les grands hôtels !

J'allume l'ordinateur.

— Surprends-moi, je le supplie.

En ce moment, mon Mac et moi, on est plutôt copains. Je pianote bien et il y a du progrès côté bouquin. Faire ses gammes chaque jour, voilà le secret.

— Vous avez du courrier, me répond le Mac.

Un mémo des copains de la Fox. Le Boss m'en avait touché un mot : je dois interviewer Will Smith à New York pour *I, Robot*. L'e-mail confirme les détails du *long lead press day*, où nous devrons nous rendre sans pouvoir voir le film.

Le lendemain, j'appelle mes contacts habituels de la Fox pour m'assurer que mon tête-à-tête avec Will durera bien vingt minutes comme prévu.

Je suis mise en relation avec une voix qui ressemble à celle de Mariel Hemingway dans *Manhattan ;* elle me souligne le caractère exceptionnel du privilège d'avoir décroché ces vingt minutes exclusives avec Will Smith.

— Un privilège que je partage avec mes collègues de *Première* et *Cinélive*, lui fais-je remarquer innocemment.

Elle émet un son de O barré.

— Vous m'avez faxé par erreur le planning complet de la journée de promotion de Will Smith, je lui explique. Du maquillage à dix heures du matin jusqu'à son dernier tête-à-tête avec *Première*. Pas de soucis, je connais le topo, simplement ne me faites pas le coup de l'exclusivité…

Je profite de son silence pour annuler le tête-à-tête avec l'actrice du film, que le magazine n'a pas demandé, ainsi que les interviews de groupe dans lesquelles on m'avait automatiquement collée.

— C'est vrai que rencontrer Will Smith est un privilège, tout de même, s'émeut ma mère au téléphone. Mais ce n'est pas la question, bien sûr, puisque toi, c'est ton métier, se hâte-t-elle d'ajouter pour me montrer qu'elle sera toujours de mon côté.

Deux heures de retard à l'aéroport et des changements à répétition de terminal ont achevé de me mettre les nerfs en pelote.

Une fois installée devant la bonne porte d'embarquement, j'aperçois Courtney Love qui débarque, encadrée par une nounou qui tient son enfant dans les bras et par une hôtesse de l'air qui semble s'excuser de quelque chose. Mais de quoi ? Pas assez de coke en stock ? Le look de la chanteuse ne paraît nullement affecté par le voyage qu'elle vient d'accomplir : cheveux platine savamment décoiffés, bouche cerise écrasée, robe de *baby doll* et escarpins vertigineux contribuent à sa démarche de poupée cabossée.

Avec mes Converse fabriquées au Vietnam, mon jean mal coupé et ma sacoche noire d'ordinateur sur l'épaule, je fais de la peine. Je cire mes lèvres d'un coup de gloss mais pas besoin de jeter un coup d'œil dans une glace pour me voir telle que je me sens : bien terne à côté de toutes ces célébrités.

Le plaisir de voir Will Smith est entamé par le questionnaire balisé imposé par la rédaction, qui a trouvé là un pied de nez amusant au fait de ne pas voir le film. Le principe est de commencer toutes mes questions par : « Et si… ? ». Je trouve ça à moitié réussi car je ne m'imagine pas arriver devant Will Smith et lui demander :

— Et si votre femme vous donnait la permission de coucher avec une actrice, laquelle choisiriez-vous ?

— Et si vous étiez blanc ? (*On ne poserait pas la question inverse à un Blanc…*)

Un martinet infiltré dans le terminal le traverse en long et en large à grands coups d'ailes, butant à chaque fois contre les vitres. En face de moi, assis sur un fauteuil de massage de démonstration, trône un bonhomme obèse, en short et baskets surmontées de chaussettes blanches hautes sur les chevilles. Secoué par le robot masseur, le Bibendum ne peut retenir des râles de bien-être, les paupières à demi closes.

Tout m'irrite, jusqu'à ce que je prenne conscience que nous volons enfin juste au-dessus de la couche de nuages. Une envie de plonger dans tout ce nébuleux me propulse dans son onctuosité. J'exécute un saut de l'ange, quelques longueurs d'air pur, avant de reprendre ma place bien sagement contre le hublot. J'aperçois alors une chevelure blonde, de grosses lunettes carrées, une main soignée qui se referme sur un *drink* rempli de glaçons : Gena Rowlands. La muse, celle dont le simple nom fait battre mon cœur ! C'est le seul avantage de l'avion depuis le 11 Septembre : plus de rideaux pour séparer les classes, on peut voir avec quels mythes vivants on fend le ciel.

Régénérée par ce bon présage, je jouis à loisir du coucher de soleil qui fait briller Manhattan à l'atterrissage. Je suis logée dans un hôtel branché, gavé de nouveaux riches venus du hip-hop business qui traitent leurs petites amies bardées de marques de luxe comme des moins-que-rien. Elles semblent en être ravies.

Je profite de la tombée de la nuit pour faire un tour dans le romantique Bryan Park. Une chanteuse de Broadway y fait ses vocalises, seule sur une estrade. Le temps de caresser les deux lions de la bibliothèque de la Cinquième Avenue et de traverser le hall réfrigéré de l'hôtel, je sombre dans un sommeil de champion avant le combat.

Le samedi, avant d'aller à mon rendez-vous, j'appelle l'Ermite qui s'est acquitté une heure plus tôt de son interview de Will Smith en *phoner*.

— C'était un peu bizarre : il ne comprenait pas toutes mes questions. Je n'arrivais même pas à le faire parler du réalisateur. J'espère que tu auras plus de chance que moi… Tu viens voir Tobey Maguire demain, quand tu rentres à L.A. ?

— Ça va faire trop court… Et ton interview avec la femme-chat, c'était bien ? je lui demande en évoquant le *long lead junket* de *Catwoman* auquel il participait la veille à Los Angeles.

— Ah, mais je ne t'ai pas dit ? C'était extraordinaire ! Elle, un peu sur la défensive et éteinte, sa publiciste, vulgaire, tapie dans un coin, glapissant dès que quelqu'un abordait un sujet autre que celui du film. Finalement, un Allemand lui a rétorqué qu'on n'avait pas vu le film et que, en plus, Halle Berry avait déjà parlé de tout le reste au « Oprah Winfrey Show ». Et pour clore le tout en beauté, une Coréenne lui a demandé si elle avait eu beaucoup de flatulences après son régime alimentaire pour *Catwoman !*

— Quel cauchemar, je lui concède dans un soupir.

— Je suis aussi allé me montrer aux conférences de presse de *De-Lovely* où ils m'ont accueilli comme le messie : il n'y avait personne. Même ceux qui posent habituellement les questions : aucun ne s'était déplacé.

— Mais au fait, Tobey, c'est pour quoi, sa conf' ? je lui demande.

— Pour quoi ? s'esclaffe l'Ermite. Ah ben, bravo ! Mais pour *Spiderman* bien sûr !

L'homme-araignée. Je l'avais complètement oublié, celui-là…

Après avoir raccroché, je profite du soleil en me rendant à pied à l'interview. Je m'infiltre dans l'enceinte de l'hôtel Mercer, au cœur de Soho, complètement en nage et décoiffée. *No problemo*. J'ai quinze minutes d'avance, j'aurai sûrement le temps de me refaire une beauté. Je suis de très bonne humeur, bien décidée à boucler une interview légère et *fun* avec Big Willie.

Quand je m'engouffre dans l'ascenseur, la foldingue de journaliste espagnole en sort dans un éclat de rire. Elle s'abat sur moi en redoublant d'hilarité.

— Toujours dans le circuit des *junkets*, hein ? ! Ha, ha, ha ! combien de temps tu vas encore faire ça ? Ma parole, ça fait un bout de temps que tu te tapes tous ces *junkets* de merde !

— Je ne sais pas... Combien de temps un flic peut rester à faire la circulation ? je lui lance en repoussant ses longs cheveux tombés sur moi.

— Ha, ha, ha !

Elle balance sa tête en arrière entre les portes qui se referment.

Et elle, elle ne les écume pas toujours, les junkets *? J'imagine qu'elle n'est pas venue au Mercer pour ramasser des fraises.*

Réunir ma confiance en moi. Faire pigeonner mon décollcté – j'ai mis un Wonderbra de chez Victoria's Secret, au lieu de me la jouer bonne sœur –, trouver des toilettes pour me refaire une beauté. Partout, des gens sexy me sourient.

Hellooooo.

Comme sur le plateau d'*Ali* à Miami, Will Smith a emmené tout son entourage personnel. Et de toute évidence, ce sont eux qui mènent la danse. Les deux représentants de la Fox, eux, sont encore plus hors service qu'à l'accoutumée.

Une blonde à la peau de lait, nouvelle venue, s'illumine à mon approche.

— Juliette est là. Parfait, ne perdons pas de temps. Tu es prête à faire ton interview ?

À voir son dynamisme charmant et ses dents longues, je devine que les jours de l'attachée de presse sourdingue de la Fox sont comptés. Elle me pousse dans les bras d'une autre fille encore plus dynamique. Je suis maintenant prise en charge par l'équipe de Will Smith. Je me retourne vers les deux de la Fox que la manœuvre fait sourire, et me voilà déjà dans une chambre où l'on me dit d'attendre Will qui termine une interview de groupe.

La chef de la publicité internationale de la Fox passe au même instant dans le couloir. Elle déclare, sans s'arrêter, être ravie de me voir.

« *Demande-lui où en est ton interview avec Tim Burton pour* La Planète des singes ! » *se moquerait l'Ermite.*

Je passe cinq minutes à me demander si j'ai le temps d'aller me recoiffer et me poudrer quand, trop tard, Will pénètre dans la pièce en lançant un tonitruant :

— Juliette ! Quoi de neuf ?

Il y a peu de chances qu'il se souvienne que je m'étais jetée sur son biceps pendant le tournage d'*Ali*, à Miami, quand il m'avait proposé de le tâter. J'ai beau ne pas avoir le look local, jogging chic, Will Smith n'en tombe pas moins dans le piège de mon Wonderbra.

Les hommes…

Nous prenons place des deux côtés d'une table haute. Il se penche en avant, à trente centimètres de mon visage.

Le ventilateur au-dessus de nos têtes, associé à la clim, déclenche rapidement mon système lacrymal. Je dois plisser les yeux, plus encore que le jour où je me suis retrouvée aveuglée en plein cagnard dans le désert à interviewer le réalisateur français Bruno Dumont.

Soutenir le regard de ce beau gosse juvénile. Mignon, on ne peut pas dire le contraire. Grand, baraqué, craquant avec son assurance à toute épreuve. Et lorsqu'il remonte son tee-shirt pour se plaindre de sa ceinture abdominale pourtant parfaite, je perds tout à fait le fil de mes questions.

— Et si vous étiez noir ? Euh, je veux dire...

Will Smith joue le jeu docilement, ne pouvant s'empêcher de faire dans la langue de bois promotionnelle dès que ça s'y prête, robotisation hollywoodienne oblige. Je commence à me sentir à l'aise et ris avec lui lorsqu'il part dans l'un de ses éclats de bonne humeur sonore. Arrive la fatidique « dernière question ».

Je fais volte-face. Ma montre indique que l'interview a commencé depuis douze minutes exactement.

Je m'apprêtais à demander à mon nouveau copain :

— Et si George Bush bat John Kerry aux élections ?

Je m'adresse à la silhouette derrière la porte :

— Dernière question, vous êtes sûre ?

« Ouais, et tu viens de la poser », semble dire la silhouette.

Une journaliste de *Marie-Claire Angleterre* a fait son apparition dans la pièce, prête à me remplacer. Will dit au revoir à la fille qui se lève et bonjour à celle qui arrive, et me voici ramenée, mon magnétophone encore en marche, dans la suite de la Fox.

Une glace dans des toilettes enfin trouvées reflète l'étendue du désastre : mon Revlon en coulant a creusé des sillons noirs dans mes cernes et un épi part de derrière mon crâne comme une plume de coq. Sans parler de mon décolleté, plus que pigeonnant : le croisé de ma robe s'étant défait, on *voit* mon Wonderbra Victoria's Secret.

Est-ce pour cela qu'à ma question : « Et si vous étiez une femme ? » Will Smith a répondu par un : « Je jouerais avec mes seins toute la journée ! »

— Je n'ai pas vu le temps passer, pas eu l'impression du tout que ça a duré vingt minutes ! Peut-être parce que j'en ai eu seulement douze, je plaisante à l'attention du tandem d'attachés de presse toujours à la même place derrière le bureau.

Pas de réponse. Regards absents.

— Il vous reste un peu de morphine ? je teste.

Aucune réaction.

Je me verse un Coca light en leur coulant un regard en biais. Aucun signe de vie. La main de l'un se pose mécaniquement sur le dossier de la chaise de l'autre. Bon sang mais c'est bien sûr, comment ne l'avais-je pas compris plus tôt : les sbires de la Fox ne sont pas des êtres de chair et de sang, ce sont des machines ! Fatigués de composer avec les *desiderata* des stars, de leurs publicistes personnelles, du personnel des hôtels et des journalistes, ils se sont mis en mode veille. Je m'adresse en vain à des appareils débranchés. Ce sont eux, les robots !

Si « eux robots », moi sortir matrice. Si pas arrêter circuit junkets, *moi finir pièces détachées. Or, moi, pas machine !*

Bah, voyons le bon côté : l'interview est dans la boîte et elle est tellement courte que je pourrai la taper demain dans l'avion et profiter du reste de ma journée *Downtown*. La Fox, alors que je pourrais repartir le soir, m'a payé l'hôtel pour deux nuits. Le tout est de filer assez tôt le lendemain matin pour ne pas être bloquée dans la parade portoricaine. Cela m'est arrivé plus d'une fois, à New York, d'être bloquée dans une parade, on ne m'y reprendra plus.

C'est là, après être sortie de l'hôtel, esseulée dans l'architecture en acier du quartier de Soho, que se matérialise enfin une évidence sous la forme d'une volée de questions brûlantes :

Y a-t-il une limite d'âge pour refaire sa vie ? Peut-on, dans le futur, redevenir celle qu'on a été ? Mais de quoi vivrais-je ? Et si je kidnappais des chiens à Beverly Hills, et les ramenais à leurs propriétaires en échange d'une rançon ? En ce moment, il y a ce type qui met des annonces sur tous les palmiers : cinq mille dollars de récompense à qui retrouvera son bulldog. Mais si je me fais mordre ? Où en sont mes vaccins contre la rage et le tétanos ? Vous, savez-vous où en sont vos vaccins contre la rage et le tétanos ? Non, je peux devenir free-lance, tout bêtement. Ça sonne bien. Mais où ? En France ? Seule ? Et les chats, j'en fais quoi ? Et les enfants ? Quoi, les enfants ? Qu'est-ce que je veux : un type riche, un type qui a réussi ? Faut croire que non. Suis-je une incurable loseuse ? Et si je me recyclais ? Je pourrais faire une école ? Mais est-ce que je ne déteste pas l'école ? Qu'est-ce que je veux vraiment, à la fin, tant que j'ai encore le choix ? Ai-je encore le choix ?

La tête comme une ruche, je dis à voix haute :

— Faut que je parle au patron.

Les dés sont jetés.

De retour à Los Angeles, je prends mon courage à deux mains et empoigne le téléphone. Me voilà en train d'expliquer au Boss que je dois abandonner l'écurie des pur-sang salariés de la rédaction. Plusieurs des anciens du magazine l'ont déjà quittée avec panache, pour devenir des réalisateurs à succès et, à ma petite manière à moi, j'ai aussi envie de galoper la crinière au vent

— Je démissionne de cet engrenage infernal dans lequel je me suis laissé entraîner à Hollywood. Si je continue à être votre correspondante officielle, cela signifie que je continuerai à me taper TOUS les *junkets* et je n'en peux plus, Boss. Il faut se rendre à l'évidence : le système a eu ma peau. Mais je peux encore faire peau neuve autre part… Je n'ai pas non plus envie de revenir à Paris : Paris fait partie d'une vie passée et je n'aime pas les demi-tours. Mais j'ai besoin de revenir un peu en France… J'ai besoin… Je ne sais pas… Je ne sais plus… Mes fréquences sont brouillées, je mélange tout, je rêve en anglais, je pense en anglo-français, aucun sens ne ressort de tout ce charabia.

— Tu te sens bien, Juliette ? me demande doucement le Boss.

— Ben…

Non, je ne me sens pas bien, pas bien du tout. Je vais mourir. I'm gonna die.

Mais non, pas tout de suite.

Je ne veux pas avouer au patron que je suis une femme au bord de la crise de nerfs.

— Je ne sais pas trop ce que je vais faire après… Les chats ont bien neuf vies ! J'ai besoin de redémarrer… Là tout de suite, je suis à bout de souffle. Je n'ai pas d'autre choix que de donner ma démission, Boss.

Il pourrait m'en vouloir, me dire : « Bon débarras », ou se moquer de moi en disant : « C'est ça, ouais », mais le patron reste cet humain que je souhaite à tout le monde de rencontrer un jour sur sa route. Il dit :

— Je comprends.

Bang ! C'est le départ de ma nouvelle vie.

Le magazine, tout juste racheté par de nouveaux propriétaires, se prépare justement à subir un relookage complet. Il y a du changement dans l'air, avec ou sans ma démission. Et par une série d'acrobaties propres au monde de la presse, je peux négocier mon grand saut avec un filet. Je tiens enfin mon avenir entre mes mains ! Je ne vis plus dans le passé, ni même dans le présent, mais dans un futur permanent. Difficile, dans ces conditions, de réorganiser sa vie.

… Étrange période durant laquelle le résultat des élections présidentielles jette comme un froid. Quelque chose de carrément polaire. Oubliés, les soucis personnels, oubliés, les sorties de films et leurs résultats au box-office : quand la politique fait son cinéma, il n'y a plus de place pour d'autres attractions.

J'ai suivi les résultats télévisés dans un petit bar de West Hollywood. J'avais préféré décliner l'invitation du Cow-Boy à regarder le massacre chez ses amis gauchistes. Besoin de calme avant la tempête.

Au fur et à mesure que les États se coloraient de rouge, les clients du bar se mettaient à pleurer, se retiraient les uns après les autres en jetant des injures incompréhensibles.

Pour ma part, j'avais senti que la partie était perdue après avoir effectué une brève visite en Virginie, où toutes les femmes ressemblent à Laura Bush et où on vous donne du « *God bless you* » à chaque achat de carte postalc. J'avais fait le voyage dans cet État du Sud, berceau des pères fondateurs des États-Unis, pour rencontrer Colin Farrell sur le tournage du *Nouveau Monde* : une interview de groupe assez longue pour une fois, avec du vin et de la bière servis par la Warner. On pouvait même fumer, grâce au petit rebelle irlandais qui avait mis les studios au pas. Pour un peu, les attachées de presse auraient balancé des « *fuck* » à répétition…

Lorsque les résultats ont tous été confirmés, qu'il a été sûr que George Bush était réélu, le barman du rade s'est mis à boire son fond de caisse et s'est embarqué dans un monologue interminable, ponctué de grands silences :

— Tu vois, entre New York et Los Angeles, y a tout un grand pays, et ça s'appelle l'Amérique. Les côtes est et ouest, ce ne sont que les bouts du sandwich. Faut mordre au milieu, en plein dans la laitue, la dinde et la mayo, pour connaître le vrai goût de l'Amérique. Avant, tu t'éclatais avec ton sandwich. Mais maintenant, l'Amérique, elle est rance, tu comprends ? Elle pédale à l'envers. T'es française, toi ? Tu veux une tequila ? Tiens, je m'en fais une… Tu travailles dans l'industrie du film, je parie. T'écris ? T'écris sur la chute du mythe américain ?

Pour moi, le mythe américain a commencé sa chute quand j'ai appris que James Stewart et Gary Cooper avaient aidé à balancer leurs copains acteurs pendant la grande chasse aux sorcières de McCarthy…

— Faut rester vigilant, voilà ce que j'ai à dire, continuait le barman. Vous avez pas failli avoir un type de l'extrême droite chez toi aux élections présidentielles ? Ouais, il a été contré, mais vous avez eu les jetons, non ? Le siècle est à la régression, faut ouvrir l'œil et le bon. Pas vrai ? Allez : vive la France !

C'était une bonne conclusion à la soirée. J'ai posé mon verre avec révérence et suis partie sur la pointe des pieds. Minuit passé : dernière séance.

Et le rideau sur l'écran est tombé.

22.

Bon sang, *I love L.A.* !

— J'ai bien choisi mon moment pour devenir américain, non ? m'a demandé l'Ermite, sa carte certifiant sa double nationalité en main, après des années de procédure pour officialiser son expatriation.

Il se serait bien installé au Mexique, mais je lui ai rappelé que les Mexicains risquent leurs vies pour émigrer en Californie.

Dans la cuisine de mes parents où j'ai élu provisoirement domicile – « Tu ne vas pas me laisser là tout seul comme un vieux yack ? » m'a dit l'Ermite – est punaisée une carte des États-Unis. Un point au feutre indique les territoires que j'ai foulés : Alabama, Arizona, Illinois, Indiana, Louisiane, Massachusetts, Nevada, New York, Oregon, Pennsylvanie, Texas, Utah, Virginie, Washington… Le Cow-Boy dit que j'ai vu plus d'Amérique que la plupart de ses autochtones.

J'ai même été à la NASA, à Houston, lors d'une visite guidée organisée par la Warner avant la projection de *Space Cowboys* de Clint Eastwood. Équipée de gants spéciaux et d'un casque sur la tête, j'étais prête pour un tour virtuel. *A priori* je ne suis pas très NASA comme fille, mais le truc, c'est que la Terre est beaucoup plus bleue vue de l'espace… Et j'avoue que ce voyage dans les étoiles était terriblement excitant.

Et tout ça, grâce à mon boulot ! Alors, oui, je sais, je fais un beau métier. D'ailleurs, depuis que je l'ai quitté, je n'ai de cesse d'en vanter les mérites.

Enfin, quitté… Je suis encore journaliste de cinéma (c'était ça, travailler sur un péage ou dans une usine d'anchois, et je me suis dit que tout compte fait…). On ne se défait pas aussi facilement d'un si beau métier, comme on ne se défait pas aussi facilement de l'Amérique. Mais j'ai maintenant plus de temps libre pour *écrire pour moi*, et cela fait toute la différence. Me voilà donc vaguement pigiste, même si je ne pige toujours pas grand-chose à la réalité du monde. Dans l'avion qui me ramène à Los Angeles, lors d'un des allers et retours qui jalonnent ma nouvelle vie de freelance, j'imagine un trait rouge relier les États que j'ai visités sur la carte, comme dans *Indiana Jones*.

Je vais très bien, si ce n'est cette douleur dont je n'arrive pas à me débarrasser.

Je réalise quelques semaines après avoir coupé le cordon avec la maison mère (mon cher magazine) que ce sont les ailes qui poussent dans mon dos qui me font si mal. La liberté a un prix.

Une hôtesse de l'air s'approche de mon hublot. Je l'ai déjà croisée sur plusieurs trajets. Ensemble, nous nous moquons souvent des voyageurs odieux ou parlons de l'actualité du cinéma.

— Mes compliments au chef, je fais référence au plateau-repas apporté juste avant l'arrivée.

Elle s'en amuse, désigne la plaine infinie de maisons qui se rapprochent, et le signe d'Hollywood maintenant visible. Neuf pauvres lettres mal entretenues accrochées à une colline en friche. Et pourtant, à chaque apparition, toujours le même frisson.

— On ne s'en lasse jamais, de cette arrivée, n'est-ce pas ? me fait-elle remarquer. C'est plus impressionnant la nuit, quand on voit briller le tapis de lumières. Le jour, ceci dit, il y a les taches bleues des piscines...

— Y a jamais personne dedans, je fais la moue alors que s'allume le signal pour attacher les ceintures.

Je remplis à la hâte ma carte de débarquement et précise que je possède un visa de journaliste pour qu'on ne commence pas à me chercher des noises. D'ailleurs, si je n'ai plus ma maison de poupée, je possède toujours mes entrées dans cette ville : n'oublions pas que je suis toujours membre éminent du Club.

Le Cow-Boy m'attend, encombré d'un bouquet tape-à-l'œil de lys et glaïeuls volés à l'hôtel où il continue de travailler. Les tiges mouillées ont trempé son tee-shirt blanc et le pollen des lys lui a dessiné des peintures de guerre sur le front.

L'été, entre deux pétards de l'Indcpendence Day, nous avions tourné un court-métrage ensemble. Même s'il était expérimental, c'était la première fois que je faisais du cinéma, et cette expérience m'a rappelé ce que nous faisions dans La Mecque du septième art. Ce court nous a indéniablement rapprochés. Il faut dire aussi que le Cow-Boy s'occupe pour l'instant de mes chats.

La lumière fait dans l'orangé. Le Cow-Boy a commandé la plus belle luminosité, celle qui rend tout et tout le monde beau en fin de journée, celle qu'il aime tant.

Nous descendons La Cienega Boulevard le long des grues à pétrole, ces drôles d'oiseaux de fer qui cherchent l'or noir dans le sol, vestiges rouillés mais toujours opérationnels du vieil Ouest. Nous rattrapons, à gauche, Wilshire Boulevard. Il a réservé une table dans un restaurant de Malibu.

— Je te rappelle que nous sommes séparés.

Je désapprouve cette mise en scène trop romantique.

— Je sais, je sais, il répond en français.

Nous dépassons l'hôtel Four Seasons. Je tends le doigt en prenant la voix de E.T. :

— Maison !

Le lendemain, je dois y faire des interviews pour *King Kong*. Un supposé tête-à-tête avec Adrian Brody, qui se transformera en partie de ping-pong avec quatorze journalistes. Bons vieux *junkets*...

— Encore un remake, maugrée le Cow-Boy à l'évocation du gorille de Peter Jackson.

— Bah, faut bien qu'Hollywood recycle.

Je regarde défiler Los Angeles. Même lorsque j'y ruminais des idées sombres, j'ai toujours aimé revenir dans la glorieuse agglomération, attirée par son parfum d'aventure et d'exotisme. Fausse ingénue où tout le monde est acteur, réalisateur, scénariste, ou veut l'être... Du moins, quand on est dans le bain, on a inévitablement cette impression que tous ceux qui n'y sont pas font de la figuration pour meubler un décor autrement trop vide. Car après tout, à bien y regarder, la Californie du Sud n'est pas si spectaculaire. Mais au contraire remarquable par sa routine, celle de centaines de banlieues ordinaires aux problèmes tout ce qu'il y a de plus communs. Beaucoup de dingues, certes, beaucoup d'humanité rock'n'roll tatouée jusqu'aux yeux... Car l'Amérique sauvage que l'on retrouve au cœur des films de David Lynch, farouche amoureux de Los Angeles, est souvent encore en deçà de la réalité.

Fiction et réalité... Pour la sortie de *Mulholland Drive*, j'avais emprunté ce fameux lacet de route sinueuse à l'arrière d'une limousine, assise à côté de David Lynch – tant qu'à faire. À l'avant, le photographe du magazine scrutait les cactus en quête de l'endroit propice à quelques poses. Au volant, le Cow-Boy, enrôlé pour l'occasion, prenait les virages avec souplesse, comme pour inciter le réalisateur et la journaliste à se détendre. C'était puissant de rouler sur Mulholland Drive en compagnie de David Lynch. D'ailleurs cette Amérique sauvage, ce parfum d'imprévu et même de danger, fait bel et bien partie du grand pouvoir d'attraction de la Californie.

Pour le reste... quelques surfeurs, mais peu de pin-up courant sur les plages au ralenti. Et dans de nombreux quartiers que l'on ne voit sur aucune carte postale, plus de vieilles Dodge rendant l'âme que de BMW.

— Comme partout, des abrutis et des gens formidables...

J'ai pensé tout haut.

— Surtout des abrutis, grogne le Cow-Boy qui rumine, depuis les élections, un sentiment anti-angeleno primaire.

Ce ne sont pourtant pas eux qui ont fait réélire le président, au contraire. Mais toute cette jeunesse friquée conduisant des mammouths montés sur roues, sa désinvolture arrogante, tout ce déclin estampillé de marques de créateurs, bref, la perte graduelle du charme cool qui faisait de L.A. un fabuleux mirage représente pour lui ce que le monde a de plus vulgaire à offrir. Le manque d'humilité, surtout, le fait sortir de ses gonds. Il trouve les gens impalpables. Je lui rétorque qu'ils l'ont toujours été.

— Ce sont des *body snatchers*. Ils me font peur, surenchérit-il.

J'ai, moi aussi, eu longtemps le sentiment de vivre parmi des revenants. Mais je suis sortie de ma phase critique, dans un rejet nécessaire de toute généralisation.

Faut rester vigilant.

— L.A. est mort, vive L.A. !

Je brandis mon bouquet.

— Tu mûris, me dit le Cow-Boy.

C'est vrai. Autrefois, je détestais tant de choses : les corbeaux, Matt Damon et Céline Dion. Aujourd'hui, en voyant celles et ceux qui prendront un jour leur place, je commence à les apprécier. Quant aux corbeaux, pauvres bêtes, ils ne m'apparaissent plus comme des oiseaux de mauvais augure mais comme des victimes, des incompris.

Nous passons relever ma boîte postale dans laquelle se trouve une lettre de lectrice soucieuse de contacter Russell Crowe.

— Les filles préfèrent les salauds, je provoque le Cow-Boy.

— Et alors, je suis trop gentil, c'est ça ?

Il ralentit au-dessus des rouleaux du Pacifique.

Cette route, l'ai-je vraiment empruntée à moto, accrochée au dos d'un jeune Acteur connu, le vent, le sel et le sable scintillant autour de nous comme sur la pochette d'un vieux disque pop ? Ai-je tout rêvé ?

Nous arrivons au restaurant de Malibu. Intérieur en bois blond, mélange de couples illicites et de familles trop légitimes. Nous nous installons sur une banquette isolée pour échapper à la télé allumée qui diffuse des images de la guerre en Irak. Le reportage est expédié en quelques plans poussiéreux.

En France, il y a les émeutes des banlieues et, à en croire CNN, c'est la guerre civile. Sur leur carte de France, Cannes est située au niveau de Narbonne.

Nous choisissons une table encore plus éloignée après qu'une blonde têtue est venue nous imposer sa médiocrité avec son téléphone portable. Nous reconstruisons notre bulle, à l'abri des envahisseurs.

Le serveur, avec cette gentillesse abrupte propre au service américain, vient nous conseiller les calamars frits. Nous commandons deux ballons de blanc frais et des fruits de mer.

— Tu n'as pas encore pris ta décision ? demande le Cow-Boy, comme il aurait dit « passe-moi le sel ».

— À propos de quoi ? je m'écrie, horrifiée par la perspective d'une décision supplémentaire à prendre.

— Tu sais… Essayer d'habiter ensemble quelque temps.

— Tu vas venir habiter en France ? !

Il me tend la coupe de crevettes-cocktail.

— Ouais, t'es mal, hein ? T'avais pas pensé à ça ! Allez… on va faire notre entrée sur le sol français, montre-moi comment tu salues la foule.

C'est sa nouvelle obsession. Entrer en politique, avec à ses côtés sa Jackie Kennedy.

— Laisse tomber. Foutus politiciens, ça vous enfonce le monde dans la boue et ça a toujours l'air content de soi. Sans moi.

— Si tu n'as pas encore pris ta décision, ne dis rien.

Le Cow-Boy referme le bleu de ses yeux sur moi comme s'il savait depuis le début que nous étions voués à la séparation mais refusait d'affronter son caractère irrémédiable, tout simplement parce qu'il y a des choses irrémédiables qui durent toute une vie.

Je me tourne vers la fenêtre. Le soleil se noie sans un cri. Je pousse un long soupir.

— Déjà, faut que je finisse mon foutu bouquin.

Le Cow-Boy recommande deux verres de blanc.

— En ce moment, j'essaie d'écrire sur ce que les États-Unis ont toujours de bon, mais j'ai du mal…

Je baisse la tête, espérant recevoir quelques propos inspirants en échange de mon humilité. Le Cow-Boy brandit à nouveau son verre.

— Je sais, c'est pour cette raison qu'on va en France !

— Si tu crois que tu vas m'acheter avec du chardonnay et des calamars frits.

Je trempe un petit beignet dans la sauce aigre-douce.

— Je sais, je sais, il fait.

Il tire une American Spirit de sa veste et se lève pour aller la fumer sur la plage, la mine brusquement sévère. Je le rejoins sur une bande de sable mouillé. Un vol de pélicans nous souhaite bon appétit et je nous sens tous les deux nous cristalliser dans la brume de cette soirée couleur de lune. Une bouffée de bonheur marin me chauffe la nuque, sans raison autre que celle de me trouver là.

Les vagues s'écrasent sans faire de bruit.

J'essaie, dans le silence de la mer, de deviner des bribes de mon futur. Le présent est si friable. Où serai-je dans six mois, dans un an, dans six ans ? Après tout, même les enfants rebelles d'Hollywood se sont fait une raison et rentrent dans le rang. Et qui se souviendra de moi ? Le Cow-Boy, enfin devenu indien ? J'imagine, je me leurre. Je projette…

C'est bien ça le problème : au fond, j'aime trop le cinéma pour ne pas continuer à me faire des films.

Je ferme les yeux :

… Plus tard, bien plus tard, lorsque le Cow-Boy et moi regarderons grandir nos enfants dans le Maine, dans notre jolie maison de bois avec vue sur un phare…

… Lorsque, divorcée du Cow-Boy, j'habiterai avec deux autres chats dans ma bicoque du Morbihan…

… Ou bien, lorsque j'aiderai à servir des repas pour les défavorisés, ayant enfin rejoint une association humanitaire. La paix se sera faite en moi et je saurai affronter le chaos alentour…

… Plus tard, bien plus tard, je me souviendrai que j'ai été là, dans la ville du cinéma, que j'étais jeune et vivante, en attente de quelque chose que j'avais déjà et que je laissais filer entre mes doigts, par goût de la contemplation autant que par le besoin impérieux d'une éternelle quête. Les *junkets* ne seront plus qu'un vieux souvenir, remplacés par un système très au point d'interviews à télécharger par ordinateur. Et je me souviendrai avoir été là-bas, à converser avec les stars, dans ce coin éloigné du monde, à un moment précis de mon existence.

Je repenserai à Los Angeles et à son tapis de lumières la nuit, comme si je m'en rapprochais encore une fois. Peut-être même que mes yeux s'embueront.

Tenez, si vous lisez toujours, c'est que je l'aurai pondu, ce *damned book* ! Mais je saurai alors que si ce livre s'est avéré si difficile à terminer, si j'ai eu tant de mal à tourner la page, c'est parce qu'à L.A., pour moi, tout ne faisait que commencer.

Et puis il y a les rencontres

Très tôt, j'ai été heurtée par les notes dissonantes de ce monde, par ses abîmes et ses injustices. Le cinéma m'a toujours servi de diapason pour retrouver un semblant d'harmonie, un diapason que les bons films font vibrer. Tout comme les belles rencontres. Bien sûr, on aura compris que toutes les interviews ne sont pas, loin de là, des rencontres. Mais certaines se détachent des autres et vibrent fortissimo. *Deux d'entre elles, l'une avec Tom Hanks, l'autre avec Robert Redford, résonnent encore dans ma mémoire comme des accords parfaits.*

Pourtant, je n'en attendais pas grand-chose. Les films prétextes aux entretiens, The Ladykillers *et* La Clairière, *s'étaient avérés mineurs au regard des prestations majeures de leurs deux interprètes respectifs. Et si le talent multiple de Tom Hanks, acteur avec un grand A, et l'auréole légendaire de Robert Redford – son action en faveur du cinéma indépendant, de l'écologie, sa beauté ravageuse du temps de sa gloire, et quelle filmographie ! – me mettaient forcément en position d'admiratrice, le côté « bon Américain propret » de*

Tom Hanks et les réponses interminables « d'oncle Bob » durant divers junkets *m'avaient un peu refroidie.*

J'ai donc préparé mes entretiens avec amour, tout en m'attendant à être déçue, d'autant que nous n'aurions droit qu'à la demi-heure réglementaire en tête à tête. J'ai eu droit au grand jeu : conditions de travail décentes, attachées de presse concernées, temps d'interview prolongé. Et les interviews elles-mêmes... du nectar !

À tous ceux qui m'envient : vous avez raison... Face à Tom Hanks et à Robert Redford, j'ai senti battre le pouls du talent et de la passion, j'en ai compris les ramifications et débusqué les efforts derrière la facilité apparente. Décidées à m'en donner pour mon argent, deux stars d'Hollywood m'ont fait pénétrer dans les coulisses et m'ont donné un aperçu de leur répertoire : tour à tour ludiques, graves, séducteurs, humbles, égocentriques, généreux, érudits, juvéniles...

Toujours enthousiastes, incandescents, ils ont aussi révélé leurs zones d'ombre, leurs phases de doute, leurs joies comme leurs frustrations, ce mélange de créativité et de popularité qui les a propulsés au rang des idoles de leur enfance, et qui m'a scotchée à mon tour devant celles qui peuplaient les murs de ma chambre de petite fille. J'ai vu deux monstres sacrés sortir avec grâce de l'un de leurs films, tout spécialement pour répondre aux questions que je souhaitais leur poser. Les bougres. Ils auraient voulu me charmer qu'ils n'auraient pas pu mieux s'y prendre !

Naturellement, je ne prétends pas connaître les acteurs juste parce que je les ai rencontrés. L'humeur d'un acteur est souvent en fonction de son dernier rôle ou du prochain et, parfois, le diapason ne vibre pas du tout. Mais de telles interviews m'ont transportée loin et longtemps, points d'orgue de mes années L.A.

Pourquoi cette surenchère de métaphores musicales et cette tonalité solennelle ? Sans doute parce que mes souvenirs hollywoodiens forment aujourd'hui comme une mélodie agréable dans mon cerveau. Et pour être honnête, je ne suis pas peu fière de l'avoir composée. Parfois, je m'en fredonne des passages, mes préférés. Les images défilent au ralenti dans le petit théâtre de ma mémoire et je me surprends à esquisser un sourire, voire à me marrer franchement...

Je revois Richard Gere sur le tournage nocturne de Chicago, *à Toronto, dans un labyrinthe de décors de cirque. Lui dans son costume aux rayures scintillantes, moi l'air furibard. Il vient de terminer après de nombreuses prises un numéro fantasmagorique, entouré de danseuses langoureuses enroulées sur des trapèzes ; moi, je viens de me disputer avec l'attachée de presse de plateau qui me rend chèvre. Richard Gere m'attrape le bras pour m'arrêter dans mon élan. Des paillettes rouge et or, tombées du costume des trapézistes, font miroiter son regard qui me caresse comme s'il essayait de me transmettre son karma. Après l'interview, je me revois partir seule dans la nuit, bravant la neige, laissant derrière moi le lac Ontario gelé. Je touche mon bras sur lequel la main de Richard Gere, splendide dans son habit de lumière, a laissé comme une brûlure, et je souris.*

Je me revois à l'aise en face de Julia Roberts. En interview de groupe, elle reste toujours sur la défensive, prête à mordre. À l'instar de son personnage dans Coup de foudre à Notting Hill, *elle ne parvient toujours pas à prendre tout ce carnaval à la légère. Mais en tête à tête, elle se détend. Son éclat magique revient, la pièce se charge d'un arc-en-ciel d'énergies, d'émotions à fleur de peau… l'intervieweur est ensorcelé !*

Je revois sous forme de flashes l'arrivée des stars aux conférences de presse. Sean Penn de bonne humeur, Angelina Jolie bionique, Tim Robbins géant, Jim Carrey irrésistible, Clint Eastwood apaisant, Brad Pitt aveuglant, Jack Nicholson dangereusement fascinant, Robert De Niro muet comme une carpe, Al Pacino au contraire prodigue en anecdotes passionnantes, Renée Zellweger squelettique et gentiment piquée… Et les divas, toujours plus attendues que les autres : Barbra Streisand, Cher, Madonna, Jennifer Lopez… Quel feu d'artifice !

Je revois Steven Spielberg se confondre en excuses sur le plateau d'Attrape-moi si tu peux *parce qu'il doit retourner travailler.*

— Mais j'essaie de revenir et d'amener Leo avec moi, c'est promis !

Et il tient sa promesse, poussant devant lui un Leonardo DiCaprio encore dans son personnage.

Mon Leo… Je l'ai revu à l'occasion d'un tapis rouge. Il a fait arrêter ses gardes du corps exprès pour me dire que l'interview que je lui avais enfin envoyée lui avait plu. Il a pris cinq minutes pour discuter avec moi au milieu de la foule, j'ai trouvé ça très sympa. À vrai dire, j'aurais bien aimé que la scène soit filmée…

Je me revois déambuler dans les couloirs du Four Seasons, un verre de vin offert par Viggo Mortensen à la main. Il avait un rhume, ce qui ne l'a pas empêché de faire l'interview pieds nus, fidèle à son habitude, et d'ouvrir rien que pour nous deux la bouteille de bordeaux du minibar. Ses réponses étaient douces et passionnantes. C'est le seul acteur d'Hollywood qui, à ma connaissance, fait référence à des actrices et non à des acteurs quand il cite ses sources d'inspiration.

Il était convenu qu'il me rappelle quelques semaines plus tard pour compléter le tête-à-tête, et il n'a pas oublié. Il m'a appelée du Maroc où il tournait Hidalgo. *Je l'ai d'abord interrogé sur la poésie qu'il écrivait. Mauvaise idée : il s'est mis à réciter l'un de ses poèmes, puis est passé à un autre... Et ne s'est plus arrêté. Un ménestrel intarissable. Après trois tentatives pour l'interrompre – sachant qu'il ne disposait que d'une demi-heure –, j'ai abdiqué, me suis renversée sur ma chaise et, les yeux clos, ai laissé Viggo Mortensen me réciter des vers en direct du Maroc...*

Non, non, je n'évoquerai pas dans cette énumération de souvenirs un certain Acteur connu dont j'ai déjà trop parlé. Cette fois-là, il ne s'agissait pas d'une rencontre, mais d'un rendez-vous...

Mais plus d'une fois, je me suis pincée pour être sûre que je ne rêvais pas, comme dans ce bungalow rose du Beverly Hills Hotel où nous interviewions Tom Cruise avec le Boss.

À dix-neuf ans, en visite à Toulon pour me faire poser un appareil dentaire, je m'étais retrouvée devant le Gaumont qui passait Stand by Me *et* La Couleur de l'argent. *J'avais enchaîné les deux films, en lévitation. Le bon cinéma américain a le pouvoir de mettre en transe. Fascinée par Tom Cruise qui tenait la dragée haute à Paul Newman, j'avais tapissé mon studio parisien de photos de lui dans* Top Gun, La Couleur de l'argent *et* Né un quatre juillet… *À dix-neuf ans, je me suis lancée dans la vie adulte avec un foutu appareil dentaire et un amour de midinette pour le cinéma.*

Et voilà que j'ai fini par me retrouver en face de Tom Cruise. Tout ce qu'il raconte sur le cinéma vous électrise. Né pour être acteur. À l'époque, la visite de l'Église de scientologie n'était pas encore obligatoire pour obtenir une interview.

Je me pinçais toujours quand le Boss et moi avons commencé à le questionner. L'interview, en toute liberté, a duré près d'une heure. Plus tard, nous avons réalisé qu'elle avait été enregistrée. Mais où étaient cachés les micros ?

Après une accolade à chacun de nous, Tom Cruise est allé jusqu'à me dire que j'avais une jolie robe. « Avez-vous jamais volé au coucher du soleil aux commandes d'un jet privé ? » m'a-t-il demandé durant l'entretien. Ben, pas récemment, mais…

J'adore voir le Boss mener les interviews. Contrairement à moi, sa disciple, qui déplore un léger problème de concentration, il ne perd jamais de vue son idée première et se laisse encore moins rouler dans la farine. Ce qui ne l'empêche pas d'être encore plus fan que moi. Tous mes souvenirs de soirées de remises de prix avec lui sont fameux.

La dernière fois que nous avons foulé le tapis rouge, il s'est écroulé à mes pieds, terrassé par un malaise à l'instant même où Nicole Kidman faisait son entrée.

« Voilà, je suis sur le red carpet, *avec le patron mort à mes pieds. » Cette pensée m'a traversé l'esprit une*

fraction de seconde, avant de me retrouver à l'hôpital, attendant de ses nouvelles, claquant des dents dans ma robe de satin léger.

Je revois le Boss arracher les électrodes de son torse nu comme l'incroyable Hulk en disant, sans se laisser démonter :

— On va quand même y retourner, non ?

Il a confessé au docteur jovial qui lui avait sauvé la vie avoir trop bu la veille à une fête preshow.

— Vous étiez à la fête chez Spago ? ! On aurait pu se voir ! J'y étais moi aussi, mon mari travaille dans l'Industrie ! s'est écriée l'infirmière.

Le patron m'a regardée et j'ai pu lire dans ses pensées : Only in Hollywood !

Avant qu'il ait pu s'assurer que ses Marlboro light se trouvaient toujours dans la poche de son smoking, le docteur lui a arraché le paquet pour le jeter à la poubelle :

— Si vous, les Français, arrêtez de fumer, nous, les Américains, arrêtons d'envahir les pays étrangers.

Le doc jovial a cependant laissé le Boss passer directement du brancard aux brocarts de la fiesta.

— Cela vous remontera le moral, seulement, attention, ni alcool ni cigarettes !

Et nous voilà repartis sous les feux des projecteurs.

Il faut avouer que les remises de prix hollywoodiennes ont un pouvoir magique certain. Je me revois balayer du regard cette grande salle de bal aménagée pour la cérémonie annuelle du Club et apercevoir dans mon champ de vision Meryl Streep, Robert Redford, Dustin Hoffman, Warren Beatty, Johnny Depp, Leonardo DiCaprio, Nicole Kidman, George Clooney, Halle Berry, Pierce Brosnan, Natalie Portman, Hugh

Grant, Glenn Close, Robin Williams, Prince, Mick Jagger…

Forcément, pour deux nigauds comme le patron et moi, ça ne se loupe pas !

Même si, à bien y regarder, tous ces grands galas ne sont que de la poudre aux yeux, même si le succès est éphémère et que le seul talent respecté à Hollywood est celui du pouvoir, je ne peux le nier, j'aime toujours autant le glamour d'Hollywood et les virtuoses qu'il recèle, comme j'aime les sapins de Noël, ou les beaux gâteaux d'anniversaire. Cela me met du baume au cœur. Et je ne sais pas vous, mais personnellement, j'ai de plus en plus besoin de baume au cœur…

Composé par Nord Compo
à Villeneuve-d'Ascq (Nord)

Imprimé en Espagne par
Litografía Roses
à Gava
en mai 2010

POCKET – 12, avenue d'Italie – 75627 Paris cedex 13

N° d'impression : <00000>
Dépôt légal : juin 2010
S18655/01